생애 최후의 날숨. 생과 사의 경계

숨비소리

불행한 천국과 행복한 지옥의 선택

글쓴이 **이명규**

숨비소리

초판 1쇄 발행 2023년 12월 15일

지은이_ 이명규
펴낸이_ 김동명
펴낸곳_ 도서출판 창조와 지식

인쇄처_ (주)북모아

출판등록번호_ 제2018-000027호
주소_ 서울특별시 강북구 덕릉로 144
전화_ 1644-1814
팩스_ 02-2275-8577

ISBN 979-11-6003-657-2

정가 20,000원

차례

1. 숨비소리

첫 페이지를 비우며 '감사한 마음이 생기니 행복하다' 17

책머리에 '숨비소리' 19

남에게 말해서는 안 되는 말을 하는 이유 23

지금 떠나도 후회 없는 이유 2019년 5월 20일 25

바보는 돌아보며 후회한다. 27

철없는 아내와 철부지 자식을 양손에 안은 채 36

2. 인연과 필연 그리고 숙명

화해와 용서가 없이 떠난 어머니와 영원한 이별 47

돈에는 부모·형제도 없다. '친족상도례' 50

불효자 부모님 성묘 56

나는 고아다. 58

반갑지 않은 추석 59

처가 어버이날 62

가시고기의 후회 64

2019년 5월 20일을 향해서 달려가는 목마 66

1999년 12월 1956년생 아빠가 1991년생 아들에게

처음 보내는 편지 68

줄이고 줄여 최대한 짧게 줄였으나 긴 잔소리

아빠가 죽기 전에 사랑하는 아들에게 전하는 말 71

끝이 없는 괜한 자식 걱정 74

아들 고등학교 기숙사에 데려다주며 손에 쥐여 준 글 76

자식이 수능 보는 날, 성모 당에서 81
대입 수험생 부모 85
환승역에 서서 87
군 훈련소에서 보내온 아버지 어머니 전 상서 88
포상 전화는 아빠에게 하지 말고 엄마에게 해라 92
아빠의 명령이다! 씩씩하게 엄마 품으로 돌아오라. 95
아빠처럼 후회하지 말고 네가 하고 싶은 것을 해라 97
아름다운 사회가 너를 반겨줄 거다 99
난 아들 바보라서 행복하다 101
네가 내 아들이라는 게 자랑스럽다 104
자식이 아버지가 되어 가는 길 105
막내딸 졸업할 때까지만 회사에 남아 있고 싶다는 소망이
직장생활 마지막 바람인 고과장의 어버이날 107
아들은 열애 중 111
아내의 아침 배웅 인사 118
나에게 없는 아내만 가진 행복 122
부부싸움이 칼로 물 베기라고? 124
고독과 외로움 속에 자유를 즐긴다. 126
아들 아르바이트 128
살맛 나는 세상, 나는 존경받는 행운아다 132
처자식에 대한 반성 134
나의 훌륭한 어머니 장모님 135
내가 존경하는 사람 136
어머님이라고 부르고 장모님이라고 쓰는 어머니 138
아버지는 가장 외로운 사람이다 145

3. 삶이 뭐냐고 궁금해하지도 묻지도 마라

사는 것이 뭐냐고 묻지 마라 151

힘든 세상에서 살아남는 것이 내 삶이 전부 152
삶에는 정답이 없다. 155
아파트 평수가 행복 순위? 월세를 사는 사람들 156
내가 늙어 감을 느낄 때 159
아들 초등학교 숙제 162
못난 놈 웃기는 행복 교육 164
한 번씩 변화된 삶도 괜찮은 것 같다. 166
환갑[還甲] 167
60년 번째 나의 생일·환갑 170
게으른 삶의 행복 논리 172
감사한 마음 174
나는 내세울 것 없는 7080세대다 176
못 배운 세대의 한풀이로 태어난 캥거루족, 자라족, 리터루족,
새의'이소'로 키워라. 180
블랙박스 인생 (사람이 무섭다) 185
도살장을 잊고 사는 돼지 187
고향 그리고 고향 친구 188
서러운 7080세대 "그래 나는 꼰대다" 191

4. 목구멍이 포도청

중년 우울증 환자의 글 199
미련한 남자라는 동물적인 습성 202
반복되는 삶의 시간 속에 찾는 가장(家長)의 행복 203
삶이 모두 다 그런 것 아닌가? 207
35년에 다시 치른 국가기술자격 시험 209
나 이러고 삽니다. 211
대단한 친구 212
환갑에 브라질에까지 돈 벌러 간 친구에게 (편지글) 214

브라질에서 휴가 나온 친구와 술자리 217
봉급쟁이의 비애 219
시외버스 223
새벽 비가 잠을 깨우더니 225
봉급쟁이의 희비 227
휴일 근무 228
일요일 출근 229
목구멍이 포도청 231
여름휴가 233
건설 근로자 235
자랑스러운 건축장이 240
살아있으니 불행중 다행 243

5. 대수롭지 않은 잡다한 이야기 잡설

나는 야한 팬티가 좋다. 249
나의 인생곡 251
나를 울린 불후의 명곡 소냐가 부른 파초 254
밥상머리 교육 257
개새끼 (강아지)와 남편의 공통점 261
감동 주는 부부란? 263
남자는 슈퍼맨이 아니다. 267
남자 앉아서 소변보다 268
춥고 배고픔을 모르고 풍요롭게 자라는 요즘 아이들 273
넘치면 부족한 것보다 못하다. 276
SBS 파일럿 프로그램 '송포유' 278
슬픈 스승의 날 280
인간의 욕심은 어디가 한계이고 분노의 끝은 어디인지?
건설부 장관 김재규 281

양귀비 술 282
네 손가락만으로 피아노 연주하는 이희아 양 283
서울 강남 출장 비즈니스호텔 286
촌놈 서울 방문기 서울 여자랑 데이트 288

6. 오! 하느님

제 탓이요 제 탓이요 저의 큰 탓입니다. 293
나는 나이롱 신자다. 295
그래도 나일론, 사꾸라 가톨릭 신자인 이유 304
고해성사 309
모래 위의 발자국 310
평화를 빕니다. 313
주님의 뜻이라면 314
애원의 기도. 315
하느님이 존재하므로 316
주님 317
사랑이란? 318
친구란? 320

7. 준비 없는 영원한 이별

언젠가 이 세상에 내가 없을 때 325
나는 성공한 사람이다. 332
가라지 (아들 바보 아들을 내려놓은 장례미사) 334
잊고 사는 것두 가지 339
50년을 피운 담배를 끊는 이유? 341
조선시대 27명의 왕 그리고 중국의 진시황제도 부럽지 않다 344
세월 앞에는 다 똑같다. 347

나보다 먼저 이 세상을 떠난 그대에게 348
남자, 혼자 죽다 350
다시 돌아오지 못할 늘 똑같은 일상생활 353
백두 살 장례식과 예순두 살 장례식 354
준비하지 않은 이른 이별 358
자살은 자신에게 대한 사형선고이고 고의적 살인이다. 360
영웅의 아들에서 개가 된 아버지
안중근 의사 둘째 아들 안중생 365
자식이 성인 되기 전 아버지가 죽으면 안 되는 이유
친일파 변절자 아버지와 최연소 대한민국 공군 참모총장 아버지 368
죽도록 일해서 10년 만에 빚을 갚고 54세에 죽은 남자 371
부산외대 신입생 오리엔테이션 사망사고 373
생명과 죽음을 과학적 논리로 논하지 말라. 375
나의 장례미사 마지막 성가 대신 노사연의 '만남'으로 377
제사 380
나의 제사상 386
내가 나에게 새긴 종이 비석 389
미루었던 숙제, 사전연명의료의향서 등록 392
준비 없는 영원한 이별 준비 396

책 속에 짧은 글

8. IMF 다리 난간 위에 올라서서

IMF 다리 난간에 올라서서 401
나 여기 있습니다 403
바퀴벌레 404
사(死)의 절규 405
통곡 406

고래사냥 407
망각 408
악몽 409
타향 구정 410
타향 추석 411
꼬락서니 412
인(忍) 413
녹슨슬은 전차 414
아버지 이승에서 저승으로 가시는떠나시던 날 415
아버지를 보내며 416
지지리도 못난 놈 417
애새끼 아비 새끼 418
거울 419
먼 나라 우리 사람 우리나라 눈먼 사람 420
선풍기 421
신랑 바퀴벌레 군과 신부 도마뱀 양 결혼식 422
똥개 새끼 주사 맞는 날 423
똥개 새끼 월 월 424
땡볕 425
달력 426
양철 지붕 427
오솔길 428
이정표 429
종이배 430
절규 431
오두막집 432
나의 아저씨들 433
행여 434
이 세상이 싫은 이유 435

오직 하나 436
시외버스 437
비 오는 날 438

책 속에 짧은 글

9. IMF 다리를 건너서면서

IMF 다리를 건너면서 441
아카시아 444
어려운 인생 445
바보야 우지 마라 446
인생의 마감 시간을 맞이하면서 447
하루의 의미 449
봉급날 450
헤이즐넛 커피 451
숙명과 운명 452
삶은 다 똑같다 453
당연한 줄 안다. 454
일상 권태기 455
웃긴다 삶이 456
늙어서 집 나오면 개고생 457
삶에는 분명 이유가 있다 458
평범한 하루의 시작과 성묘 459
의미 없는 주말 461
인생무상 462
7080세대 463
승자와 패자 464
멍 때리기 465
오월의 마지막 날 466

쫀쫀한 아버지, 속 좁은 남편 467
근무복 468
타 죽을래 얼어 죽을래 469
비 오는 주말 근무 470
억지 연차 억지 춘향이 471
잊고 산다 그리워지는걸 472
철새 직업 474
계절이 환장했나, 지구가 미쳤나 475
오지 않는 장마 476
추석 연휴 477
사랑하는 아들아 478
눈물 나도록 기쁜 날 479
나의 작은 소망 480
나의 아들아 481
나의 소중한 작은 행복 482
생일날 483
아들 초등학교 2학년 때 아빠 생일을 날 쓴 편지. 484
아들 초등학교 3학년 때 아빠 생일을 날 쓴 편지. 485
아들 편지에 동봉한 아내 편지 486

10. 맺는 글

불행한 천국과 행복한 지옥의 선택권 489

고맙습니다
사랑합니다
행복합니다
덕분에

1. 숨비소리

첫 페이지를 비우며

감사한 마음이 생기니 행복하다.

버림받아보았는가?
배신당해보았는가?
부모 형제에게 돈 때문에 버림당하고 배신당했다.
그리고 그들도 망했다.

자식과 형제를 돈 때문에 배신하고 저버렸으면 당신들은 잘살든지 돌이켜보면 피를 토하고 죽을 일이 내 앞에 닥쳤다. 그래도 피눈물 나는 세월 20여 년 이상을 버티며 여기까지 왔다.

돌이켜 보니 내가 잘나서도 아니고 내가 잘 버틴 그것도 아니다. 모두가 주위에서 도와주고 위로해 주고 격려해 주어서 오늘까지 왔다. 이 글을 준비할 때는 그동안 수모당하고 억울한 일들을 심장의 피를 토해내어 그 피로 지난 시절 심정을 적어 나열하려고 했다.

그러나 되돌아보니 주변에서 도와준 고마운 분들이 계셨기에 이런 호사와 사치를 부려보는 것 같아 감사의 글로 대신 쓰려니 끝이 없다.

장인 장모님께서는 대구에 부잣집 사위 본다고 맏딸 걱정은 안 할 줄 알았는데 결혼한 지 10여 년 만에 쫄딱 망해서 돌아온 사위와 딸 외손자에게 방 한 칸 내어주셨다. 단 한 번도 싫은 내색하지 않으셨으며 행여 사위가 나쁜 생각 할까 매일 새벽에 방문 열어보고 숨 쉬는 것 확인하고 담뱃값을 머리맡에 두고 일터로 나가셨다.

모든 것을 포기하고 당장 세상 하직할 사람처럼 눈가에 살기를 띠고 있는 나를 보고 아내는 두려움과 걱정으로 살았다. 또한 초등학교도 입학하지 않은 아들을 품에 안고 여기저기 백방으로 다니며 못난 남편 살려 보려고 발버둥 치며 살았다. 뜻하지 않게 잘 다니던 대도시 초등학교에서 시골 초등학교로 전학해야 하는 아들도 참으로 힘들었을 것이다. 잘 참고 잘 버텨 준 가족에게 먼저 감사 인사하는 게 당연하지만, 가족이라는 이유 하나로 지금까지 감사 인사를 전하지 못했다.

민망하지만 늦게나마 활자체로 감사 인사 대신 전한다.

처가 식구들 다 감사하다고, 이제는 유일하게 남은 나의 가족이다.

대승적 차원이라고 하기는 너무 거창하지만, IMF 직후 1998년 부도가 나고 형사적 책임을 지기 위해 구속 재판을 받았다. 초범이고 사기죄가 없어 집행유예로 풀려나 아무것도 할 수 없이 그냥 있을 때 다시 한번 재기의 기회를 주기 위해 1999년 2월 25일 특별사면복권을 시켜 준 김대중 대통령님께도 감사 인사를 해야 마땅하다. 하지만 20여 년 처자식 생계유지를 위해 가장의 책임을 다하기 위해 오직 앞만 보고 달려온 길에 주위 수많은 사람에게 위로받고 격려와 도움도 받았다. 그분들 한 분 한 분 감사의 마음을 전하려면 책 한 권으로 부족하다.

내가 가장 역할을 하며 가족과 가정을 지킬 수 있도록 도와준 직장동료, 선후배, 임원님과 친구들에게 고마운 마음을 전하고 싶다. 하지만 실명을 적으려니 대기업에 재직 중인 분들이라 행여 누가 될까 활자체로 실명과 회사 이름도 적지 못해 책의 첫 장 한 페이지를 비우기로 했다. 그분들께는 활자체가 아닌 손글씨에 실명으로 감사의 마음을 꾹꾹 눌러 적어서 전해 드리려고 제일 첫 장을 비워놓기로 했다.

"직설적이고 다혈질인 저의 성격 잘 다독거려 부족한 게 많은데도 불구하고 장점을 잘 살려 회사에서 해고당하지 않고, 가장 역할 하게 할 수 있도록 도와주신 직장동료 선후배, 임직원님 감사합니다."

"잘난 것도 없으면서, 나 자신의 주장은 강하여 내 말이 맞는다고 우기는 못난 놈을 친구로 받아준 친구들 감사합니다."

"어려울 때 친가족처럼 받아주신 장인 장모님 처가 식구들 모두 감사합니다."

"늘 부족하지만, 가장을 믿고 잘 버텨준 아내와 하나뿐인 내 아들 감사합니다."

"거두어들여도 벌써 거두어들여야 하는 죄 많은 놈을 만난 불쌍한 처자식 더 돌보고 아버지, 남편, 가장 역할 확실하게 더 하고 저승으로 오라고 이승에서 지금까지 기회를 주신 하느님께 마지막으로 다시 한번 더 감사드립니다."

책머리에

숨비소리

해녀는 숨을 참지 않으면 테왁 망사리 채우지 못하는 걸 알기에 숨을 참고 물속으로 들어간다. 물속에서 숨을 참고 빗창과 까꾸리로 떨어지지 않으려는 전복과 바위에 붙은 해산물을 채취하기 위해 목숨 걸고 물질을 한다. 이때 정신줄을 놓으면 바로 죽는다.

많은 해산물에 욕심을 부리거나 들숨의 양을 조절하지 못하면, 아차 하는 순간 죽을 수도 있는 일이다.

대상군 해녀가 애기 해녀에게 처음 가르치고 당부하는 것이 "욕심내면 죽는다."라고 가르친다고 한다.

'숨비소리'는 해녀들이 물속에서 숨을 참다 참다 숨이 끊어지기 직전 수면 위로 올라와 숨 고를 때 내는 소리로 마치 휘파람 소리처럼 들린다. 그래서 해녀들이 내쉬는 숨비소리를 '생과 사의 경계'라고 표현하거나 '생애 최후의 날숨'이라고도 한다.

해녀들이 부르는 민요에서조차 '저승길 왔다 갔다'라는 표현이 반복적으로 등장한다. 워낙 생사를 오가는 힘든 물질이다 보니 오죽하면 딸이 태어나면 해녀 짓을 시킬 수 없으니 차라리 죽도록 엎어버린다는 민요마저 있을 정도로 위험하고 고된 일이 해녀 물질이다.

해녀들 사이에 금기어가 물 숨이다.

바닷속에 아무리 귀하고 좋은 해물이 있어도 물속으로 들어가기 전 들어마신 해녀의 한 모금의 들숨은 물 밖으로 나와 숨비소리를 낼 때까지를 포함한 한 모금의 들숨이다.

물 밖으로 올라올 때까지 쓸 들숨을 귀하고 좋은 해산물을 건지는데 써버리고 물 밖으로 나오기 전 물속에서 숨을 쉬면 그것이 물 숨이다. 조금이라도 욕심을 내다가 물 위에 올라와 숨비소리를 내지 못하고 물속에서 숨을 쉬면 사람의 숨이 아닌 물속의 숨, 물 숨 바로 죽음이다.

수면 위로 올라 올 때까지 숨을 남겨 두고 해산물을 채취해야 하는데, 값비싼 해산물에 욕심내어 물 위로 올라올 숨을 값비싼 해산물 채취하는데 써버리면 수면 위로 올라 올 숨이 없어 물속에서 물 숨을 쉬고 죽는 것이다.

그것이 해녀들의 금기어 물 숨이고 물 숨은 바로 죽음이다.

이제 나도 숨비소리를 낼 때가 되었다.

숨비소리를 내지 못하면 물 숨이 되니 이제 숨비소리 크게 한번 쉬고 *불턱에서 잠시 쉬어 가야겠다.

책을 낸다고?

그동안 참고 참았던 나의 숨비소리다.

잘나고 성공해서 자서전을 내는 것도 아니고 문학적 감성과 지식이 있어 수필집을 내는 것도 아니다. 쓸모없는 것에 돈 들여가며, 유튜브가 손바닥에서 움직이는 디지털 시대에 무슨 책을 내냐고? 누가 책을 읽어 주냐고? 아내가 눈치를 많이 주었지만, 고집을 꺾지 않았다. 그동안 험한 삶을 살아오면서 가장(家長)이라는 이유로 묻어둔 말 못 하고, 답답하고 울분을 토하고 싶을 때 가슴 깊이 새겨 놓은 글이다. 흐트러진 글들을 추슬러 활자체로 모아 정리해서 나의 숨비소리로 내뱉어 본다.

지금이라도 숨비소리를 내지 못하면 물 숨이 될 것 같기 때문이다.

가장이라는 책임과 의무 때문에 해녀가 숨을 참고 생사를 오가며 물질을 하듯 여태껏 숨 한번 편하게 못 쉬고 고개 한번 들지 못하고 움츠려 참고 버티어 왔다.

돌이켜 보니 인생 곱이곱이 굽이굽이 잘 넘겼다. 어렵고 힘든 일도 많았고 만만한 삶도 아니었다. 누군가를 원망하며 한없이 통곡한 적도 많았다.

내 의사와 관계없이 나락으로 떨어졌기에 가슴이 찢어질 듯 아파, 늘 이 세상을 떠날 생각만 하고 살았던 때도 있었다.

인생의 반은 불행한 천국에서, 나머지 반은 행복한 지옥에서 살았다.

행복한 천국에 살아본 적이 없었기에, 혼자 질문하고 혼자 답을 낸 자음, 모음 들을 활자체로 정리해서 내 가슴속 깊이 다시 묻었다. 행복한 천국에 살 수 없다면 불행한 천국에서 살 것인지 행복한 지옥에서 살 것인지 삶에 대한 의문점에 대하여 이제는 마침표를 찍으려 한다.

행복이 없는 불행한 천국에서 IMF라는 다리를 건너서 또 행복한 지옥에 버티며 적어 두었던 글들이다.

죽고 싶을 만큼 힘들 때 유서처럼 쓴 글도 있고 처절하리만큼 외롭고 억울하고 분해서 심장을 찢어 짜낸 피로 쓴 글도 있다. 자식이 성장하여 나의 도움 없이도 홀로서기를 할 나이가 되어가는 모습을 보면서 살고 있다. 조금씩 긴장이 풀리고, 산 나이보다 얼마 남지 않은 살 나이가 열 손가락 이내로 꼽을 수 있는 나이가 되니 후회의 글과 감사의 글을 적을 수 있는 것이 그나마 다행이다.

다른 사람이 보면 두서없는 글이고 말도 안 되는 글이라고 할 수 있을 것이다. 하지만 어렵고 힘들 때 순간순간 나를 버티게 한 소중한 자음, 모음이다. 출판으로써는 부끄럽고 무모한 짓이라는 것을 잘 알고 있다. 하지만 이 세상에 책이라는 탈을 씌워 숨비소리로 이 세상에 내보내 본다.

이 글을 출판하기 위해 많은 용기가 필요했다.

IMF라는 다리를 건너와서 행복한 지옥에서 20여 년 이상을 살아보니 때가 중요하다는 걸 느꼈다. 때를 놓치면 영원히 잡을 수 없다는 것을 살면서 수백 번을 경험했다. 그렇기에 지금이 아니면 그동안 가슴 깊이 숨겨 놓은 흩어진 자음, 모음들이 연기처럼 사라질 것 같아서 마지막 인생 용기를 내어보았다.

글을 쓰고 읽고 교정할 때마다 내 의사와 달리 자꾸 글이 내 위주로 미학적으로 꾸며지는 것 같아 한번 쓴 글은 틀린 철자 이 외는 교정을 하지 않으려고 노력했다. 나에 대한 핑계 같고 부끄러운 것도 많지만 그냥 고치지 않으려 노력했다. 모두가 나의 일방적인 생각을 솔직하게 표현하려고 했기 때문이다.

내 가족 외는 실명을 거론하지 않으려고 노력했다. 하지만 글의 연관성과 추측성으로 인하여 혹시 누군가에게 누가 되는 글귀가 있다면 용서를 빌 뿐이다. 이제는 모든 게 소중하고 감사할 줄 아는 나이가 된 것이 내 삶도 얼마 남지 않은 것 같아 당장 앞에 보이는 체면보다는 지난 삶의 활자체 정리가 더 소중했기 때문이다.

돈도 안 되고 말도 안 되는 출판을 한다고 끙끙거리는 내가 아내는 못마땅하고 이해가 되질 않으면서도 싫은 내색하지 않는 것에 감사하고 고마울 따름이다. 원고 정리를 마치고 출판사로 원고를 보내기 직전까지도 "다소용없는 일이라고 출판하는 일을 다시 생각해 보라"라는 충고를 받았다. 내 인생 내 뜻대로 살았다. 마지막 용기를 내어 원고를 출판사 메일에 올리고 두 눈 질끈 감고 떨리는 손으로 자판 엔터키를 겁도 없이 내려친다.

흩어진 자음, 모음을 활자체로 추슬러 모아 놓고 숨비소리 한번 내뱉었다. 잠시 *불턱에서 마음을 추스르고 내 육신이 자의적으로 움직일 수 있을 때까지 여생을 가족의 생계 유지를 위하여 모든 걸 받칠 것을 아내에게 감사의 표현을 대신하며 약속한다.

이만하면 행복한 지옥도 선택할 만하다.

*불턱: 해녀들이 바다에서 작업하고 올라와 얼은 몸을 녹이고 휴식을 취하는 공간

2023년 11월 어느 날 이명규 삼가 씀

남에게 말해서는 안 되는 말을 하는 이유

불교 신자가 아니라도 '맑고 향기롭게 살아가기 운동 회주(會主)'로 유명한 길상사 법정 스님께서 '입 밖에 내면 인생 망하는 말 10가지'를 왜 해서는 안 되는 이유까지 조목조목 알기 쉽게 가르침을 주셨다.

첫 번째는 내 과거를 남들에게 말하지 마라
두 번째는 다른 사람에게 나의 치부를 쉽게 말하지 마라
세 번째는 돈에 대해 자랑하지 마라
네 번째는 나의 목표를 남들에게 절대로 말하지 마라.
다섯 번째는 남들에게 절대로 생색내지 마라
여섯 번째는 남들에게 내 가족의 비밀을 말하지 마라
일곱 번째는 나의 치명적인 약점은 절대로 말하지 마라
여덟 번째는 나만의 철학을 남들에게 이야기하지 마라
아홉 번째는 친구의 비밀을 알게 되어도 또 다른 친구에게 말을 옮기지 마라
열 번째는 나의 재능을 남들에게 섣불리 말하지 마라

저작권 문제로 다 옮겨 적을 수는 없지만, YouTube에서 검색하면 상세하게 일러주니 참고 바란다. "말을 많이 한다고 해서 사람들 사이에서 인기 있는 것은 아니다." "오히려 말실수를 한 번 했다가 지금껏 내가 쌓아온 평판이 안 좋아질 수도 있다." "타인의 약점을 통해 위안을 얻고 즐기는 게 인간이다." "다른 누군가와의 대화와 위로를 통해 약점을 극복하려 하지 마라"는 법정 스님의 충고에도 아픈 과거, 가족사. 그리고 개똥철학(내 생각 위주)으로 글 들을 나열하였다.

절대적 의미도 없고, 지나간 과거사고 내 생각이다. 남들이 나를 어떻게 생각하는 것은 개의치 않고 살 만큼 산 나이가 되었다. 법정 스님의 가르침대로 남에게 내 약점을 숨기며 살려고 마음에 고통스러운 수없는 나날도 있었다. 마음에 고통이 공황장애로 공황발작을 일으켜 들숨은 쉬어도 날숨을 뱉을 수가 없어 살아보려고 주먹으로 가슴을 치며

날숨을 쉬어 보려고 가슴을 쥐어짜는 육체적 고통을 감내했다.

잊으려고 해도 잊을 수가 없고 내려놓고 싶어도 내려놓을 수가 없어 고통스러웠다. 가장의 짐이 무거우면 무거울수록 가족의 생계가 내 목을 조여 올 때도 가족이 불안하지 않도록 말 한마디 행동하나 조심해야 했다. 구조조정에 프로젝트 완료일 다가오면 살아남기 위해 있는 자존심 없는 자존심까지 다 버리고 납작 엎드려 살아남아 오늘까지 왔다. 삶에 안정을 취해야 하는 40살 이후에 삶에 늪에 빠져 허우적거리다 살날을 얼마 남겨놓지 못하고 이제 겨우 정신 차리고 나를 돌아본다.

쥐 죽은 듯이 살았다. 망한 자의 말은 핑계다. 삶을 포기하고 싶은 고비 고비마다 가족이라는 생명줄을 부여잡고 버티며 살아왔다. 잘살았다는 자찬도 아니고 바보처럼 살았다는 후회도 아니다. 이 정도 했으면 이제는 나의 흔적 정도는 남겨 보는 사치를 부려본다.

내 생전이든 사후이든 나의 흔적을 접하는 내 가족을 비롯하여 행여 나로 인하여 섭섭한 일이나 상처받은 사람들이 그렇게밖에 살 수 없었던 나의 삶을 이해 해주고 용서해 주었으면 하는 것을 나의 바람이다.

'입 밖에 내면 인생 망하는 말 10가지' 이제는 더 이상 망할 것도 없고 남은 인생도 얼마 남지 않았기에 법정 스님 충고를 듣지 않고 내 삶과 생각을 말하는 이유이다.

지금 떠나도 후회 없는 이유 2019년 5월 20일

나일롱 신자이지만 설날 위령미사 보러 성당에 가서 하느님과 조상님께 간절히 기도하고 하느님께 약속드렸다.

"2019년 5월 20일까지만 더도 말고 덜도 말고 지금처럼만 살게 해주신다면 2019년 5월 20일 이후에는 하느님이 나를 거두어 주셔도 절대 하느님을 원망하지 않고 이승에 미련을 갖지 않겠습니다"라고 늘 같은 기도를 했다.

그래도 "저를 불쌍히 여겨 2019년 5월 20일 이후에도 이승에서 어떠한 삶을 주신다고 해도 내가 가지고 있는 것을 모두 내려놓고 하느님 주신 이승의 삶이 덤이라고 생각합니다. 하느님의 가르침대로 모두를 용서하고, 모두를 사랑하고, 내 모두를 바쳐 봉사하면서 살겠다"라고 간절히 기도하고 약속했다.

왜 2019년 5월 20일이냐고?

아들놈 대학 졸업이 2019년 2월 20일 그리고 석 달만 여유를 주면 여태껏 내 멋대로 살면서 내키는 대로 써놓은 글들을 정리해서 책 한 권 내려고 한다. 내가 이승에 살면서 내가 빚진 사람, 나를 도와준 사람, 아껴준 사람, 사랑한 사람과 생존경쟁 사회에서 내가 살려고 발버둥을 치다 그로 인하여 나에게 상처받은 사람, 잘못한 것에 용서를 구해야 할 사람 그들에게 미안함과 감사의 마음을 책 한 권에 담고 싶다. 저승으로 떠나기 전 감사하고 용서를 비는 마음을 표현 못 한 말들을 책에 담아 전해 드리고, 이 세상을 떠나는 것이 내 마지막 남은 인생의 이기적인 소원이고 소망이었다.

아내에게는 내가 힘들 때 어떠한 역경도 이겨내며 내 곁을 지켜 준 감사의 선물이고 내 아들에게는 나에게 태어나 내 삶의 이유와 행복이라는 것을 가르쳐 준 감사 선물이다. 그래서 2019년 5월 20일을 잘 지내고 지금처럼 살 수 있어 이승에서는 아무 여한이 없다.

아들도 대학을 졸업했다. 그리고 간곡히 기도한 2019년 5월 20일 무사히 지나갔다. 제일 먼저 한일은 여기저기 흩어져있는 나의 글들을 찾아 퍼즐로 꿰맞추기 시작했다.

처음 눈에 띄는 글이다. 막막하고 힘들어서 하느님께 기도하고 약속한 글이다. 아마 8년 전 즈음 쓴 글 같다. 하느님께 간곡하게 소망을 부탁드린 약속한 날에서 벌써 몇 년 흘렀다.

책으로 묶어 나오면 그동안 사는 게 바쁘다는 핑계로 감사 인사드리지 못한 분들께 한 분 한 분 찾아뵙고 감사 인사를 드리고 싶다. 그리고 행여 찾아뵙지 못하면 연락처라도 알아내어 감사 인사로 한 권의 책을 보내 드리려고 한다.

다 쓸데없는 짓이라고 흉볼 줄 모르겠지만, 이 세상에 태어나 잘 살았다면 잘 살았고 힘들다면 힘들었지만 지나고 나니 다 감사할 일뿐이다.

평생 가슴에 한(限)으로 묻고 살 줄 알았지만 나보다 먼저 이승을 떠난 분들에게는 용서하지 않을 수 없어 용서하고 화해하면 그만일 것이다. 그러나 가장으로 살면서 처자식 생계를 핑계로 감사의 마음을 전하지 못한 은혜를 베풀어주시고 도와주신 주변 분들에게 갚지 못한, 은혜의 빚과 감사에 인사를 전하고 이승과 이별을 고 하는 게 도리인 것 같아서 이렇게 무모하고 어리석은 짓을 한다.

그래야만 이 세상 모든 짐을 벗고 늘 기도한 데로 하느님께서 나를 거두어도 주셔도 감사한 마음으로 하느님 뜻을 받아들이고 이승에 조금의 미련도 두지 않고 하느님 곁으로 갈 수 있을 것 같아, 이승에서 나를 위한 마지막 사치를 부려본다.

석 달만 시간을 달라고 하느님께 기도했는데 몇 년여를 미루고 미루다 짬짬이 정리하는데 또 일 년이 다 되어간다.

화장실 갈 때와 나올 때 사람 마음이 변한다고 석 달만 시간을 주면 더 바랄 게 없다고 했는데 몇 년여를 또 허송세월 보내고 이제는 제정신 가지고 살날이 얼마 남지 않은 것 같아 서둘러 정리해 본다.

이제는 미루다가 후회할 시간도 얼마 남지 않았기 때문이다.

바보는 돌아보며 후회한다.

마리아 어머니께 (편지글)

단원고 수학여행 참사로 마음이 무거운 한 주일입니다.

단원고 학생과 선생님들의 안타까운 소식을 전해 들으면서 가슴이 저며져서 인터넷이나 매스컴을 안 보고 안 들으려고 노력했습니다. 단원고가 첫 부임지였던 올해 스물네 살 새내기 교사인 선생님의 영정사진을 보고 흐르는 눈물을 막을 수가 없었습니다.

아들 녀석과 동문이고 나이 또한 동갑이어서 그런 것인지 아니면 내 나이 탓인지….

한국적 단아한 모습에 해맑게 웃는 모습의 선생님의 영정사진을 보니 24살 나이에 저세상으로 보내기에는 너무나 안타까운 마음이 나의 가슴을 아프게 했습니다. 그리고 얼마 되지 않아 참사에서 구조되었다가 스스로 목숨을 끊은 단원고 교감 선생님의 소식을 접하고 나는 또 망연자실했습니다.

"200명의 생사를 알 수 없는데 혼자 살기에는 힘에 벅차다."

“내가 수학여행을 추진했다.”

"나에게 모든 책임을 지워 달라"

"내 몸뚱이를 불살라 침몰 지역에 뿌려 달라"

"시신을 찾지 못하는 녀석들과 함께 저승에서도 선생을 할까?"

교감 선생님 유서에 남긴 글귀들이 또 나를 울렸습니다.

학생, 교사와 함께 인솔 책임자로 수학 여행길에 오른 교감 선생님은 구조된 뒤 네티즌들과 일부 학부모들로부터 거센 항의와 질타를 받자 충격을 받은 것으로 알려졌습니다.

이번 참사로 실종되고 죽은 사람들의 생명 하나하나 모두가 고귀하고 그 무엇과도 바꿀 수 없는 존재입니다. 그런데도 구조되어 살아남았지만, 학생들을 제대로 인솔하지 못했다는 죄책감을 떨칠 수가 없다며 살아도 살아있는 게 아닌 심정에 52살 나이에 사랑하는 가족을 뒤로하고 극단적인 선택을 한 교감 선생님의 심정을 이해하면서 마리아 어머니가 생각이 많이 났습니다.

요즈음 부모들 내 아이 손끝 털끝 하나라도 잘못되면 목숨 걸고 덤벼들 태세입니다. 아직 말귀도 알아먹지 못하는 수백 명의 철없는 아이들을 아침에 등원시켜 데리고 있다가 오후에 부모 품 안까지 무사히 귀가시키려면 하루하루가 얼마나 긴장되고 힘들겠습니까?

요즈음 식당에서 밥을 먹을 때도 애들이 떠들고 온갖 개구쟁이 짓을 해도 뭐라고 하거나 꾸중하지 못하는 세상입니다.

자기 자식이 얼마나 귀한 존재인지 남이야 뭐라고 하든 말든 내 자식만 최고로 아는 별난 부모들 덕분에 애들이 예절과 도덕심은 잊은 지 오래되었습니다.

이런 시대에 마리아 어머니가 어린이집을 경영하면서 받는 스트레스나 힘든 것은 이루 말할 수 없을 것 같습니다.

몇 년 전 같은 아파트에 사는 맞벌이 하는 후배가 내 아내를 좋게 보았는지 수고비를 주겠다며 출근 이후 자기 아이를 맡아 달라고 부탁했습니다.

"내 아이 키우는 데도 힘든데 남의 아이를 어떻게 키울까?"

"만약 조금이라도 잘못되면 어쩌려고 하느냐?" 하면서 살림에는 도움이 되겠지만 내가 아내를 설득하여 극구 말렸습니다.

몇 번을 부탁하는 후배에게 오히려 술을 사주면서 정중히 사양했습니다.

아이 하나 봐주는 것도 보통 일이 아닌 일인데 수백 명의 아이를 돌보는 마리아 어머니가 존경스럽습니다.

나도 하루에 적게는 수백 명 많을 때는 천 명 가까이 건설 현장 작업자를 관리하지만 기능적으로 숙련된 사람이고 모두가 어른이지만 하루하루가 긴장 속에 살아갑니다.

아침에 출근하여 어떤 일에 몇 명 투입되었다는 작업 사항을 보고받을 때부터 머리가 시큰거리기 시작하여 작업이 종료할 때까지 긴장을 풀 수가 없습니다.

오후 5시 무사히 작업이 마쳤다는 작업 종료 보고를 듣고서야 긴장을 풀고 퇴근합니다.

하루하루가 전쟁터입니다.

별의 별사람들이 모여서 하는 일이라 언제 어디서 무슨 일이 터질 줄 모르는 게 건설 현장 일입니다.

그래도 내 직업이야 통제만 잘하면 하루는 잘 넘어갑니다.

각자 책임분담도 나름대로 되어 있어서 사소한 일에는 그리 큰 걱정은 없습니다.

하지만, 마리아 어머니는 아침에 아이들 등원부터 시작하여 모두 신경을 다 쓰려면 얼마나 힘드시겠습니까?

물론 각 반 담임선생님들이 잘 알아서 하겠지만 마음은 항상 긴장 상태일 것입니다.

조그마한 일에도 마리아 어머니에게 어필하면 부모 상대까지 다 해야 하고 정부 보조금 받는 것이 있어 행정적 일을 다 해야 하고 참 힘드시겠는 생각을 많이 했습니다.

각자 가정 꾸리며 자식 키우느라 사는 방법이 모두 다릅니다. 하지만 마리아 어머니의 힘든 사업을 생각하면서 나 자신이 위로받습니다. 나 또한 마리아 어머니에게 인생 선배로서 작은 조언이라도 해드리고 싶었지만, 말씀은 드리지 못하고 마음만 가득했습니다.

이번 수학여행 사건으로 교감 선생님의 안타까운 사연을 접하고 마리아 어머니가 자꾸 생각나 평소 드리고 싶던 말들과 마음에 있었던 생각들을 몇 자의 글로 표현해서 전해보려고 용기 내어 적어봅니다.

성당 공동체를 통해 마리아 어머니 아버지를 교우로 만나는 동기가 되었습니다. 저희 가정은 아들을 포함해 4대째 물려오는 전통적인 가톨릭 집안입니다. 하지만 나는 믿음도 얕고 하느님에 대한 원망으로 하느님을 배신한 채 오랫동안 멀리하고 살았습니다.

하느님을 원망하고 배신한 사연은 말하자면 며칠을 밤을 새워 이야기해도 모자랄 것입니다. 하지만 간단하게 설명하면 부모 형제가 돈으로 인하여 나를 배신하였을 때 그 아픔으로 인하여 하느님을 원망하고 하느님을 배신하였습니다.

할머니 때부터 내려오는 가톨릭 집안이고 이문희 대주교님과 집안 간 이어서 몇 번 뵌 적은 있습니다.

어머님은 대단하게 생각하셨습니다. 하지만 저는 몇 번 뵙지도 못하고 계산성당 다닐 때 어머님과 같이 잠시 인사만 나누었을 뿐이었습니다. 그렇지만 어머님은 가톨릭이 우리 집안의 전부인 것처럼 큰 자부심을 느끼고 사셨습니다.

그런 집안에서 태어나 오히려 나는 종교라는 것이 더 힘들었습니다.

그래서 어려서부터 나는 건성으로 성당을 다녔습니다.

젊은 시절에는 잠시 교만하여 우쭐거리는 마음으로 성당 공동체 일을 나서서 하긴 했지만 돌이켜 보면 나하고는 하느님하고는 별로 궁합이 안 맞는 것 같았습니다.

요즈음은 아내, 자식 때문에 냉담 풀고 주일만이라도 지키려고 노력합니다. 어쩌면 주님의 품 안에서도 가진 자 못 가진 자가 구분되고, 못 배운 자 배운 자들이 구분되는 것을 보고 느끼면서 많은 회의도 느꼈습니다.

얼마 전 우리 성당에도 좋은 일을 하자고 한 일들이지만 의견이 다른 교우들이 뿔뿔이 쪼개지는 모습을 바라보면서 많은 생각을 하게 되었습니다. 그런 와중에 마리아 어머니 아버지가 교중미사에 잘 나오시지 않고 성당 밖에서 바라보는 것만 같아 마리아 어머니 아버지에게 조심스럽게 다가갔습니다.

물론 마리아 어머니 아버지가 나보다 신앙심이 더 깊어 종교에 대해 무엇을 말할 처지는 아닙니다. 하지만 마리아 아버지처럼 열심히 하려고 하는 사람에게 상처를 안겨 주는 것 같았습니다. 나 역시 상처받은 심정을 알기에 내가 먼저 마리아 어머니 아버지 작은 위로라도 할까 싶어 다가갔습니다.

마리아 어머니 아버지 몇 번 만나고부터 어린이집 일로 많이 힘들어하는 것 느꼈습니다.

성당에서 만나 서로가 모르는 처지에서 내가 해줄 수 있는 일은 아무것도 없었습니다. 그냥 만나서 같이 웃고 수다라도 떨어준다는 것이 내가 좀 지나친 것도 있는 것 같아 송구스럽습니다. 그래도 조금은 귀찮고 시간도 없었을 것인데 만나자고 하면 항상 밝은 모습으로 시간 내주어 고마웠습니다.

항상 밝게 웃는 모습으로 대해주셔서 늘 감사했습니다. 항상 밝게 웃는 모습 뒤에 감추어진 모습을 잠시 느낄 때 황성동에서 최고로 성공한 사람이라고 농담합니다. 하지만 마리아 어머니 아버지도 힘든 일이 있다고 하는 생각도 했습니다.

느낌으로 말할 수 없고 남의 일에 콩이다, 팥이라고 이야기할 수는 없습니다. 다만, 인생 선배로서 조심스럽게 마리아 어머니께 조언한다면 "너무 완벽하게 살려고 하지 마세요." 하시는 사업이 교육사업이라 남들 눈 때문에 말 한마디, 행동 하나가 조심스럽지만, 마음은 편하게 사십시오. 남이 내 인생 살아줄 것도 아니고 내가 힘들 때 도와줄 사람 한 사람 없으니 사업상 어쩔 수는 없지만 혼자 있을 때나 가정에서는 편안하게 생각하고 지내시길 바랍니다.

저 역시 수많은 재산 다 날리고 부모 형제와 등지고 죽지 못해 살지만 삶이란 게 또 사는 보람도 느낄 때가 아주 평범하고 작은 곳에서 느낍니다.

나는 죽고 싶을 만큼 힘들 때 오직 내 아들만 생각했습니다.

이제는 내 삶은 모두가 되었지만, 또한 내 삶의 마지막 동아줄이기도 합니다. 아무리 주위를 돌아보아도 내가 살아야 할 이유가 아무것도 없었습니다.

남들 눈에는 버젓한 직장과 직위를 가졌지만, 가족과 떨어서 혼자 살면서 생존경쟁에서 살아보려고 발버둥 치며 살았습니다. 돌이켜 나 자신을 돌아보면서 실패한 자의 회복과 재기가 흘러가는 세월 속에 따라서 점점 멀리 가는 것을 느낄 때 조바심보다는 서글픔이 나를 더 힘들게 합니다.

힘들 때마다 나는 한가지 만 생각 합니다.

아내 아들만 생각합니다.

당장 때려치우고 싶은 직장에 출근하면서 내가 출근하지 않으면 아직은 내 손길이 필요한 내 아들과 아내를 생각합니다. 자존심이 강하고 곧은 성격에 남에게는 밥풀 하나도 신세 지지 못하면서 경제력 없는 아내를 생각하게 됩니다. 내가 출근하지 않으면 우리 가족 생계를 유지할 수 없기에 억지 출근하고 하루를 마감합니다. 회사에서 얻어준 냉기 어린 아파트에서 양은 냄비에 라면 하나 끓여 쉰 김치로 허기진 배를 달랬습니다. 출근하기 싫을 때도 있었지만 억지로 출근했기에 아내와 아들이 따뜻한 밥 한 그릇 챙겨 먹었으리라 생각합니다. 그리고 내일 출근을 위해 쿠션 없는 작은 침대에 내 몸을 맡깁니다.

내가 힘들 때 다 내려놓았습니다.

부모 형제도 내려놓고 원망과 분노도 내려놓고 배신감에 치를 떨면서 맺힌 한도 내려놓았습니다.

이것저것 다 짊어지고는 단 한 발자국도 나갈 수 없었던 것을 알고 있습니다. 그러기에 내려놓을 수 있는 것은 모두 내려놓고 나니 나 때문에 이유 없이 태어난 철부지 아들과 집안 살림 외에는 아무것도 할 줄 모르는 철없는 아내만 남았습니다.

둘 중 어느 하나라도 더 내려놓고 싶었습니다. 굳이 내려놓으려면 아내를 내려놓아야 하였기에 내려놓을 용기가 나질 않았습니다. 그래서 한 손에는 아들을, 한 손에는 아내를 양손에 안고 험난한 인생길을 차안대를 차고 앞만 보고 달리는 경주마처럼 살고 있습니다.

내가 아내 필요해서가 아니라 아들에게 엄마가 필요할 것 같아서 끝내 아무도 내려놓질 못했습니다.

내 삶을 포기하고 아들, 아내 단 두 사람을 위해서 살았습니다.

20여 년이라는 세월이 그렇게 살다 보니 마음을 비우는 것을 많이 배웠습니다.

돈으로 망했으니 처자식이 사용할 수 있는 만큼의 최소한 생활비만 벌어도 만족합니다. 남들이 뭐라 해도 아들 아내 건강하게 잘 놀러 다니면 만족합니다. 부모 형제, 주위 사람 다 떠나도 내 곁에 두 사람만 있으면 감사합니다. 오래되고 작은 아파트지만 이사 걱정 없는 내 집에 주변 상권이 잘 형성되어 불편함 없고 특히 성당 옆 가까이 있어 만족합니다.

지금까지 마음에 응어리가 져서 풀지 못하는 게 있다면 하느님에 대한 원망으로 믿음이 깊지 못한 것입니다. 겨우 주일만 지키지만, 성당에 갈 때마다 기도하는 것이 딱하나가 있습니다.

오직 하나밖에 없는 자식 스스로 독립할 때 까지 만 돌보아 줄 수 있도록 도와달라고 하느님께 기도드립니다.

얼마 전 나보다 2살 적은 처삼촌이 이 세상을 떠났습니다.

이제 나보다 나이가 적은 사람들이 먼저 이 세상을 떠나는 소식을 종종 들을 때마다 나도 하느님 덕분에 살 만큼 살았다고 생각합니다. 백 세 시대라고 하지만, 저는 굳이 오래 살고 싶은 마음은 없습니다. 남들에게 의지하며 생명만 부지한들 결코 행복한 삶은 아니라고 생각합니다.

저의 부모님은 돌아가시는 날까지 남에게 의지하지 않고 사시다가 홀연히 세상을 떠나셨습니다. 자식 농사는 실패한 것 같아 매우 아쉬웠습니다.

나는 부모님과 같은 삶을 살지 않으려고 돈에 대한 미련은 버렸습니다.

가족이 좀 더 나은 생활 환경 속에서 살면 좋겠지만, 물질적으로 풍족하지 않아도 서로 의지하고 서로 믿음과 신의로 마음이 통하는 가족이 되었으면 합니다.

풍족하여 저축도 하지 못하지만, 남에게 빌리지 않고 처자식이 원하는 것을 해줄 수 있음에 만족합니다. 매월 25일이면 가족 통장에 한 달 생활비를 채워 줄 수 있어 내가 객지에 있어도 그냥 감사할 뿐입니다.

한 번씩은 가족과 떨어져 외로운 마음이 내가 왜 이러고 사는지 가끔 생각도 하게 됩니다. 그렇지만 풍족한 생활을 하지 못해도 내 가족이 따뜻한 밥 챙겨 먹고 각자 열심히 살아갈 수 있는 것을 생각하면 내 마음에 위로받습니다.

사회 물정을 몰라 평생 전업주부로 살고 있지만, 남편이 벌어다 주는 돈은 낭비하지 않고 알뜰하게 살아가는 아내입니다. 잠시 힘들 때 같이 맞벌이라도 했으면 좋았겠지만, 아내는 돈 버는 기술이 빼고는 모든 면에 최고인 아내입니다.

애 잘 키우고 부모 공경하고 못난 남편에게 헌신하며 살았으니 더 이상 바랄 게 무엇이 또 있겠습니까?

요즈음 성당에 열심히 나가며 봉사활동 열심히 하고 그것을 낙으로 살아가는 아내에게 그냥 하고 싶은 것 하고 살라고 그냥 내 버려둡니다.

처녀 때 부유한 집안이라고 시집와서 편하게 살 줄 알았지만, 유별난 시어머니 만나 모질게 시집살이했습니다. 사업하는 남편을 선택해서 가정은 하숙집처럼 드나들면서 전국이 모자라 외국까지 드나들었습니다. 젊은 시절 예쁘고 청순한 얼굴은 온데간데없이 요즈음은 그냥 옆집 아줌마가 같아서 마음이 매우 아픕니다. 조금은 늦었지만 해줄 게 없어서 아이도 다 키웠고 자기 시간을 많이 가지라고 이렇게 월말 부부로 살아갑니다. 한 번씩 마음이 허전하여 주말에 집에 가고 싶기도 합니다만. 아들은 아들 대로 다 컸다고 바쁘고 아내는 아내대로 성당 일이 바쁜 것 같습니다. 오히려 내가 집에 있는 것이 불편해할까 봐 이곳 광양에서 주일에 성당 가고 하는 일이 없으면 잠만 잡니다.

부부간에서 서로가 바라는 게 많으면 불화가 나는 것 같습니다. 그냥 30년 넘게 살았으니 서로가 알 만큼 안다고 생각합니다. 고치려고 하면 싸워야 하고 바라면 섭섭함만 쌓여가는 것 같습니다. 내가 상대에게 바라지 말고 상대가 나에게 뭘 원하는지 빨리 깨우쳐서 상대에게 원하는 것을 해주거나 하려고 노력만 해도 부부 사이는 그런대로 원만하게 살 수 있는 것 같습니다.

늦은 깨우침이지만 얼마 남지 않은 삶에 다행이라고 생각하면서 삽니다.

그래도 언제까지 해줄 수 있는지는 모르지만 내가 해줄 수 있을 때 부족하지만 해줄 기회가 있다는 게 다행으로 생각합니다.

만약 내가 먼저 떠날 때 해주지 못한 아쉬움이 남아 있으면 후회하고 미안하다는 마지막 남길 수 있는 말은 "나는 얼마 동안은 아니지만 이날까지 당신을 위해서 최선을 다했다." 하면서 젊은 시절 다하지 못한 부부 사랑에 면죄부를 받을까 합니다.

짧은 내 생각은 초라하고 궁색하게 남의 손에 의지하며 오래 살고 싶은 생각은 없습니다. 현대판 고려장 요양원에서 자식 아내를 기다리면 내 생을 마감할 생각은 추호에도 없습니다. 하루하루 있으면 있는 대로 부족하면 부족한 대로 남 신세를 지지 않고 살고 싶습니다. 가족이 남에게 손가락질받지 않게 그냥 하루하루 최선을 다하며 살고 싶은 마음뿐입니다.

한 번씩 과욕이 나를 유혹하지만 그럴 때마다 "나는 오늘이 마지막 날이다"라고 마음먹으면 모든 게 다 해결되는 것 같습니다.

요즘 태어나는 것은 순서가 있어도 가는 데는 순서가 없다는 말을 실감합니다. 과학이 발달하고 의료시설은 발전을 많이 하여 장수 할 수 있지만, 역으로 산업이 발전하여 불의에 사고로 하루아침에 이 세상을 하직할 일도 많이 생겼습니다.

죽음을 두려워하거나 준비하는 것은 아니지만 항상 나도 이 세상을 내일 떠날 수 있다는 생각과 각오를 합니다.

그래서 마리아 어머니에게도 용기 내어 이렇게 졸필 써봅니다.

이번 일어난 일로 수백 명의 어린아이가 한꺼번에 이 세상을 떠나는 소식을 접한 슬픔 속에서도 나는 하느님께 슬픔의 감사를 드렸습니다.

아직 세상에 태어나 꽃 망우리도 터트려보지도 못한 수백 명의 어린 영혼을 거두어들이셨습니다.

그런데 늘 하느님을 원망하며 사는 나 같은 놈은 여태껏 거두지 않은 것은 아직은 내가 할 일을 조금 더 하고 오라는 하느님의 뜻인 것 같아서 감사드렸습니다.

어쩌면 성당에서 인연이 되어 인생에 선배로서 조언이라며 마리아 어머니에게 주제넘은 내 이야기만 했습니다. 글로 쓰려면 수만 페이지를 써야 하고 말로 하자면 며칠을 밤새워 이야기해야 할 나의 삶입니다. 하지만 짧게 줄여 쓴 내 삶의 이야기가 마리아 어머니가 살아가는 데 도움이 되었으면 하는 마음에 두서없는 글을 드립니다.

열심히 살아가는 마리아 어머니를 볼 때마다 같은 교우 떠나 인생 선배로서 이야기해주고 싶은 말들이 생각났습니다. 하지만 내가 마리아 어머니보다 나은 게 하나도 없는 것 같습니다. 그리하여 차마 이야기하지 못하고 덮어 두었다가 이번 참사로 용기 내어 이렇게 두서없이 졸필로 내 마음을 전합니다.

오늘이 부활절입니다.
물론 의무 축일이기에 성당에는 가겠지만 내 기도는 똑같을 것 같습니다.

"2019년 5월 20일까지만 더도 말고 덜도 말고 지금처럼만 살게 해주신다면 2019년 5월 20일 이후에는 하느님이 나를 거두셔도 절대 하느님을 원망하지 않고 이승에 미련을 갖지 않겠습니다"

마리아 어머니의 가족과 가정에 부활의 축복을 같이하고 하느님 은총 가득하시길 기원합니다.

*차안대 : 말이 옆이나 뒤를 보지 못하도록 말머리에 씌우는 안대

철없는 아내와 철부지 자식을 양손에 안은 채

성격이 외형적이라 남들 앞에 말하는 것은 주눅 들지 않고 말도 잘하지만, 막상 마음에 없는 말을 할 때가 많다. 말이란 지나고 나면 그만이고 생각나지도 않은 말도 많아서 답답할 때 한 자 한 자, 내 마음을 정리할 때 마음을 움직이는 조각들을 모아 글로 적어보았다.

학교 다닐 때 문학 소년도 아니고 지금도 글을 잘 쓰는 것도 아니다.

글 쓰는 문법을 체계적으로 배운 적도 없고 학교 다닐 때 글쓰기 대회 한번 나간 적도 없는 글에는 소질이 없어 16년 학창 시절에도 번번한 연애편지 한번 써본 경험도 없다.

살날이 산 날보다 적은 것을 깨우치고 또 나에게 주어진 살날도 그리 많지는 않다는 것을 알게 되면서 죽을 만큼 힘들 때 그냥 죽기에는 너무나 억울해서 삶에 발악하듯이 유서처럼 써서 모아둔 글과 조금 안정을 찾아가며 모순된 삶에 반항하듯 쓴 글들을 모아보니 책 한 권 분량이 되어 내 인생을 마감하기 전 인생 정리하는 셈 치고 글들을 정리해 본다.

책이 될지 묻힐지 아직은 모르는 게 사실이다.

아내에게 내가 죽기 전에 내가 쓴 것을 정리해서 책 한 권으로 남기고 죽고 싶다고 했더니 "누가 당신 책을 보느냐"며 핀잔을 받았다. "지렁이도 밟으면 꿈틀거린다."라고 나름대로 이 세상에 와서 나는 이렇게 살았노라고 "꽥" 소리는 한번 외치고 미련 없이 이 세상을 떠나고 싶어 습관처럼 글로 내 마음을 모아보았다.

돌아보니 하루도 안 되는 일들에 평생을 힘들게 살았다.

억울한 일도 많았고 분한 일도 많았다. 대인공포증에 걸려 사람 만나기를 꺼렸고 하느님을 원망하면서 긴 시간이 냉담했다.

지금도 그 과거의 틀에서 헤어나지 못하고 헤매고 고통스러워하고 있다.

잊어야 내가 편하게 살 수 있다고 몇 번을 고개 흔들며 발버둥 쳐보지만 한 번씩 문득 문득 과거가 떠오를 때마다 몸서리치도록 내가 싫어진다.

아내 때문에 냉담을 풀기는 했지만, 아직도 하느님과는 멀리 있는 것 같다. 그러나 하느님께서 나에게 늘 선물과 숙제를 함께 주셔서 이렇게 주일 신자로 하느님 곁에 버티고 있다.

하느님께서 저에게 내려 주신 숙제이지만 가정사 다 말 못 할 사연이 있을 것이다. 하지만 부모 형제가 금전적인 문제로 등 돌리는 아픔은 누구에게도 말할 수 없다. 직계가족이라 법에도 호소 못 하고 암울한 시간을 몇 년을 보낼 때 거의 분노와 억울함으로 폐인이 되었다.

내가 대구를 떠날 때 대구의 큰 이슈로 남의 입에 오르내렸다.

현실을 직시하고 조용히 대구를 떠나 경주 처가로 숨어들어 갔다.

막상 당하는 자는 죽을 만큼 힘든데 주위 사람들은 이슈 거리로 만들어 은근히 즐기는 것을 내 피부와 눈치로 느낄 때 소름 끼치도록 세상 모든 일이 싫었다.

부모 형제는 물론 주위 사람들도 다 싫었다.

같은 하늘 아래 같은 공기를 마신다는 것조차도 내 마음이 허락하지 않아 숨이 막힐 정도였다. 조여 오는 숨통이 막혀 숨을 쉬기 위해서는 많은 것을 포기했다.

나를 이 세상에 나오게 한 내 부모도 포기하고 태어나 평생 살던 곳 고향도 포기하고 물론 나 자신의 위선적인 종교도 포기했다. 1998년 이전 나의 모든 것을 포기했다. 혈연 지연 학연 하느님 모두 다 포기하니 남은 것은 어린 아들 녀석과 세상 물정 모르는 내 아내만 덩그렇게 남았다. 사실 남은 게 아니고 포기할 수 없었다는 것이 더 정확한 표현이다.

아내와 함께 겪는 고통이 안쓰러워 아내에게 나를 떠나라고 했다.

내 가족으로 인하여 벌어진 모든 일이 아내에게도 창피스럽고 옆에 있는 것조차 힘들었기에 다 포기하려고 했다.

그러나 나 때문에 이유 없이 이 세상에 태어난 아들 녀석에게는 그런 용기가 나질 않았다. 나도 부모로 인하여 태어났지만, 자식보다 돈이 먼저인 부모 때문에 이 세상 가장 깊은 나락 한가운데에 처박혀 상처받고 고통 받을 때 내 자식에게는 그런 상처를 물려주기 싫었다.

어떠한 일이 있어도 내 자식에게만큼은 내가 부모에게 받은 상처는 대물림해 줄 수가 없었다.

부모를 원망하고 미워하는 마음이 커지면 커질수록 더욱더 그랬다.

사랑보다 돈과 물질적으로 길러진 나는 아직도 돈에 개념이 없다.
아직도 돌아가신 부모님과 화해와 용서가 되질 않았다.
나는 40대 중반 한순간에 준비 없이 빠져나올 수 없는 늪에 빠졌다.
그것도 철없는 아내와 철부지 자식을 양손에 안고 나락으로 빠졌다.

나이 40대 중반까지 부족함이 없어 경제 관념도 없고 필요한 것은 다 부모 재산으로 누리며 살았다. 그렇다면 뭐가 부족하고 부모에 대해서 반감이 있느냐고 의문을 가질 것이다. 창피한 일이지만 40대 중반까지 나는 부모의 꼭두각시였다. 어린 시절 모두가 어려운 시기에 부모님의 덕분으로 모자라거나 불편한 것이 하나 없이 부유하게 살았다.

60~80년도까지 극장을 2개나 운영하여 매일 현금이 들어와서 쓰기만 하고 어머니는 그 돈을 굴리는 큰손으로 통하는 분이셨다. 60~70년대에 모두가 어렵고 배고픈 시절 배고프고 어려운 것을 이해 못 하는 아이로 컸다. 학창 시절 영화를 공짜로 볼 수 있다는 이유 하나만으로 아이들이 나를 따라서 늘 우쭐거리고 다녔으며 중고등학교 사춘기에는 사고도 많이 쳤다. 그 당시 아무리 큰 사고를 쳐도 돈만 있으면 모든 것이 해결되는 시절이었다.

그런 사고뭉치가 제 버릇 개 주겠는가?
대학 생활도 공부는 하나도 하지 않고 당시 음악감상실 DJ를 한다며 대학 4년을 보냈다. 군대도 지금은 연예인 병사라고 하지만 당시에는 문선대 MC로 편하게 군 생활 3년을 보냈다.
전역 후 직장생활을 하려고 하면 집안일을 하라며 직장에 못 나가게 하셨지만, 부모님 간섭받기 싫어서 취업하여 바로 직장생활을 하였다.
건설회사도 다니고 건축직 공무원도 했지만, 씀씀이가 커서 봉급이 모자라 집에 돈을 늘 갖다 썼다. 부모님은 별로 좋아하지 않으시고 집안일을 하라고 하셨다. 하지만 끝까지 반항하며 직장 생활하다가 아내를 만나 결혼을 준비하면서 퇴사하고 집안 사업으로 돌아왔다.
집 짓는 것이 나의 전공인데 남의 건물만 지어주고 큰 건물을 짓는 내 집을 남에게 맡길 수 없었다.

막상 결혼하려고 하니 시내 극장과 붙어살고 있는 집이 한옥이고 신혼살림으로 살기가 불편해서 아파트로 신혼집 하나 마련해 달라고 했다. 그리하여 황금동 토지를 내 몫으로 받아 결혼하고 작은 사업이라도 하려고 직장생활을 접고 건물 한 층에 100평 지하 1층 지상 4층짜리 건물을 건축하였다.

지하 1층과 지상 1층의 월세는 부모님의 생활비로 드렸다. 2층 월세는 아내 생활비로 주고 3층은 설계사무실로 사용하고 결혼 전 준공을 하여 4층에 신혼살림을 시작했다.

대구 중심가에 있는 극장 자리에 건물을 짓기 위해서 결혼하면서 직장생활을 그만두고 집안 사업으로 돌아왔다.

지금 생각하면 많이 후회된다.

늘 엄마에 대한 반항이 많았다.

모든 것이 돈이면 다 되고 모든 것을 돈으로 해결했다.

돈이면 만사가 해결된다고 굳게 믿는 분이셨다.

젊은 시절 내가 사고 칠 때마다 어머니 늘 하시는 말씀 “내가 너에게 안 해준 게 뭐냐?” “네가 부족한 게 뭐냐?”라는 말씀을 하셨다.

옳으신 말씀이다. 하지만 물질적 부족함은 없었지만 늘 마음 한구석 휑한 부족함은 가슴 깊이 무엇이 부족했는지 늘 메말라 있었다.

학창 시절 연애를 정말 많이 했는데 채울 수 없는 엄마의 사랑을 여학생들에게 찾으려고 그렇게 수많은 여학생을 만나는 것 같다.

어린 시절 엄마는 항상 나보다 먼저 나가시고 나보다 늦게 집에 들어오셨다. 엄마가 차려준 밥상은 아무리 기억해도 잘 생각이 나지 않는다.

생일상은 물론이고 중고등학교, 대학 시험 치르러 갈 때도 식모(가사 도우미)가 차려준 밥을 먹고 책상에 엄마가 올려둔 돈을 가지고 시험을 치르곤 하였다.

소풍 때나 수학여행도 식모가 싸준 도시락은 가지 않고 책상 위에 엄마가 올려놓은 돈만 가지고 소풍과 수학여행을 갔다.

나는 학창 시절 입학, 졸업 사진이 없다.

늘 혼자 입학하고 혼자 졸업했다.

그래서 내 학부모는 늘 돈이었다.

학생으로서 많은 용돈도 받았고 부족하면 거짓말해서 받아쓰곤 했다. 모자라면 등록금 낼 돈도 써버렸다. 그리하면 다음에 학사경고가 나오고, 그때 어머니가 놀라서 학교에 직접 찾아가 등록금 내는 반복의 연속으로 늘 그런 식으로 살았다.

그래도 부모님께 감사한 마음은 없고, 은혜도 모르며 돌아가시는지 십수 년이 흘렀지만, 마음의 앙금은 남아 있다.

한마디로 불효막심한 놈이다.

내 아내는 집에 들어가면 항상 반겨주는 그런 아내를 바라는 마음이었다. 자식에게는 나의 어머니 같은 어머니를 두지 않기를 바라는 마음이었다.

그래서 아내는 평생을 전업주부로 살고 있다.

조금은 부족하더라도 자식이나 남편이 집에 귀가하면 반갑게 맞이하는 어머니와 아내가 있어야 한다는 것이 어릴 적부터 굳게 믿는 불멸의 고정 관념이었다.

그리하여 지금도 그렇게 살고 있다.

결혼 후에도 나로 말미암아 아내가 시어머니 밑에서 고생 많이 했다.

아내는 고부간에 갈등도 많았고 그로 인하여 나도 많이 힘들었다.

어머니가 그럴수록 나는 아내를 더 보호했고 나의 반항심도 점점 더 커갔다. 아직도 아내는 시어머니와 화해하지 않았고 용서하지를 않아 늘 아내에게 미안하다.

내가 차남이지만 아내가 부모님과 얼굴도 모르는 조상님 제사 모시고 성묘도 간다. 언젠가 제사도 포기하고 위령미사로 대신할까 했지만 아직은 부모님에 대한 정리가 되질 않아 제사라도 붙잡고 있다. 살아생전 잘했어야 했지만 제사마저 지내지 않으면 영영 부모님과 화해할 수 없을 것 같기에 감사하고 즐겁지 않은 제사를 모시고 있다.

물론 아내도 아직 내가 경제력이 있어 아무 말 않고 따라오는지? 내 마음과 같아서 그런지? 아직은 아무 말 없이 성묘하고 제사 모시고 한다. 언젠가 나와 아내가 부모님과 화해하고 용서할 수 있을 때 위령미사로 대신할까 한다. 아내도 내 부모님에 대해서는 아픈 기억도 많고 나처럼 원망도 많을 텐데 내가 하고자 하는 대로 묵묵히 지금까지 따라온다.

그래서 늘 아내에게 미안하고 고맙게 생각한다.

미안하고 고마운 마음에 부모님이 돌아가시고 난 뒤부터 내가 보답할 수 있는 길은 아내하고 싶은 대로 하고 살라는 마음으로 일절 관여하지 않는다. 수입이 많지는 않지만, 경제권도 넘기고 늘 불만스러운 정해진 용돈으로 살아간다. 어차피 모든 걸 포기하고 마지막 남은 철없는 아내와 철부지 아들을 양손에 안았는데 인제 와서 내려놓으면 조금은 덜 힘들겠지만 아직은 내려놓을 수가 없다.

아직도 나에게 기대어 살기에 내려놓을 수가 없다.

아직은 내 손길이 필요한 것 같다.

아직도 아내는 존엄한 여왕벌, 아들은 무서운 말벌, 나는 일벌로 존재한다.

인제 와서 누구를 원망하고 무슨 핑계를 대겠는가?

내 탓이요.

내 탓이요.

내 큰 탓 이로 소이다.

아내가 성당에 나가고 싶다고 해서 나도 냉담을 풀고 주일 신자로 살아가지만, 종교에 대한 아픔도 많다. 아내가 아니었으면 평생 냉담을 풀지 않을 것 같다.

집안이 4대를 이어가는 가톨릭 집안이라고 하지만 나는 종교에 대하여서도 많은 갈등이 있었다. 지금도 아내 때문에 주일 신자로 살아가는 나일롱 신자이다.

내 부모님 때문에 경주라는 낯선 곳으로 내려왔다.

대인공포증으로 인하여 업무적인 사람 외는 아무도 만나지 않았고, 성당을 나가도 사람을 사귀고 싶은 마음은 없었다.

나와 종교는 아직은 유리 벽이 있다. 아내가 나가니 냉담할 수도 없고 형식적으로 미사에 참석한다.

아직은 내 마음의 준비가 되어 있지 않아 교우님들과 만나는 것이 편하지만은 않은 듯하다. 새로운 곳에서 마음에 응어리를 풀고 하느님 곁에 있으라는 하느님이 주신 선물이라고 생각한다.

전 재산을 잃고 부모·형제가 뿔뿔이 헤어졌다. 그리고 얼마 뒤 부모님 또한 돌아가시고 십수 년이 흘렀다. 그런데도 마음 한구석에는 현재에 감사할 줄 모르고 움츠려지고 세상 밖으로 나가기가 힘들다. 그래서 자청하여 낯선 곳에서 낯모른 사람들과 생활하는 것이 한편으로는 편하기에 이렇게 객지에서 외롭게 지내본다.

아내도 편하게 신앙생활하고 하고 싶은 것 하도록 잠시 곁을 떠나있는 것도 그동안 마음고생이 많은 아내에게 지금 해줄 수 있는 내 최선책이라고 생각한다. 앞으로 하느님께서 나에게 이승에 있는 시간을 얼마를 더 줄지는 모르겠지만, 하느님이 저를 거두어들일 때까지 아내와 아들을 위해서 열심히 최선을 다하려고 한다.

아내도 이제 견진성사를 받아 마음이 든든하다.

물론 대모님께서 잘 인도해 주시고 주위의 사람들이 많이 도와주셨다고 생각하지만 나와 다른 신앙생활을 잘한다고 생각한다.

가정 살림만 하고 두 가지 일을 같이 못 하는 성격이라 성당이라는 보수적인 공동체에서 잘 어울릴까 걱정을 많이 했다.

성당이라는 곳이 보수적인 단체라 그리 만만치 않은 곳이라 행여나 신앙 문제로 상처나 입을까? 내가 주제넘게 늘 곁에서 주의 깊게 보고 걱정을 많이 했었다. 하지만 견진성사식 때 보니 이제 나도 한발 물러서서 볼 때가 되었다는 것을 피부로 느꼈다.

앞으로 잘할까 걱정도 있지만, 자식이나 아내를 평생 옆에서 지켜 줄 수 없는 일이라 이제 더는 아내 신앙생활에는 관여하지 않으려고 한다. 내가 신앙생활로 인하여 주변 사람들로부터 상처받은 일이 많다 보니 아내의 성당 공동체 일에 간섭하고 주의하라고 하곤 했는데 내 할 일은 다 한 것 같다. 그래도 행여나 상처받을 일이 생기면 이제 아내 스스로가 해결하도록 보고만 있으려 한다.

묘한 게 신앙생활과 성당 공동체 생활이 많이 다른 것을 많이 느꼈다.

하느님에게 시험당하거나 상처받는 것이 아니고 성당 공동체 사람들에게 시험당하고 상처받으면 그로 인하여 하느님 곁을 떠나는 일을 겪으면 보았다. 아내에게는 그런 상처를 받지 않도록 과잉보호를 하곤 했는데 견진성사 때 보니 이제 많이 씩씩해졌고 자기 스스로가 헤쳐 나갈 때가 되었다고 느꼈다.

내가 없이도….

성당 공동체 생활이 그리 만만치만 않지만 이제 아내 걱정은 내려두고 내 나름의 신앙 생활을 하려고 한다.

아내가 신앙심은 깊지만, 성당이라는 보수단체 속에서 골수 보수 교우님들의 생각과 다른 아내의 모습으로 비춰 행여나 그분들의 입방아에 오르락내리락해 상처받지 않았으면 한다.

교우님들과는 하느님의 품 안에서 만났지만, 항상 세속사회에서 상처를 많이 받는다.

남의 말과 뒷담화하고, 자기중심적으로 생각하고, 자기 생각대로 되지 않으면 그냥 무시해 버린다. 신앙심과 종교 생활은 매우 다른데 아직은 아내가 그것까지 잘 모르는 것에 늘 걱정이다.

그냥 신앙심 하나만 가지고 종교 생활을 하는 것 같아 마음이 조마조마하다.

사회생활은 아직 아무것도 모른다.

나름으로는 생각이 있겠지만 그것은 자기 생각이고 내 생각은 아직 부족한 것이 많다. 그냥 남편이 벌어다 주는 돈으로 낭비하지 않고 아껴서 푼돈 모으는 재미와 가정생활밖에 모른다.

기껏해야 학교 동창들과 2달에 한 번 만나는 것이 전부다.

지금도 은행가는 일 외는 전부 내가 한다. 자식이 학교에 다닐 때도 내가 갔고 대학 진학 문제도 내가 알아서 결정하고 처리했다.

자식 일로 선생님 만나는 일이나 남에게 부탁하는 일은 아직 한 번도 해보지 못한 사람이다.

교육에 관하여는 소위 치맛바람은 전혀 몰라서 내 바짓바람만 날렸다.

허튼짓 한번 해보지도 옆길 한번 간 적 없이 그냥 자식 잘 키우고 남편에게 순응하며 살다 보니 어떨 때는 가정사가 아닌 가정밖에 일로 대화해 보거나 행동하는 것을 보면 순진한 것인지 맹한 것인지 답답할 때도 종종 있다.

시골에서 자라 어린 나이에 직장생활을 조금 하다 나를 만나 집안 살림만 하며 살다 보니 대인관계나 사회 생활하는데 서툴 때가 많다. 그래서 걱정도 했는데 이제는 아내 걱정은 다 내려놓고 내 걱정만 하면 될 것 같다. 또 하느님의 숙제라고 생각한다.

보통 가정에서 자란 사람들은 부모에게 상처받은 사람의 가슴에 상처를 이해하지 못한다. 부모에 대한 한번 입은 상처는 잘 지워지지 않는다.

나의 잘못 일 수도 있지만 그렇게 생각하지 않는다는 것에 상처가 더 깊이 남는다. 평생 치료가 되지 않아 평생을 원망 속에서 살아가는 것이 가장 큰 문제인 것 같다.

나 자신이 힘들 때도 나의 반성보다는 부모에 대한 원망으로 허송세월하면서 상처만 키운다. 부모가 돌아가신 뒤에도 상처는 아물지 않는다. 살아생전 화해와 용서를 하지 못하였기 때문에 오히려 남보다 못한 일들이 가족 간에 일어날 수 있다. 그래서 항상 부족하지만, 가족에게 아버지의 의무와 책임을 다하려고 최선의 노력을 다한다. 행여 가족에게 상처를 준 언행이 있었는지 돌이켜보고 행여 있었다면 빨리 치유되도록 사과하고 용서를 빌어야겠다.

행복은 스스로 행복해야지 다른 사람이 나를 행복하게 해주지 않는다.

부모도, 부부도 아니고 자식도 아니다.

신부님도 아니고 친구도 아닌 오직 나 자신뿐이다.

“슬픔은 같이하면 반이 되고 기쁨은 같이하면 배가 된다”라고 말을 한다. 하지만 기쁨을 같이할 사람은 많지만 슬픔은 같이 할 사람은 하느님과 오직 나뿐이라는 것을 살날이 얼마 남지 않은 이제야 깨우친다.

"힘들 때 주문처럼 외워본다."

"행복하다. 행복하다. 행복하다"

2. 인연과 필연 그리고 숙명

화해와 용서가 없이 떠난 어머니와 영원한 이별

어머니와 영원한 이별을 하고 힘들어하는 친구에게(편지글)

어제 친구 어머니와 영원한 이별을 고하고 힘들어하는 글을 보고 너에게 어떻게 위로해야 할지 몰라 종일 고민했다.

지금도 많이 힘들어할 너를 생각하면서 용기 내어 몇 자 적어본다.

위로는 되지 않겠지만 힘들 때 직접 찾아가서 대면하고 마음이라도 전했으면 조금은 이런 허전한 마음이 들지 않았을 것이다.

너의 글 속에 어머님과의 서운하고 영원한 이별의 아픔을 내가 먼저 겪어보았기에 가슴이 저며진다. 마음에 서운함이 없어도 영원한 이별은 힘들 것이다. 그런데도 아직 풀지 못한 서운함과 아쉬움을 던져주고, 혼자 말없이 떠나버리면 남아 있는 자식은 어쩌라는 것인지….

나 역시도 부모님에 대하여 풀지 못한 원망과 서운함을 20여 년 동안의 아픔을 참고 살아간다. IMF 때 집안이 몰락하고 부모·형제를 등진 체 지금까지 살아왔다.
아버지가 먼저 돌아가셨을 때 어머님을 한번 뵈었다. 그리고 수년이 지나 아픈 몸을 이끌고 "너는 자식이 아니냐?"하며 처가살이하는 경주를 오셨다. 찾아온 어머니를 차마 돌려보내지 못해서 몇 달을 병원에서 병시중하였다. 완쾌 후 대구로 모셔다드리며 "더는 나를 찾지 말아 주세요. 나도 내 처자식 먹여 살리기에도 죽을 만큼 힘들다."라고 매몰차게 등을 돌려 돌아왔다. 그리고 1년 즈음이 지난 아침에 전화로 "나 이제 안 되겠다"라며 또 전화가 왔다. 자식이라 또 어쩔 수 없이 찾아갔더니 싸늘한 시신 되어 나를 맞이하였다.

그렇게 많은 재산을 형과 둘이서 모두 날려 보내고 죽지 못해 살아가는 나에게 마지막으로 전화해서 또 짐만 남기고 홀연히 혼자 떠났다.

또 그렇게 모자지간 천륜을 박절하게 끊을 수 없어 생전에 그렇게도 원하셨던 계산성당 장례식장에서 장례를 치렀다. 계산 본당 장례미사까지 봉헌해 드리고 군위카톨릭 묘역에 모셨다.

원망도 많이 했다.

아니 지금까지도 원망하고 있다.

귀천하면서도 어머님이 원하는 것은 다 나에게 숙제로 주셨고, 난 원망 속에서 어머님이 원하시는 모든 것을 해드렸다.

아직도 풀 수 없는 내 부모와의 한이 아직도 지울 수 없는 원망의 상처로 남아 있다. 하지만 어머님이 돌아가시고 폐인이 된 형을 대신해서 지금까지 부모님 성묘와 제사도 내가 모시고 있다.

내가 부모님이 좋아서 이렇게 사는 것이 아니고, 내 자식 눈이 무서워서 이러고 사는지도 모르겠다.

두 번 다시 생각하고 싶지도 않은 내 부모 형제이지만 내 자식 앞에서는 나를 낳아준 부모를 부정할 수 있는 용기가 나지 않았다.

'자식 낳아 키워보면 부모 마음 알 수 있다'라고 하는데 나는 자식을 키우면 키울수록 부모 마음이 더 이해되지 않는다. 돈이 무엇인지 몰라도 돈 앞에 부모 형제도 없다는 말을 절실하게 느낀다. 나는 자식에게 물려줄 것은 없지만, 돈 때문에 자식을 버리지는 않을 것이다.

내가 이렇게 사는 것은 나는 내 부모처럼 살지 않으려고 이렇게 발버둥 치는 것이다. 물려 줄 것이 있으면 모든 것을 다 주고, 물려 줄 것이 없으면 오늘 내가 할 수 있는 모든 것을 자식을 위해 주고 싶기 때문이다.

그렇기에 자식이 커 가면 커갈수록 내 부모를 이해할 수 없어 평생을 부모에 대한 한을 품고 살고 있다.

그런데 이렇게 사는 것이 너무나도 힘들다.

나도 내려놓을 것은 내려놓고, 잊을 것은 잊어야 하는데 너무나 깊은 상처가 나를 이렇게 힘들게 한다.

그래서 친구에게 감히 말하지만, “나처럼 살지 마라”

참 쉬운 일인데 나는 이렇게 힘들게 산다.

이제 다시는 만날 수 없는 돌아가신 부모님에 대한 원망을 내려놓지 못해서 부끄럽게 한 맺힌 삶을 살아간다. 친구에게 이렇게 성인군자처럼 말하지만 네가 닥쳐보면 힘들다는 그것을 알 것이다.

하지만 어찌하겠는가?

이토록 힘든 시련을 겪어본 나로서는 힘들다는 것을 직접 피부로, 몸으로 느꼈기에 친구에게 위로의 말과 내 마음을 전한다.

죽을 만큼 사는 것이 힘들 때 아무에게도 말하지 못하고 몇 자 주섬주섬 적어 가슴 깊숙이 숨겨 놓은 글이다.

내가 죽기 전에 여유가 있으면 이승에서 만나 내가 고맙다고 말하지 못한 분들께 작은 책자로 만들어 내 마음을 전해 드리려고 모아 놓은 글이다. 어떤 말로도 위로가 되지 않겠지만 친구에게 몇 가지 추려서 보낸다. 마음이 아프고 답답할 때 만화처럼 가볍게 읽어보아라.

나의 한 맺힌 절규이지만 친구에게 마음을 가라앉히는 데 도움이 되었으면 좋겠다. 우리는 귀천할 때 자식들과 화해하고 용서하고 떠나자.

‘힘내라’라는 글 몇 자로 위로할 수 없다는 걸 알지만 지금 내가 친구에게 할 수 있는 이것이 전부이다.

너보다 내가 먼저 겪어보아 그 아픔을 더 절실히 느끼기 때문이다.

돈에는 부모·형제도 없다. '친족상도례'

얼마 전 개그맨 박수홍의 친형이 박수홍의 출연료를 지급하지 않고 추정액 100억 원 이상의 재산을 빼돌린 횡령 의혹 사건으로 친형이 구속되었다. 아버지는 감정이 격화되어 박수홍을 폭행하고 결혼식에도 참석하지 않는 가족 간 비극적인 일이 벌어졌다.

또한 유명 여가수 장윤정은 '그동안 통장을 관리해오던 어머니와 남동생이 10년간 벌어온 돈을 모두 탕진하고, 오히려' 빚만 10억 원이 생긴 것을 알았다'라는 사실을 밝혔다.

장윤정은 법정 소송이 없었다. 하지만 횡령 혐의로 기소된 박수홍의 친형은 지난 10년간 동생의 이름으로 1인 기획사를 운영하면서 62억 원에 달하는 박 씨의 출연료 등을 횡령했다는 혐의로 구속기소 되어 재판 중이다. 누구나 다 박수홍의 형이 나쁘다는 것을 인지하지만 '친족상도례'라는 법을 악용하고 있다.

그 법을 악용하여 박수홍의 아버지가 검찰 조사에서 박수홍의 자금을 실제로는 자신이 관리했다고 주장했다. 부친이 친족상도례 조항을 악용하여 큰아들(박수홍 씨의 형) 부부의 처벌을 막으려 한다는 의혹을 제기했다.

친족상도례(親族相盜例)는 '친족 간 도둑질에 대한 특례'라는 뜻이다. 이에 해당하는 재산 범죄는 가까운 친족(직계혈족·배우자·동거친족·동거가족) 간이면 형을 면제하고, 먼 친족(가까운 친족을 제외한 친족) 간이면 피해자 고소가 있어야 공소를 제기(친고죄)할 수 있게 한 것이 골자다.
형법은 328조에 권리행사방해죄에 대한 친족상도례 조항을 두면서 이를 절도(344조), 사기·공갈(354조), 횡령·배임(361조),장물죄(365조)에도 준용하도록 규정하고 있다.

그래서 부모와 자식이나 배우자, 동거가족 사이의 이런 재산 범죄는 설령 피해자가 원해도 처벌할 수가 없다.
이에 따라 명백한 절도죄임에도 친족상도례 때문에 처벌을 피한 사례가 적지 않다.

형법

제328조(친족 간의 범행과 고소)

① 직계혈족, 배우자, 동거친족, 동거가족 또는 그 배우자 간의 제323 조의 죄(권리행사방해죄)는 그 형을 면제한다.

② 제1항 이외의 친족 간에 제323조의 죄를 범한 때에는 고소가 있어야 공소를 제기할 수 있다.

제365조(친족 간의 범행)

① 전 3조의 죄를 범한 자와 피해자 간에 제328조 제1항, 제2항의 신분 관계가 있는 때에는 동조의 규정을 준용한다.

② 전 3조의 죄를 범한 자와 본범 간에 제328조 제1항의 신분 관계가 있는 때에는 그 형을 감경 또는 면제한다. 단, 신분 관계가 없는 공범에 대하여는 예외로 한다.

이는 친족 간 재산 범죄의 특수한 사정을 인정해 국가가 형벌로서 개입하는 것을 자제하고 자율적으로 해결하도록 처분을 위임함으로써 가정의 안정을 도모할 수 있게 하려는 취지로, 1953년 형법 제정 때부터 도입됐다.

여기서 친족은 민법상 친족 관계의 법률상 효력이 미치는 8촌 이내 혈족과 4촌 이내 인척 또는 배우자에 한정되는 것이다.

이러한 친족상도례는 절도죄 이외에도 사기죄, 공갈죄, 횡령죄, 배임죄, 장물죄, 권리행사 방해죄도 적용된다.

친족상도례에서 규정하고 있는 재산 관련 범죄도 명백한 범죄 행위에 해당한다. 친족이라는 점을 악용해 더 큰 액수로 범죄를 저질러도 사실상 피해를 구제할 방법이 없고 보호받지 못하는 재산권이다.

다행히 박수홍은 은행거래명세 출연료 횡령 등 자료가 있어 개인이 아닌 회사 공금 횡령 혐의 고소가 되지만 통장을 맡긴 장윤정은 고소조차 할 수 없다.

나도 그러했다.

글로 적어놓은 것은 아무것도 없다.

계약서도 없고 공증서도 없다.

그냥 부모·형제의 약속이었다.

내 명의의 집도 형 명의로 해주었고, 형이 준다는 건물은 형이 처분하여 가져갔다.

큰 건물을 준공하였지만, 건물시공으로 생긴 부채는 내가 다 짊어지게 되었다. 모든 것이 완성되고 난 뒤에는 내 몫은 없었다.

모두가 그들의 몫이었다.

좋은 것은 당신들 몫, 부채는 나의 몫 그렇게 나는 주저앉았다.

수표 부도로 인하여 일여 년간 해외에 도피해 있었다.

돌아와서 행여나 수표를 회수하여 주려나 기대감도 있었지만, 역시나 아니었다.

모든 것을 다 짊어지고 끌어안고 내 발로 경찰서로 걸어 들어갔다. '부정수표 단속법 위반'의 죄인이 되어 법의 심판 받았다.

결론부터 말하자면 이제는 모든 죄를 사면복권을 받았다. 하지만 심판받을 때까지 부모·형제는 구치소 면회조차 오지 않았다.

돈에는 그렇다.

구치소 안에서 나도 별의별 생각을 다 해보았지만 '친족상도례'법 앞에서는 아무것도 할 수 없었다.

'친족상도례법'이란 것을 구치소에서 처음 알았다.

박수홍은 자기가 벌어들인 근거가 있고 회사에 입금된 자료가 있어 법적으로 다툼을 할 수 있는 여력이 있다. 하지만 부모 재산으로 이루어진 재산권은 법적으로 공방을 할 수가 없는 것이 '친족상도례'법이었다.

30~40대의 인생을 집안 건물 부동산 사업으로 다 보냈다.

좋을 때는 내 것, 네 것이 어디 있나 하더니 부족하거나 떼어 줄 때는 아까운 것이 사람 심리인 것 같다.

가족에게 배신이라는 칼에 맞을 줄 누가 상상하겠는가?

결론은 집안의 모든 빚이 내 빚이 되어, 내 명의로 된 수표가 부도나서 나만 법의 심판 받았다.

아무런 항변도 하지 못하고 그냥 잿더미처럼 무너졌다.

부모·형제의 배신에 칼에 갈기갈기 찢어진 영혼과 피폐해진 육신을 추스르기에는 오랜 시간이 필요했다. 죽을 만큼 술을 먹었고 목구멍으로 피를 토할 만큼 울부짖었다. 복수라는 단어도 그때 처음으로 내 가슴에 새겨져 있는 줄 알았다.

부모·형제의 배신에 대한 분노는 끝이 없었다.

나쁜 생각도 많이 했다.

부모·형제에게 받은 상처는 치유가 될 수가 없다.

용서, 화해, 배려 절대 안 되는 것이 부모·형제와의 배신이다.

남이면 내가 어리석어서 사기를 당했다고 생각하고 자신을 스스로 자책한다. 그에 대하여 가족의 위로를 받고 상처를 보듬어 치유하면 될 것이다. 하지만 부모 형제에게는 종이 계약서 한 장 없이 믿음과 신의가 무너졌기 때문에 더 아프고 상처의 치유가 어렵다.

영원히 치유되지 않은 상처를 안고 또 다른 내 가족 처자식에게 아버지로 인한 상처를 주지 않기 위해서 죽지 못해 살아갈 뿐이다. 가족으로 인한 처절한 삶과 상처는 이제는 내 선에서 마침표를 찍어야 했다.

어차피 부모님은 이승의 사람이 아니고 형도 어머니 장례 치르면서 마지막 보고 연을 끊고 서로 연락 없이 살아간다.

내가 버림받은 상처와 배신의 울분을 털어내고 내 처자식 잘 지켜내는 삶이 그들에게 복수하는 마무리가 될 것 같았다. 부모는 자식에게 어떠한 일이 있어도 앵벌이를 시키면 안 된다.

박수홍의 가족이 그러했고 내 가족이 그러했다.

박수홍은 나보다 천배, 만 배 더 억울하겠지만 진흙탕 싸움도 해야 하고 울분도 터트려야 한다.

'열 손가락 깨물어 안 아픈 손가락 없다'라는 속담은 잘못된 속담이다. 손가락 길이가 다 다르듯 아픔도 다 다르다.

부모는 장자 우선, 남아 우선이다.

비교할 바는 아니지만 나도 그렇고 박수홍이나 장윤정도 가족에게 버림받은 것이다. 장자가 우선이고 남아가 우선이기 때문이다.

부모는 남의 자식과 내 자식에게는 솔로몬과 같은 지혜가 있지만, 형제 남매에게는 솔로몬의 지혜가 존재하지 않는다.

소금 장수, 우산 장수 어머니의 유명한 이야기도 있지만, '달걀은 한 바구니에 담지 않는다'라는 말도 있다. 비 오는 날 소금 장수 자식 걱정하고 맑은 날 우산 장수 자식을 걱정한다. 하지만 한 바구니에 담아 하나가 깨진다고 하면 슬프지만, 분명히 한 가지를 선택할 것이다. 차남보다 장남을, 딸보다는 아들을 선호하는 선택을 한다.

박수홍, 장윤정에게 비교할 바는 물론 아니다. 하지만, 다른 사람이 나의 상황에 대하여 모두 알 수는 없을 것이다. 분명한 것은 자기 것이 아닌데 자기 것처럼 사용했다는 것이다. 돈 잃고, 가족을 잃은 당사자는 영원히 치유되지 않는 상처가 흉터로 남아 평생 트라우마로 인한 고통을 받고 살 것이다.

가족과 얽힌 문제는 언젠가는 용서하고 화해하면 트라우마가 치유되겠지, 하는 기대는 하지 않는 것이 좋을 것 같다. 상처는 아픔으로 겪고, 잊을 수 없는 일이기에 죽을 때까지 그냥 품고 가는 것이다.

내 경험으로는 발버둥 치면 칠수록 더욱 조여 오는 올가미처럼 가족 문제는 절대 풀리지 않는 것이다.

친족상도례 조항으로 법의 보호조차 받을 수 없는 현실에서 본인은 너무나 억울했다. 하지만 가족이 똘똘 뭉쳐 나 한 사람을 가족의 이단자, 부모에게는 불효막심한 놈으로 만들어 버리는 악법이 되었다. 가족의 버림과 배신을 오롯이 본인 혼자 독박을 써야 했기 때문이다.

인간은 살아가면서 힘들 때 가족의 품에서 보호받고 아픔을 치유 받아야 한다. 그렇지만 금전적인 문제로 가족이 나를 버리는 배신으로 인하여 생긴 상처와 후유증인 트라우마는 또 다른 가족에게서 치유하고 위로받는 것이 최고의 치료 방법인 것 같다.

뱀에 물렸을 때 해독제가 뱀독이듯이 가족에게 상처받으면 또 다른 가족에게 치유를 받아야 한다.

부모와 형제에게 상처받고 죽고 싶을 만큼 힘들 때 나는 안아 주고 위로하며 치유해준 가족은 내 부모와 형제가 아닌 내 아내 내 아들이었다.

가족 배신의 아픔은 또 다른 가족이 치유해주고 내가 살아가는 이유를 만들어 주었고 삶에 새로운 꿈을 꾸게 해주었다.

그래서 내 가족과 내 가정을 내 목숨처럼 지키고 있다.

만약 죽고 싶을 만큼 힘들 때 내 가족이 없었더라면 지금의 나는 존재치 않을 것이다.

나도 그렇고 새로운 가족이 생긴 박수홍 님, 장윤정 님이 완치는 힘들고 흉터는 남겠지만 치유가 빨리 되길 바랄 뿐이다.

불효자 부모님 성묘

부모님 묘지는 경북 군위 가톨릭 묘역에 있다.

김수환 추기경 생가 바로 뒷산에 있다. 매년 부모님이 돌아가시고 추석 전에 꼭 성묘 간다. 가톨릭 군위 묘역은 묘지가 유럽식으로 묘지 봉이 없고 석판으로 모두 똑같이 해 놓았다.

이문희 대주교님 아버지 이효상 전 국회의장님이 여기 계시고 물론 이문희 대주교님도 성직자 묘지에 계시고 부모님 묘지도 같은 묘역에 계신다. 가톨릭 군위 묘역은 살아생전 유명한 사람이나 평범한 사람이나 수백억 가진 부자이거나 가난한 사람 묘지나 다 똑같다.

그래서 난 가톨릭 군위 묘역을 좋아한다.

부모님께서 살아생전에 정해둔 곳이라 돌아가시고 묘지를 정하는 데 큰 무리는 없었다. 나 역시 내가 먼저 가게 되면 이곳에 묻어 달라고 유언 아닌 유언했다. 다 같은 묘지이지만 묘지를 둘러보면 자식 유무에 대한 표시가 난다. 해마다 벌초는 묘지 관리소에서 해주지만 자식이 있는 묘지는 조화라도 꽂혀 있고 세월이 지나 돌보지 않는 묘지는 잡초만 무성하며 을씨년스럽다.

그래서 해마다 산소 갈 때마다 조화지만 빛바랜 것은 솎아낸다. 새 조화로 바꾸고 예쁜 천사 인형이 있으면 사두었다가 산소를 꾸민다. 산소를 예쁘게 꾸미고 돌아서면 마음이 참 편안하다.

부모님 돌아가시고 산소를 꾸며 보았자 무슨 소용이 있겠냐 싶기도 하다. 하지만 살아생전 그렇게도 말썽부리고 반항하고 죽도록 속 썩인 미안한 마음이 조금이라도 속죄되는 것 같아 마음이 편하다.

아내가 말하기를 "살아생전에 지금처럼 하지, 돌아가시고 이렇게 한다고 누가 알아주냐?"라고 핀잔을 준다. 그렇지만 아내 핀잔에도 웃을 수 있는 마음의 여유가 생겼다.

산소에 갈 때마다 성묘를 마치고 주위 산소를 한 번씩 둘러본다.

묘비에는 태어난 날과 돌아가신 날을 새겨 놓아서 산 날이 대충 계산이 된다. 그런데 나보다 일찍 이 세상을 하직한 분들이 많다.

무슨 사연인지는 알 수는 없으나 되새겨보면 나도 이제 살 만큼 살았다고 생각한다. 20대 꽃다운 청춘에 간 사람 40대, 50대도 많이 있다.

부모님처럼 장수한 분들이 오히려 드물어서 마음이 이상했다.

세상 참….

어머님 묘비에 1922~2006년 85년, 아버님 묘비에는 1916~1999년 84년을 사셨고 자식으로 명철, 명규가 새겨져 있다. 하지만 형은 부모님께서 돌아가시고 어디서 어떻게 사는지조차 몰라서 지금은 내가 제사 모시고 성묘를 한다.

팔자에 없는 조상 모신다고 투덜대지만 그래도 착하게 조부모, 부모님, 명절까지 제사 6번 지내느라 고생하는 내 아내, 이럴 때는 내가 장가는 잘 갔다는 생각이 든다.

아내는 "우리는 제사 모시고 성묘해 드리지만, 아들 대에는 어떻게 하려나"라고 걱정을 한다. "조상님 제사, 성묘는 걱정하지 마세요."라는 착한 순둥이 내 아들이 옆에 있어서 나는 살맛이 난다.

나는 고아다.

부모님께 자식 도리를 다하지 못했다.

자식 도리라고 지금 하는 것은, 부모님 기일에 제사상 차리고 추석에 성묘 가고 내가 할 수 있는 것의 전부이다. 부모님 기일 챙기고 성묘 간다, 어떤 이는 기일을 합하라고 하지만 그냥 따로 모신다.

그것이 돌아가신 분에게 도리라는 생각도 있지만, 내 마음 편 하려고 그냥 제사를 지낸다. 나는 부모님이 돌아가셨을 때도 무덤덤했다.

솔직한 내 양심에 고백이지만, 아직도 내 마음 한구석에는 미움과 원망의 응어리가 남아 있다. 나름대로 지워 보려고 노력도 많이 하지만 잘 안 되는 것이 사실이다.

잊고 살았지만, 부모님 기일만 되면 촛불을 켜고 향을 피우고 나면 향 내음이 가슴에 가라앉았던 원망과 미움이 향 내음과 함께 물결처럼 피어오른다.

제사를 지내다 보면 나도 이제 부모가 되었는데 자식 앞에서 제사를 지내면서 부모님에 대한 마음을 비우지 못한 죄스러운 마음 때문에 자식과 눈 한번 마주치지 못한다.

제사를 마치고 음복하면서 돌아가신 분에 대한 살아생전 추억과 돌아가시고 남긴 교훈을 일러주어야 하는데 자식에게 아무것도 해줄 말이 없어 늘 침묵만 흐른다.

한때는 제사를 지내지 않으려고 했지만, 더 큰 후회를 할 것 같아 그냥 모시기로 했다.

누군가가 말해주었다.

"망자에게 대한 예의가 아니다"라는 말에 늘 마음의 짐을 지고 산다.

반갑지 않은 추석

존경하는 형수님에게(편지글)

그리 반갑지 않은 추석이 또 다가왔습니다.

장손 조카는 외국 나갔다는 소식을 들었지만, 추석이 되니 보고 싶네요.

조카도 어쩌면 먼 타국에서 그리 반갑지 않은 추석을 보내야 할 것 같아서 마음이 짠합니다.

국내에 있는 우리는 추석 명절이 그리 반갑지는 않지만, 조카를 생각해서라도 아무 말 없이 보내야 할 것 같습니다.

작은 애도 무리해서 내려보내지 마십시오.

계집아이라서 혼자 멀리 다니는 게 마음이 안 놓입니다.

그래도 큰애는 머슴아이라서 그런지 어디에 내놓아도 마음이 든든한데 작은 조카를 보내고 나면 집에 도착할 때까지 신경이 쓰이는 걸 보면 나도 이제 나이 먹은 것이 실감이 납니다.

둘째도 보고 싶지만, 장조카 돌아오면 그때 같이 보내세요.

우리야 이러고 살지만, 아이들이 무슨 죄가 있겠습니까?

이제 직계 핏줄이라고는 저 아들 형수님 자식 둘인데 우리가 이 세상에 없을 때 서로 살 비비고 살았으면 하는 마음입니다. 명절 때라도 서로 만났으면 하는 마음이지만, 어른들의 잘못으로 애들에게 무어라고 할 말도 없는 것 같습니다.

지난 일요일 성묘를 다녀왔습니다.

되돌리기 싫은 기억들이 다시 생각났지만, 이미 돌아가신 분들에 대한 예의가 아닌듯하여 마음에 응어리를 지우려고 노력했습니다.

다행히 제 처도 이번에 마음이 가볍게 보여서 고맙기도 하고 미안하기도 했습니다. 제 아들도 이번에는 같이 데리고 갔습니다.

공부한답시고 성묘에 데리고 가지 않았는데 이번에 데리고 가서 벌초도 시키고 했습니다.

앞으로도 데리고 갈 작정입니다.

내 속마음은 내가 없을 때 제 몫으로 넘겨줄 요량으로 처음 벌초하는 것이 어설프기도 했지만, 묵묵히 지켜보았습니다.

마무리는 제 엄마가 하긴 했지만 아무래도 내가 제일 먼저 이 세상에서 없어질 것 같아서 내가 없이도 해야 할 일이기에 그냥 바라만 보았습니다.

아비의 마음을 아는지, 모르는지 어설프게 벌초하는 모습을 보면서 지하에 계시는 할머니, 할아버지께서는 그렇게 챙기시던 손자가 해주는 벌초가 더 좋았으리라 생각하며 담배 연기 몇 모금으로 내 마음을 달랬습니다.

아무것도 해놓은 것 없이 나이만 점점 먹어갑니다.

산소에 가면 나도 언젠가 여기 묻혀야 하는데 할머니, 할아버지 가까운 곳에 있어야 아들이 덜 불편할 것 같아 주위 빈자리를 살펴보았습니다. 산소 주변을 둘러보는 나의 모습을 보면서 나도 이제 살 만큼 살았다고 하는 생각이 들었습니다.

아직은 아들이 어려서 내 손이 필요할 것이 많은데 세월 앞에는 두 손 다 들겠습니다. 얼마 전 연봉협상이 있었는데 "회사 규정에 따르겠습니다"라는 말밖에 할 수 없었습니다. 남들은 자식 대학 다 시키고 자식 혼사 걱정하는데 난 아직 대학도 다 못 시켰으니 앞으로가 막막합니다.

철없는 자식은 아비 마음을 아는지 모르는지 아직 저러고 있네요.

자식 하고 싶은 대로 해주는 게 내 인생에 마지막 숙제라 생각하고 있습니다. 남은 시간이 많지 않아 초조하고 답답하지만 애타는 마음은 속으로 삼키며 내가 일할 수 있을 때까지 무슨 일이든 열심히 하려고 노력하고 최선을 다하려 합니다.

이제 누구를 원망하고 지난 과거에 매달려 내 아픈 가슴만 쓸어내리기에는 남은 시간이 그리 많지 않다는 것을 깨우치고 남은 시간 처자식을 위해 내 모든 것을 던져주고 싶어질 따름입니다.

하루하루 변해가는 모습을 보면서 마음의 위로로 삼고 열심히 살려고 노력합니다. 하루가 길게 느껴지고 힘들 때 나에게 주어진 한순간 한순간에 매달리며 살아갑니다.

빡빡하게 짜인 시간대로 사는 월급쟁이라서 서로 시간 내기가 힘들지만 이마저도 못할 때, 남는 게 시간일 테니 그때 편안하게 만나기를 기약해야겠습니다.

내내 건강에 유의하시고 편안하고 항상 여유 있는 마음을 가지세요.

삶은 그렇지 못하지만….

경주에서 시동생 이명규 올림

추신: 성묘 가서 형수님께서 궁금해할까 사진 몇 장 찍어서 같이 동봉합니다.

처가 어버이날

처가 식구들이 어버이날이라고 부모님 모시고 하루를 보내자고 하여 온종일 따라다녔다.

4남매가 고만고만 다들 잘살고 있다. 다 함께 모여서 부모님을 모시고 가까운 오어사와 포항 북부 해수욕장을 다녔다. 처가 일이었지만 맛있는 것, 드시고 싶은 것을 대접하는 모습이 보기가 좋았다.

내 부모님은 어버이날 단 한 번도 모시지 못했는데 처가 식구들이 부모님 모시고 다니는 모습을 보고 있으니 돌아가신 부모님이 많이 생각났다.

돈이 뭔지 평생 돈의 노예처럼 살다 보니 가족끼리 여행 한번 다녀 본 적이 없다. 돈이 있을 때는 돈 쓸 시간이 없었고, 시간이 있을 때는 돈이 없어 가족 여행을 간 적이 없다.

어버이날이라고 부모님 모시고 단 한 번 음식 대접을 해드리지 못했다. 물론 착한 둘째 며느리인 내 아내가 카네이션과 용돈도 드리고 집에서 음식을 차려드렸지만 나는 참석하지 않았다.

처가 식구들이 하루지만 모시고 다니면서 부모님 즐겁게 해드리려고 노력하는 모습이 보기가 좋았다. 내 부모 살아생전 집안 사업 문제로 사이가 좋지 않아 어버이날같이 번번한 외식 한 번도 하지 못하고 처가 식구들 꽁무니를 따라다니는 내 꼬락서니가 서글펐다.

인생 새옹지마라고 슬픈 날이 있으면 좋은 일도 있다고 하는데 내 기억에 내 부모님과는 늘 안 좋은 기억만 남아 있다.

뭘 하려고 했는데 기회가 없었고 또 뭘 하려고 하니 부모님이 계시지 않고 가진 만큼 가졌고 누릴 만큼 누렸지만 내 부모님과는 왜 그렇게 살았는지 모르겠다.

지금은 다시는 볼 수 없기에 더 마음이 아프고 후회가 된다.

반성은 없지만….

처가 식구들은 나의 전철 밟지 않게 하려고 아내 처남 처제 며느리에게 한 소리 하고 싶지만 나도 부모에게 못한 놈이 잘하는 처가 식구들에게 눈치가 보여 말하던 말끝을 어울거렸다.

늘 어버이날만 되면 가슴에 맺힌 응어리와 한(限)들이 내 목구멍으로 치올라오는 것 같아 목구멍에 마른침을 삼키려고 노력한다. 지나고 보면 아무것도 아닌데 왜 그렇게 살았는지 처가 식구들을 온종일 따라다니면서 아무리 생각하지 않으려고 해도 내 머릿속에 돌아가신 부모님 자꾸 생각났다.

부모가 뭔지 자식이 뭔지 두 분 다 돌아가신 지 10여 년이 지났지만, 아직도 부모에 대한 풀 수 없는 굴레에서 벗어나지 못했다. 내가 이승을 떠날 때까지 안고 살아야 하는 영원한 숙제인 것 같다. 연휴 5일을 정신없이 보내다 보니 눈을 뜨니 또 생업에 전선으로 돌아가야 할 시간이 되었다.

집 나서기가 싫었지만 모아 놓은 것 없어 쉴 수도 없고 대학생 아버지라는 긴장감이 떨어지지 않는 발걸음을 생업 전쟁터로 옮겨야 했다.

잘 갔다 오라는 아내의 배웅 인사가 원망스럽기도 했지만, 어쩔 수 없는 가장이라는 지게를 짊어진 지게꾼이 되어 300여 킬로를 달려서 또다시 평상의 일상으로 돌아왔다.

아침에 출근하여 멍하니 봉지 커피만 연신 들이켜면서 긴 연휴 복기하면서 또 하루를 시작할까 한다. 그냥 아무 생각 없이 보낸 며칠이 바빴지만 주어진 삶에 감사하고 오늘이 있기에 또 내일이 오리라 생각하기로 하고 오늘을 또 시작한다.

가시고기의 후회

매스컴에서 날마다 경제 불안으로 힘들다는 대책 없는 말만 쏟아낸다.

아무렇지 않게 받아들이려고 노력해보지만, 솔직히 지금 시대의 아버지 노릇을 하는 게 힘들다. 나는 학창 시절 그리 모범생도 아니고 오히려 말썽만 부렸는데 내 아들은 말썽 한번, 애 한번 먹인 적이 없다.

그래서 내 아들을 여태껏 매 한 대 때리지 않고 키웠다. 다혈질의 내 성격을 보아 나의 참을성보다는 내 아들이 잘 자라 주어서 늘 감사하게 생각한다.

그런 아들에게 얼마 전 자식에게는 해서는 안 될 이야기 했다.

"아빠 요즈음 많이 힘들다."

그리고 "아무리 아빠가 힘들어도 너 공부하는데 조금이라도 지장 주지 않게 하겠으니 공부에만 열중해라."라고 부탁했다.

여유가 없다.

현실도 그렇고 자식에게도 여유가 없기에 사실 더 힘들다. 자식이 이 현실을 조금이라도 깨우치라고 한 이야기지만 지금은 후회한다.

요즈음 아이들이 힘든 것을 뻔히 알면서도 아버지 입장만 이야기한 것 같아 못내 아쉽다.

앞만 보고 달려왔고 자식만을 생각하고 살고 있다. 얼마 전 암보험 하나 없다고 주위 사람이 놀려서 암보험 하나 들려고 했는데 어처구니없게도 50대 보험료가 40대의 보험료의 2배 이상이란다. 늘 건강만큼은 자신이 있어 "암보험은 재수가 없게 왜 가입하느냐?" 했는데 혹시나 해서 하나쯤은 가족을 위해 들려고 했는데 그것마저 힘들다.

건강진단도 받고 수령액은 적고 납입료는 많다.

그것도 55세 이상이면 가입도 힘들다고 한다.

아직은 괜찮은데 사회 일반관례상 내 나이도 적은 나이가 아니라는 것이 새삼스럽고 놀랍다. 아직은 할 일이 많은데 이 사회에서 점점 멀어지는 기분이다.

지금 내가 사는 경주에는 토함산에서 흘려내려 동해로 흘러가는 '대동천'이라는 작은 하천 있다. 그곳에서 촬영한 TV 자연다큐에서 방영한 가시고기의 습성을 봤다. 암컷이 바위 아래쪽에 알을 낳는다.

그것으로 암컷의 임무는 끝이고 부화해서 키우는 것은 수컷의 몫이다.

한시도 자리를 뜨지 않고 쉴 새 없이 지느러미를 흔들어 산소를 공급하고 외적의 침입을 막는다. 자신은 먹지도 않고 오직 알에서 새끼가 부화할 때까지 쉬지 않고 지느러미를 흔들어댄다. 새끼가 한 놈씩 부화하면 수컷 자신은 둥지 옆에서 죽어간다. 그러면 새끼는 아비의 썩고 낡은 살점을 먹이로 먹고 자라서 둥지를 떠난다.

이것이 가시고기 부성(父性)이다.

그리고 '가시고기' 제목으로 쓴 소설이 많은 사람을 울렸다.

한낱 말 못 하는 고기 한 마리보다 못한 나 자신을 발견한다.

'힘들어도 힘들다고 말하지 말걸. 괜히 자식에게 말했나?' 하며 뒤늦은 후회도 하지만 아버지의 뜻이 자식에게 잘 전달되길 바랄 뿐이다.

자식만큼은 아버지가 걸은 이 길을 다시 걷지 않기를 바랄 뿐이었는데 행여 상처라도 받았을까 걱정이다.

2019년 5월 20일을 향해서 달려가는 목마

아내가 하느님 품속에서 하루하루 즐겁게 사는 모습이 그냥 좋다.

비록 내가 외롭고 적적해도 나 하나로 인해서 아내와 자식이 편안하게 지낼 수 있다는 것에 만족한다.

세월이 뭐고 나이가 뭔지 시간이 지나감에 조금씩 나를 포기하고 가족을 생각하면서 사는 내가 어떨 때는 "내가 왜 이렇게 살지?" 하면서 허무할 때도 있다. 이 세상에 내가 존재하고 있을 때 그들에게 더 많은 것을 해주고 싶은 것이 요즈음 내가 사는 이유인 것 같다.

앞으로 경제력 힘이 얼마를 더 버티어 줄지 모르지만, 소비적인 뒷방 늙은이가 되지 않으려고 노력한다. 앞으로 언제 올지도 모를 먼 훗날을 걱정하느니, 하루하루를 내가 버티어 주는 것이 가장이 가족에게 해줄 수 있는 최선의 길이라고 생각한다. 삶이라는 게 내 마음대로 되지 않는다는 것을 너무 늦게 깨우친 것 같다.

무신론자들은 생을 마감하는 거라고 하지만 나는 하느님의 부름에 순종하는 날이 언제인지 모르기에 그날까지 하루하루 그들을 위해 열심히 버티어 나가려고 한다.

100세 시대라고 하지만 난 이승에서 삶에 그리 미련은 없다. 태어난 것에 대해서도 축복받지 못하고 태어났지만, 땅속에 묻혀야 하는 이 시점에서 더 이상 바랄 것이 무엇이 있겠는가?

다만 하느님에게 늘 기도드리는 것은 내 자식 대학 졸업할 때까지만 기다려 달라는 것뿐이다. 아들놈 최소한 대학만 졸업시키면 내가 더 이상 바랄 것은 없다. 내가 부러운 것은 단 한 가지 자식들 대학 졸업시킨 사람들이 부러울 뿐이다. 나에 대한 삶의 욕심이나 애착 같은 것을 버린 지 오래되었다.

이승에 미련도 없으므로 하느님의 부름에 흔쾌히 응 할 수가 있는 용기가 생기고 생의 마감에 대한 두려움이 없어진 것 같다.

그래서 내가 버티어야 할 날짜를 정해두었다.

2019년 5월 20일

보통 대학 졸업이 2월 20일에 하니 3달만 여유를 준다면 이승에서 후회되는 일을 했던 것을 용서받고 용서하고 편안한 마음으로 하느님 곁으로 갈 수 있을 것 같다. 그래서 2019년 5월 20일까지 뒤도 보지 말고 옆도 보지 말고 오직 앞만 보고 달리는 목마다.

목마는 달리 수도 없고 숨을 쉴 수 없기에 하루하루를 최선을 다하려고 노력한다.

내 바람이고, 내 희망이자, 내 꿈이다.

공부 열심히 한 사람이 시험이 두렵지 않듯이 하느님 곁에 가려고 준비해 두어야 한다. 생에 미련을 가지거나 죽음에 대해 두려워하지 않아야 하느님 부름에 바로 갈 수 있다고 생각한다.

나의 기도는 한결같다.

마지막으로 욕심 같지만 내가 사랑하는 사람들보다 하루 먼저 하느님 곁으로 가고 싶다. 내가 사랑하는 사람을 내 곁에서 떠나보내는 것보다 내가 먼저 사랑하는 사람 곁에서 떠나고 싶기에, 욕심이 없다고 했는데 너무 큰 욕심을 부리는 것 같다.

목마는 숨도 쉴 수 없고 뛸 수도 없기에 그냥 욕심이라도 부려본다.

1999년 12월 1956년생 아빠가 1991년생 아들에게 처음 보내는 편지

자랑스럽고 사랑스러운 나의 아들에게 (편지글)

요즈음 아들이 매우 힘든 줄 안다. 아빠가 모르는 것이 아니다.

아빠 때문에 대구 황금초등학교 친구들과 헤어져 갑자기 감포초등학교에 전학을 오게 되어 아빠가 아주 밉겠지?

아들에게 매우 미안하지만, 지금 아빠도 아주 힘들다.

네가 어른이 되면 자세하게 이야기해 주겠지만 아빠가 대구에 없는 동안 할머니와 큰아버지가 일을 잘못해서 아빠도 이렇게 힘들게 되었다.

어려울 때일수록 아들, 엄마, 아빠가 한마음이 되어 잘해야겠지만 아들이 외갓집에서 학교 다니는 것이 불편한 것이 많을 줄 안다. 엄마 아빠도 불편하다. 그래도 우리 집 마련할 때까지 불편해도 조금만 참자.

엄마도 외할머니 도와준다고 바쁘고, 아빠도 아직 정신을 못 차려 힘들지만 그래도 아빠의 힘은 아들뿐이다. 아빠는 아들을 위해 무엇이든 하려고 준비하고 있다. 어떤 힘든 일이라도 아들을 위한 일이라면 참으려고 한다.

아들은 아빠에게 남은 마지막 꿈이자 희망이다.

아들이 슬프면 아빠도 슬프고 아들이 아프면 아빠도 아프다.

아들이 학교에 가서 친구들과 잘 어울리고 건강한 것이 아빠의 최고의 꿈이고 희망이다.

요즈음 감포초등학교 다니면서 재미없지?

또 대구에서 가져온 컴퓨터가 잘 안 되어서 더 재미없는 것, 아빠가 잘 알고 있다. 아빠가 새 컴퓨터 빨리 사주도록 할게. 그리고 시골 학교에서 열심히 뛰어놀면서 다른 친구들에게 뒤처지지 않을 만큼만 공부해라.

앞으로 고학년에 올라가면 갈수록 공부하는 것이 어려워질 것이다.

공부할 때는 다른 생각하지 말고 공부만 하고 놀 때는 공부 생각하지 말고 열심히 놀아라.

아빠가 어려울 때 아들에게 이해해 달라는 것은 아니다. 이다음 네가 고등학교 졸업할 때 모든 것을 이야기해 주겠지만, 지금은 우리 가족 각자 할 일만 열심히 하자. 아빠는 아들이 공부하는 데 불편함이 없도록 직장에 나가 열심히 돈을 벌어올 것이다. 엄마는 아들이 학교에 가서 공부하는 데 불편함이 없도록 아들 밥 잘 챙겨 먹이고 학교에 가서 기 안 죽도록 모든 것을 준비해 줄 것이다. 아빠 엄마는 그렇게 할 테니 아들도 낯선 시골 학교에 전학해 왔다고 아빠를 너무 미워하지 마라.

아빠의 잘못으로 대구에서 공부 못하고 감포초등학교에 전학시킨 걸 너무너무 미안하게 생각하고 있다.

중학교는 반드시 대구에 가도록 아빠가 약속할게, 감포초등학교도 좋은 학교다. 엄마, 외삼촌, 이모 모두 감포초등학교를 다녔고 졸업해서 다 좋은 대학교에 갔다.

초등학교만 감포에서 다니고 중학교는 대구로 다시 가도록 약속할게. 아빠 생각에는 초등학교는 시골 초등학교도 괜찮을 것 같다. 학생 수가 적어서 한 학년 모두 친구가 될 수가 있어 재미있을 것이다. 공해도 없고 학교 앞은 바닷가이고 학교 뒤는 산이라, 마음껏 뛰어놀기에는 감포초등학교 만 한 곳도 우리나라에서도 잘 없을 것이다.

물론 잘 뛰어노는 것이 첫째이지만 시골 학교라고 너무 얕잡아 보지 마라. 아들 보다 공부 잘하는 친구들도 많을 것이다.

그렇다고 기죽을 것까지 없지만 4년 뒤에 대구에 중학교 갔을 때 시골 학교에서 왔다고 놀림은 안 당할 만큼 공부해라.

모든 것이 아빠 때문에 벌어진 일이지만 조금만 참고 우리 가족 서로 노력하자. 이제는 엄마 아빠에게는 아들 하나밖에 남질 않았다. 그래서 아들이 이 세상 무엇과도 바꿀 수 없는 제일 소중한 존재이다.

아들이 하고 싶은 일이나 원하는 것을 다 해줄 테니 학교 친구들과 잘 어울려 놀아라. 학교에 가면 네가 낯설듯이 친구들도 네가 낯설 것이다.

조금 짓궂은 장난을 쳐도 서로 친하게 지내려는 표시이니 싫어하지 말고 친하게 지내라.

아빠 엄마가 지금은 조금 힘든 것이 사실이다. 그러나 아들은 다른 걱정은 하지 말고 학교에 가서 선생님 말씀 잘 듣고 친구들과 친하게만 지내주면 된다. 엄마 아빠는 아들만 잘 자랄 수 있다면 어떤 힘든 일을 하여도 하나도 힘들지 않게 일할 수 있다. 다시 대구 갈 때까지 아들이 조금 불편하고 힘들어도 잘 참아주길 바란다.

아빠는 아들이 하고 싶은 것 하고 학교 다니는데 불편한 일이 없도록 하는 것이 아빠가 마지막으로 할 일이다. 어떠한 일이 있어도 아빠가 아들을 지킬 테니 아들은 아빠 믿고 낯설고 불편하더라도 잠시 대구 갈 때까지 친구들과 친하게 지내고 학교 선생님 말씀 잘 들어라. 그래도 짓궂은 친구들이 놀리거나 장난을 심하게 치면 싸우거나 혼자 고민하지 말고 엄마 아빠에게 꼭 이야기해라. 엄마 아빠는 항상 아들 편이니 걱정하지 말고 이야기해라.

아들이 옆에 있으면 엄마 아빠는 힘든 것이 하나도 없다.
아빠의 잘못으로 너를 전학시킨 것이 늘 미안하고 가슴 아프다.
아들은 엄마 아빠의 모든 것이다. 지금 힘들어도 반드시 좋은 날이 올 거라고 아빠는 굳게 믿는다. 아들에게 미안한 만큼 앞으로 아빠가 아들에게 더 잘할 것이다. 아무 걱정하지 말고 친구들과 잘 어울리고 학교 잘 다니면 된다. 아빠는 아들을 믿는다.

그래도 감포가 싫거나 공부하기 싫고 아빠가 미워지면 이 편지 한 번씩 읽어보고 4년만 참고 중학교는 대구에 가도록 아빠가 약속한다.
모든 것이 아빠 잘못이다. 너의 잘못은 하나도 없다.
이번 한 번만 아빠를 용서해라. 정말 미안하다.

1999년 12월 7일 아들을 시골 학교로 전학시킨 못난 아빠가

줄이고 줄여 최대한 짧게 줄였으나 긴 잔소리
아빠가 죽기 전에 사랑하는 아들에게 전하는 말

언젠가는 자식 곁을 떠나야 하므로 조금은 청승스러울 수 있다. 하지만 인생 60여 년을 살아오면서 보고 듣고 경험한 일을 자식에게 일러 주고 싶었다. 그런데 하고 싶은 말을 쭉 써보니 무슨 할 말이 그리 많은지 A4용지로 여러 장이 되었다. 요즘 아이들 길고 시간 걸리는 것보다 간단명료한 것을 좋아해서 많은 수정을 거쳐서 더 이상 줄일 수 없을 때까지 줄여 보니 이렇게 되었다.

유언은 아니지만, 평소 자식에게 하고 싶은 말은 많은데 아버지보다 더 바쁜 아이를 붙잡아놓고 대화를 할 수가 없었다. 요즈음 주변에 보면 멀쩡하던 사람들도 하루아침에 저세상으로 가거나 식물인간이 되어 말 한마디 못 하고 병원에 있는 모습을 보기도 한다. 내 자식에게 죽기 전에 하고 싶은 이야기는 하자고 생각하면서 몇 번 자리를 마련해 보았다. 하지만 막상 이야기하려니 어색하고 말 꺼내기가 힘들어 글로 적어 자식에게 보낸 글이다.

아빠가 죽기 전에 사랑하는 아들에게 전하고 싶은 말
- 아빠의 꿈은 아들이 건강하게 자라 사랑하는 사람 만나 한 가정을 이루는 것이다.
- 건강에 이상 있으면 모든 것을 접고 건강을 지켜라, 건강이 제일 우선이다.
- 건강한 사람이면 자신을 위해서 가족의 생계를 위해서는 하루 8시간은 노동의 의무가 있다.
  거지가 얻어먹을 수 있는 것도 구걸이라는 8시간의 노동의 대가를 치렀기에 먹을 수 있는 것이다.
- 책상이란 머리에 지식을 채우는 곳이다.
  책상에 앉아 공부 이외의 것을 생각한다면, 너의 머리에 지식을 비우는 곳이 된다.
- 바보는 항상 계획만 세우고 결심만 하지, 실행하지 않는다.
- 불가능이란 노력하지 않는 자의 변명이다. 노력하지 않는 결말은 한숨과 후회뿐이다.

- 실패를 두려워하거나 후회하지 마라, 그러나 실패의 원인은 알아야 한다.
- 평범한 여자하고 결혼하고 싶으면 지금 공부해라, 평범한 여자는 평범한 남자를 원치 않는다.
- 자식이 아빠 직업을 물었을 때 무직이라고, 자신이 있게 말 할 수 있으면 지금 편안하게 놀아라.
- 지금 컴퓨터 때문에 시간을 허비하면 평생 컴퓨터를 하지 못하는 일터에서 일해야 한다.
- 행복은 성적순이 아니다, 그러나 직업은 성적순이다.
- 직업에는 사무근로자와 육체노동자가 있다.

  육체노동자로 살면서 행복할 수 있다면 지금 사회로 나가라, 오히려 더 이상 공부하는 것은 시간을 낭비하는 것이다.
- 부모 등에 업혀 있을 때 공부해라, 처자식을 업고는 공부할 수가 없다. 가족의 생계가 우선이기 때문이다.
- 둥지를 떠날 때 날지 못하는 새끼 새는 떨어져 죽는다.

  어미 새는 그것을 알기에 입 벌린 새끼 새 주둥이에 먹이를 물어다 준다.

  이제 네 나이면 둥지를 떠날 새끼 새 나이가 되었다.

  날아라! 떨어지면 죽는다.

  온 힘을 다해 날아라! 힘들다고 날갯짓 한 번이라도 소홀하면 떨어져 죽는다.
- 네가 훨훨 날아가는 모습을 아빠가 죽기 전에 보고 싶다.

  그래야 아빠 할 일을 다 했다고 아빠가 웃으면서 편안하게 미련 없이 이 세상을 떠날 수 있을 것 같다.
- 아빠에게 감사해하지 마라.

  네가 내 곁에 있는 것만으로도 나는 늘 행복하다. 잘 자라 주어서 내가 너에게 감사할 뿐이다.
- 아빠에게 은혜를 받고, 빚을 졌다고 생각해도 갚을 필요는 없다.

  나도 생각만 했지 내 부모에게 은혜와 빚을 갚지 못했다.

  그러나 네 자식에게 내 은혜와 빚을 갚아라. 내 아버지가 원 한 것이고 나도 그러길 바란다.
- 효도하려고 하지 마라.

둥지를 떠날 때 떨어지지 않고 창공을 훨훨 날아 가주는 것으로 효도는 다 했다.

- 마지막으로 아빠가 너와 같이 할 시간이 그리 많지 않다는 것을 빨리 깨우치길 바란다. 아빠도 부모님이 돌아가시고 난 뒤 깨우쳐서 늘 후회한다.

끝이 없는 괜한 자식 걱정

하나밖에 없는 자식을 자율고등학교에 보내어 3년을 기숙사에 보내 떨어져 있었다. 이제는 졸업하고 군에 가서 지난 일이지만, 고등학교에 다닐 때 걱정 많이 했다.

하나뿐인 자식 금이야 옥이야 키워 떼어 놓으려니 마음이 어떻겠는가?

아들의 성격이 내성적이어서 기숙사에서 따돌림당하거나 친구나 선배들에게 구타당할까 봐 걱정했다. 하지만 아들은 본인 나름대로 잘 생활한 것 같다. 3년을 떨어져 살다 보니 한 번씩 정신적으로, 육체적으로 훌쩍 성장한 모습을 보면 나 자신이 놀랄 때도 많았다.

세월이 지나고 보면 괜한 걱정을 했다고 생각한다.

아들도 대학 문제 때문에 나하고 마찰은 있었지만 내가 양보했다. 어차피 자식 인생 아비가 책임질 수 없기에 내가 포기했다. 언젠가는 자기가 알아서 할 것 같기 때문이다. 돌이켜 생각해 보면 아비가 나이를 먹어 감에 아비 마음만 조급해지는 것 같다. 자식이야 이제 겨우 시작하는 나이인데 뭐가 겁나고 뭐가 걱정되겠는가?

조언을 해주려고 해도 자식 귀에는 잔소리로 들릴 수 있다. 무관심도 관심이라고 한다. 아끼고 사랑하는 자식이라면 그만큼 한 발짝 물러서서 바라보고 있는 것이 좋을 것 같다.

언젠가는 아비가 자식을 떠나든, 아니면 자식이 독립하여 아비 곁을 떠나던 이별을 해야 할 것이다. 남들보다 조금 일찍 이별 연습을 한다고 생각한다면 먼 미래에 더 좋은 결과가 오리라고 생각한다.

자식 생각하면 그냥 답답하고 남의 자식보다 늘 모자라는 것 같지만 그래도 어쩌겠는가?

내가 낳은 내 자식인데….

친구가 딸아이 둘을 모두 반듯하게 잘 키워서 늘 부러웠다.

둘 다 공부를 잘해서 서울 명문대학을 졸업해서 직장생활을 잘한다. 항상 부럽고 샘이 날 때마다 딸딸이 아빠라고 놀리기도 하지만, 그래도 친구는 자식 키우는 보람이 있었다. 먼 타국 땅에서 외로움과 그리움을 가족들에게 숨기고 열심히 일하는 모습을 보고 아버지의 마음으로 연민의 정을 느낀다. 자식 둘 다 대학 졸업시켰다. 국내에서 일해도 적은 봉급은 아닐 것이다. 그런데도 외국에 나가는 것을 보면 딸들에게 얼마만큼 더 해주고 싶은지 궁금했다.

아버지 마음인 것 같다.

대학 졸업시키고 나면 아버지 의무 다했다고 생각하는데 또 더 해주고 싶은 것이 아비 마음인 것 같다. 나 역시도 마찬가지지만 이젠 나이가 들어감에 서서히 한계를 느낀다. 내 모든 것을 포기하더라도 다해주고 싶지만 얼마 남지 않은 세월 앞에는 자식에게 항상 더해주지 못해서 미안할 따름이다.

모든 아버지가 다 그렇다.

나나 외국에 가 있는 친구나 다른 모든 아버지도 남들은 아버지 구실 잘하는데 나만 모자라는 것 같아 늘 마음 졸이고 산다.

내 마음에는 항상 부족함이 있다. 당장은 부족하더라도 자식에게 최선을 다하면 마음만은 편할 것이다.

떠날 날이 언제일지는 모르지만 떠나는 그 날까지….

아들 고등학교 기숙사에 데려다주며 손에 쥐여 준 글

아버지와 아들 사이에 한번은 남자 대 남자로 터놓고 허심탄회하게 이야기하고 싶었다. 그러나 자율고등학교 기숙사에서 공부하는 대입 수험생이라 애처롭고 행여 아버지의 걱정스러운 위로의 말이 상처라도 받을까 나의 마을을 아들에게 글로 전하게 되었다.

사랑하는 아들!

새로운 환경에 적응하느라 고생이 많지?

너를 학교 기숙사에 떼어놓으며 많이 고민했다.

아직 아빠 눈에는 네가 여리고 내성적인 성격이 걱정되어 부모를 떠나 잘 적응할지 걱정을 많이 했다. 그러지만 다행히 네가 잘 적응해주어 아빠는 네가 대견스럽고 자랑스럽다.

주말에 한 번씩 집에 왔을 때 기숙사에서 피곤해하는 너를 보면 위로와 격려의 말을 하고 싶었지만 세대 차이 나는 아빠가 잔소리하는 것 같아 그냥 가만 놔두는 것이 네가 편할 것 같아 아빠는 늘 그냥 아무 말 하지 않으려고 노력했다.

공부하느라 힘들지?

열심히 했는데도 결과가 생각보다 좋지 않으면 짜증이 나고 힘도 빠지고 아쉬움도 많을 것이다.

사실 네가 태어났을 때는 아빠는 이 세상을 다 얻은 것처럼 기뻤고 이 세상에서 아빠가 제일 행복하고 두려운 것이 없었단다.

너를 처음 품에 안았을 때 그때의 마음을 아직도 잊을 수가 없다.

이 세상에서 제일 멋진 아들로 키우고 싶었다. 아빠 가정의 몰락과 사업 실패로 이어지는 힘든 일들이 나의 자존심과 용기와 힘을 모두를 빼앗아 가 버렸다. 아빠도 그때는 정말 모든 것을 포기하고 싶을 만큼 힘들었다.

네가 대구에서 감포로 전학해 오던 날, 아빠 마음이 찢어지게 아팠다.

대구에 있을 때 엄마가 어린 너를 데리고 영어 공부 등을 너에게 가르칠 때 아빠는 늘 엄마와 다투었다. “어린애에게 골치 아픈 공부 시키지 말고 건강하고 바르게만 자라면 만족한다”라며 늘 엄마와 너의 교육 문제로 다투었다.

그런데 막상 네가 감포에 내려와 아빠가 너에게 물려줄 것이 없는 빈털터리가 되고 나니 내 생각이 달라지더구나. 아빠가 조금이라도 젊었을 때 무엇 하나라도 너에게 남겨주려고 극성을 부렸다. 아무것도 물려줄 게 없었다. 그렇다 보니 나의 마음은 무형적이지만 아빠의 경험과 지식을 물려주고 싶었다.

그래서 넓은 세상도 보여주고 싶어서 늘 방학 때면 너를 데리고 전국을 돌아다녔다. 어린 너를 붙잡고 힘들어하는 줄 알면서 억지 공부시켰다.

초등학교 때 아빠가 아주 미웠지?

조금은 같이 놀아주고 공부도 덜 시키면 됐을 텐데….

미안해 정말 미안해, 아빠는 아들에게 늘 미안해하고 있다.

너를 감포에 데리고 온 것도 미안하고, 또 너를 고등학교를 멀리 보낸 것도 미안하다. 아빠로서 너에게 많은 것을 해주지 못해 늘 미안하다.

공부가 인생의 모든 것은 아닌 것 같지만 아빠로서는 최선의 결정이었다.

아빠도 “인생에 공부는 모든 것이 아니다”라는 것을 알면서 너에게 공부 열심히 하라는 말밖에는 할 수 없었다. “네가 하고 싶은 일을 하려면 공부 밖에는 없다.”

공부보다 중요한 것은 건강이겠지.

건강을 잃으면 모두 것을 잃는 것이다. 하지만 건강한 가운데 네가 하고 싶은 일을 하려면 그 길은 공부뿐이다.

지금의 공부는 평생에 몇 번 쓰겠니?

골치 아픈 영어 수학 안 해도 사는 데 아무 지장은 없겠지만 지금의 공부는 생존경쟁 사회에서 서열을 두기 위해 공부하는 것이다.

간단히 말하면 고등학생 전부가 서울대학교에 가고 싶은데 누구는 입학시키고 누구는 입학 안 시킬 수 없잖아? 그래서 서열을 두고 가려서 입학시키려고 하니 갈 학생이 많으면 많을수록 경쟁은 치열하겠지? 경쟁이 치열하면 할수록 성적은 좋아야 하고 성적이 좋으려니 남보다 더 열심히 해서 남보다 앞선 성적이 나와 하니 모두가 고생하는 것이다. 공부가 재미있고 하고 싶어서 하는 사람이 몇이나 되겠니?

아빠도 늦은 나이에 공부하려니 지겹고 죽을 맛이다.

당장이라도 포기하고 싶지만 좀 더 나은 삶과 직위를 바라보며 젊은 사람들과 경쟁하고 있다. 어쩌면 무모한 도전이지만 아빠는 포기하지 않으려고 노력하고 있다. 아빠의 새로운 경험이지만 나이 들어 공부하는 게 정말 힘들구나.

젊은 사람들과 경쟁하자니 이제 노력은 고사하고 머리에서 많이 밀린다. 나이 들어 죽어가는 아빠의 뇌세포가 원망스럽고, 젊음이 부럽고, 젊은 뇌가 부럽구나. 당장이라도 고시원에 들어가 공부만 열심히 하고 싶다. 하지만 한 가정의 가장으로 생계도 책임지고, 일과 공부도 해야 하니 답답하기만 하다. 하지만 네가 대학 졸업할 때까지는 어떠한 일이 있어도 목표를 달성하려고 최선을 다해본다.

네가 몰래 두고 간 카네이션과 편지를 받고 아빠는 삶의 행복이 무엇인지 가슴 깊이 느꼈다. 자식이 늘 어린 줄만 알았는데 다 키운 것 같았다. 편지로나마 네 꿈이 무엇인지도 알았다. 너의 꿈이 꼭 이루어지도록 노력해라. 아빠의 바람은 네가 하고 싶은 꿈이 이루어지도록 너를 뒷바라지해주는 것이고, 그것이 나의 행복이고 아빠의 마지막 바람이다.

사실 아빠도 힘든 시기에 모든 것을 포기하고 싶었지만, 너만은 포기할 수 없어서 이렇게 존재하고 있다. 나의 바람은 어렵고 복잡한 세상이지만 네가 진정으로 하고 싶은 일을 하면서 사회 구성원으로 독립하면 아빠의 꿈과 희망은 이루어졌다고 생각한다. 3년 뒤에 내 아들이 원하는 대학에 입학하고 내 아들과 술 한잔하는 것도 아빠의 작은 꿈이다.

굳이 일류대학이 아니어도 되고 의대가 아니어도 된다. 네가 사회에 나와서 하고 싶은 일을 할 수 있는 대학이면 된다고 생각한다.

고등학교는 대학을 들어가는 관문이고 대학은 사회에서 네가 하고 싶은 일을 할 수 있는 일을 배우고 익히는 곳이다.

아빠는 건축과를 졸업하고 평생을 건축업을 하는 것을 후회하지 않기에 자랑스럽게 생각한다. 고등학교는 대학을 결정하지만, 대학은 내 평생을 삶이 달렸다. 그래서 대학이 중요한 것이다.

아빠의 인생 경험으로 아빠와 같이 졸업한 친구 중에서 아빠처럼 평생을 건축을 천직으로 생각하며 사는 친구들도 아직 많이 있다.

좋아서 하는 사람도 있겠지만, 건축과를 선택하였기에 어쩔 수 없이 평생을 건축가로 살아가는 사람도 있겠지? 아빠는 내 아들이 하고 싶은 일을 하기 위해서 대학에 갔으면 한다. 원하지 않는 대학을 나와 어쩔 수 없이 원하지 않는 일을 평생 하지 않길 바란다.

집안 걱정은 하지 마라, 공부에만 열중하고 고등학교 공부할 때는 부모 생각도 안 해도 된다. 모든 잡념 다 버리고 공부에만 열중해라.

고등학교 3년이 지난 뒤 후회 없도록 공부에 열중하면 고생한 만큼 보상을 받는다. 그리고 대학 가서 그동안 하지 못했던 것을 하면 된다.

대학 가서 사회를 배우면서 공부하기 때문에 멋도 내고 예쁜 여학생 만나서 멋진 연애도 하고 기르고 싶은 머리도 기르고 배낭여행도 다녀라.

아빠가 너에게 편지를 쓸 때 먼저 공부 이야기는 빼고 편지를 쓰려고 했는데 편지 처음부터 끝까지 공부구나. 공부도 공부지만 집 떠나 고생하면서 건강을 챙겨라. 건강해야 공부도 한다.

항상 네 엄마는 너 걱정이다. 비라도 오고 날씨만 싸늘하면 너 감기 걸릴까 걱정이다. "사내자식 다 컸으니 아들이 알아서 하니 걱정하지 마라"라고 늘 이야기하지만 네 엄마는 오직 너밖에 없으니 아빠가 소외감 느낀다.

그래도 네가 있어 엄마, 아빠는 삶의 희망과 행복을 느끼며 산다.

우리 가정에 아빠가 기둥이고 엄마가 지붕이면 너는 엄마 아빠를 받쳐주는 주춧돌이다.

네가 흔들리면 엄마 아빠도 다 흔들린다.

항상 꿈과 희망을 잃지 말아라.

설사 뜻대로 되지 않는다고 포기하지 말고 최선을 다해라.

최선을 다하고 나면 후회하지 않는다.

"후회하지 않는 삶이 진정 행복한 삶이다"

아빠가 여태껏 살면서 깨우친 것이니 가슴에 깊이 새겨두길 바란다.

자식이 수능 보는 날, 성모당에서

아무것도 해줄 수 없어 마음만 초조하다.

자식을 사지에 밀어 넣고 살아서 돌아오기만 기다리는 마음이다. 태어나서 처음으로 자식이 공개적인 경쟁 평가를 받는 수능에서 무사히 잘 넘겨만 달라는 마음과 달리 마음이 답답해진다.

수험생 있는 직장동료들이 휴가원을 제출하여 나도 당연한 듯이 휴가원을 냈다. 우습다. 남이 장에 간다고 하니 거름 지고 나선다고 자식에게 해줄 것도 없으면서 그냥 휴가원을 냈다. 지금은 집에서 먼 곳으로 멀리 파견을 나와서 딱히 휴가원을 내도 집에도 가지 못할 것을 알면서도 휴가원을 내고 수능 당일 하루 쉬기로 했다. 학교에서 버스를 전세하여 아침에 수험장으로 데려다주고 도시락도 싸주어서 부모로서 아무것도 해줄 것이 없다.

시험 전날 잠이 오질 않았다. 억지로 잠을 청해 보았지만 도통 잠을 이룰 수가 없어서 애꿎은 줄담배만 피웠다.

돌이켜 보면 얼마나 허무한 시험인가?

인성교육 감성교육이 중요하다 하면서 죽기 살기로 12년을 공부했건만 단 하루에 한 번으로 이 모든 것을 한자리 숫자로 평가를 한다.

자식은 고학년이 되어 가면 공부에 지치고 부모는 자식 눈치 보느라 서서히 지쳐갔다. 자식 놈이 혹시나 지쳐서 나가떨어질까 혹시나 포기나 하지 않을까 얼마나 가슴 조아리며 살았는가. 시험 날이 점점 다가올 때 자식에게 "이제 얼마 남지 않았다. 조금만 고생해라. 최선을 다해라. 아버지는 결코 어떤 결과가 나오더라도 아빠는 흔들리지 않을 것이다."라며 자식을 위로하고 나도 그렇게 하려고 다짐했다.

올해는 수험생이 5만 명이나 늘었고 대학 모집인원은 3천이나 줄었다고 하니 더 불안하다. 시험 당일 아침은 역시나 기온이 떨어진다고 하니 기숙사에 있는 자식 놈 시험에 부담될까 두꺼운 옷 한 벌 챙겨 입혀 주질 못하는 안타까움에 속만 태우고 있었다.

시험 전날 밤에 기숙사 선생님 전화로 전화라도 한번 해서 자식 놈과 통화 한번 하려고 했지만, 시험 전날 부담이 될까? 용기가 나질 않아 꾹꾹 참고 있었다.

자식 놈이 전화가 왔다.

기숙사 사감 선생님 전화로 왔는데 밝은 목소리로 "부모님 걱정할까 봐 전화합니다." 라고 했다.

'그래 역시나 내 자식이다! 잘 키웠다.'라고 속으로 생각하면서도 늘 대하듯이 "긴장하지 말고 일찍 자고 내일 아침에 옷 따뜻하게 입고 나가라"고 일러주면서 "아빠가 너에게 많이 못 해주어서 미안하고 오늘도 너에게 해줄 것이 하나도 없다"라고 하자 "아빠 저에게 많이 해주셨습니다"라는 자식의 말 한마디에 또 코끝이 찡해오고 가슴이 저며 온다.

나이가 들어가면서 자식의 말 한마디 한마디에 자꾸 가슴이 북받친다.

여태껏 버티어 온 삶이 즐겁고 행복하다. 아무도 알아주지 않고 누구나 다 하는 힘든 아버지라는 삶이 자식을 통하여 행복을 알고 느끼게 되니 내 자식이 더욱더 살갑게 느껴진다.

모든 것이 무너지는 순간에도 자식 앞에서는 부끄럽지 않은 당당한 아버지가 되려고 내 인생 모두를 걸고 버티어 왔다. 그렇게 살아온 내 삶이 자식으로 인하여 보상받고 아버지라는 행복감에 빠져든다.

밤새 잠이 오질 않아 뒤적이다 새벽에 무작정 숙소에서 나와 차에 올라탔다. 막상 차에 시동을 걸었지만 갈 곳이 없다.

파견 나온 지 얼마 되지 않아 이곳 지리도 잘 모르는 낯선 곳이라 차 안에서 한참을 앉아 있었다. 그런데 불현듯 대구에 성모당이 생각났다.

어릴 적에는 할머니 따라다니며 놀이터처럼 놀았고 나이 드신 어머님께서 가실 때 한 번씩 모셔다드린 곳이다. 무작정 갔다. 자식을 사지에 몰아넣고 내가 갈 곳은 그곳 한 곳 이외는 갈 곳이 없었기에 몇 시간을 달려갔다.

하나도 변하지 않았다.

수십 년 전이나 어머님 살아생전 내가 대구를 떠나기 전 마지막으로 본 후나 하나도 변하지 않는 성모당이 가을의 낙엽과 단풍에 묻혀 너무 아름다웠다. 성모님 상 앞에 두 손을 모으고 섰다 아무런 기도를 할 수 없었다.

지난 수십 년을 주님을 원망하며 주님 밖에서 방황하던 나였다. 내가 뻔뻔하게 자식이라는 명분을 앞세워 주님 앞에 서 있는 초라하고 아주 작은 내 모습으로 주님께 매달려 있다. 성모상 앞에 서서 아무런 기도도 못 하고 내 머리는 구식영상기가 되어 지난 과거들의 흑백필름으로 돌리고 있다.

한참을 멍하니 서 있다가 혼잣말처럼 고백 기도만 중얼거렸다.

수십 번을….

전능하신 하느님과 형제들에게 고백하오니
생각과 말과 행위로 죄를 많이 지었으며
자주 의무를 소홀히 하였나이다.
제 탓이요,
제 탓이요,
저의 큰 탓이옵니다.
그러므로 간절히 바라오니
평생 동정이신 성모 마리아와
모든 천사와 성인과 형제들은
저를 위하여 하느님께 빌어주소서.
전능하신 하느님
저희에게 자비를 베푸시어
죄를 용서하시고
영원한 생명으로 이끌어 주소서.
아멘!

그렇게 두서없는 기도 아닌 기도를 마치고 성모당 여기저기를 다니며 시간을 보내고 있으니 회사에서 전화가 왔다. 급한 일이 생겼다며 들어오라고 한다.

저녁때 시험 마치고 나오는 자식 놈 얼굴이라도 한번 보고 수고했다고 남자 대 남자로 꼭 끌어안고 위로해 주고 싶었다. 하지만 목구멍이 포도청이라고 자식 놈과 끌어안는 것은 주말로 미루고 회사로 달려왔다.

막상 달려와 보니 별일은 아니었다.

시험을 마치고 자식 놈에게 전화 왔다.

목소리가 밝아 안심이 놓인다.

'시험 잘 쳤냐?'라고 묻고 싶었지만, 부담 주지 않으려고 "문제는 어려웠냐 쉬웠냐?" 하며 말을 바꾸어 물었다 "몰라요" 사춘기가 되면서 늘 묻는 말의 대답이다.

그래 늘 하는 말을 하니 잘 치르지는 않았어도 망치지는 않았구나, 싶어서 한숨 돌릴 수가 있었다.

참 긴 하루였다.

저녁 회의에서 주말 근무 요청받았다.

제기랄, 삶이 뭔지 이건 또 무슨 날벼락?

월급쟁이 주말 근무수당 받고 근무하는 데 무슨 불만이냐? 고 하겠지만 이번 주는 자식 놈이 보고 싶었다. 총성 없는 전쟁터에서 무사히 살아서 돌아온 내 자식을 "고맙다"라며 품에 꼭 안아 주고 싶었다.

퇴근길에 소주 한 잔 앞에 놓고 바르고 착하게 아비 걱정 한번 안 시키고 잘 자라 준 자식을 생각하며 지난 세월을 안주 삼아 한잔 두잔 들이키며 혼잣말로 중얼거렸다.

"고맙다 내 아들, 아비의 삶이 이렇게 행복 느낄 수 있도록 내 곁에 있어 주어서 정말 고맙다."

"너는 나의 생명의 끈이고 나에게 희망을 주는 빛이다. 그래서 이 아비는 이런 행복을 마음껏 누린다."

대입 수험생 부모

흔히들 말하는 고3 학부모는 시집살이 3년은 해도, 고3 학부모는 1년은 못하겠다고 하는데 돌이켜 보면 참 빨리 지나갔다.

"이제 고3이니 후회하지 않도록 마지막까지 최선을 다해라"라고 당부한 것이 어제 같은데 수능을 마쳤다.

"어떤 결과가 나오더라도 실망하지 말라. 젊음의 장점은 기회가 또 오기 때문이다"라며 자식을 위로하고 내 마음을 다졌다.

자식이라는 것이 키울수록 어렵지만, 재미와 행복은 있다.

'너도 자식 키워보아야 부모 마음 안다'라는 어른들의 당연하고 평범한 진리의 말씀이 부모님께 불효한 나를 후회하게 하고 깨우치게도 한다.

자식을 부모 마음대로 키울 수는 없지만 커갈수록 내가 자식에게 해주고 싶은 대로 하고 살 뿐이다.

욕심내지 말고 기대하지 말고 남들과 비교하지 말고 평범하게 키우자고 다짐하며 살았다. 그런데도 조금만 잘하면 기대하고, 조금 못하면 "내 자식이 남들보다 부족한가?" 하면서 남들과 비교하게 되는 마음이다.

생존경쟁 사회에서 발버둥 치며 살다 보니 나도 모르게 자식에게 잘못 가르치는 것이 아닌가 하고 나 자신이 부끄러워질 때가 많다.

요즘은 마음껏 여유를 부려본다.

12년 동안 온 정성 다해 조준한 화살은 이미 날려 보냈는데 과녁에 명중하면 좋으련만 어찌하겠는가?

과녁을 비켜나간들 내 자식이 쏜 화살인데 "그동안 고생했으니 푹 쉬어라."라고 말했다. 하지만 쉬는 것도 습관이 안 돼서 그런지 집에서도 불편 자식의 모습이 안쓰러울 따름이다.

대학을 결정 해놓고 자식과 짧은 여행이라도 갔다 와야겠다고 생각하는데 그것마저도 잘 될는지 모르겠다.

행여나 억지 춘향이가 되어 따라나설까 봐….

환승역에 서서

숨 가쁘게 달려온 3년이다.

어제 갈아탄 듯한 고등학교 기차가 어느덧 또 다른 환승역에 도착하려 한다. 처음 혼자 고등학교 기차에 태워 보내고 얼마나 많은 시간을 걱정했는가? 혼자서 잘도 왔다. 어미 아비 손길이 필요할 나이인데 용케도 잘 왔다.

또 다른 환승역으로 마중을 나간다.

그리고 또다시 혼자 대학가는 기차에 태워 보내야 한다.

어떤 기차가 이 환승역 정거장으로 들어올지 궁금하지만, 인생의 급행열차가 들어오길 기대해 본다. 하지만 굽이굽이 인생사 돌아가는 완행열차가 들어온들 어찌하리. 대학가는 기차를 태워 보내며 냉방차는 아니어도 더운 여름날 열 수 있는 창문이 있길 바라고 추운 겨울날에 스팀이라도 잘 들어오길 바랄 뿐이다.

삶에는 환승역이 많이 없다는 것을 알려주고 싶지만, 함께 타지 못하는 아쉬움을 뒤로하며 또 다른 환승역으로 떠나는 기차를 배웅하고 나는 종착역으로 향하는 기차를 타야 한다.

종착역으로 향하는 기차를 타고 또 다른 환승역에 마중 나갈 수 있도록 기원해 보지만 나의 종착역은 가까워진다.

다음 환승역에 만날 기약도 없는데….

아들 고등학교 졸업식 날에

군 훈련소에서 보내온 아버지 어머니 전 상서

사랑하는 아들에게 (편지글)

군 훈련소 입소 후 처음으로 오늘 너의 편지 잘 받았다.

물론 아빠가 객지에 근무하여 엄마가 전화로 중계방송을 해주어 눈으로 보지 못하고 울음 섞인 엄마의 목소리로 너의 편지 전해 듣고, 한참을 너의 생각에 가슴이 먹먹해 오는 느낌을 받았다.

주어진 시간에 편지를 쓰는 것이 얼마나 귀중한 줄 알았을 것이다.

하고 싶은 이야기도 많고 전하고 싶은 이야기도 많지만, 그것을 어떻게 주어진 시간에 다 표현할 수 있겠니?

아빠도 군 훈련소에서 부모님께 편지 쓸 때 '어머님 아버님 전 상서'라고 써놓고선 한참을 편지를 쓰지 못했다.

무슨 말을 어떻게 써야 할지 몰라 한참을 생각했다.

시간이 모자라 글씨를 갈겨쓰면서 한번 읽지도 못하고 봉투에 넣어 보냈던 것이 어제 같은데 이제 내 아들이 그것을 답습하고 있다고 생각하니 세월이 정말 빠르게 느껴진다.

시간 바쁘면 굳이 편지 쓰려고 하지 마라. 3주 차 4주 차 훈련은 빡빡하고 힘들 것이다. 잘 있다는 편지글 하나면 아빠는 안심하고 걱정하지 않을 테니 바쁜 시간 쪼개어 편지 쓰려고 하지 마라.

그리고 나만의 시간이 얼마나 중요한지를 체험했으면 한다.

사회에서는 공부라는 명분 아래 온종일 너의 시간이지만 지금 현실에 아들에게 주어지는 시간은 단 1시간도 안 될 거야. 아빠 기억에 훈련소에서 변소에 앉아 있는 단 몇 분의 시간이 나의 개인 시간으로 전부였던 것으로 기억된다.

학생은 공부라는 명분 아래 나를 위해 모든 시간이 주어지지만 앞으로 사회생활을 하면 점점 나에게 주어진 시간이 줄어들 거야. 퇴소하고 공익 근무할 때도 하루 10시간은 공익 근무를 위해 사용될 것이다. 직장생활에서는 출퇴근 시간과 근무 시간, 잠자는 시간을 제외하고 나면 하루 24시간 중 몇 시간이 나를 위해 주어진 시간이 남겠느냐?

이제 앞으로 점점 나를 위해 쓸 수 있는 시간이 줄어들 거야. 모든 사람에게 똑같은 24시간이 주어진다. 하지만 활용을 어떻게 하느냐에 따라 많이 달라지겠지. 물론 사회가 군 훈련소처럼 그렇게 빡빡하지는 않겠지만 내 시간 만들기가 힘들다는 것을 알아야 할 것 같다.

공부도 시간이 있어야 하고 효도도 시간이 있어야 하고 시간이 없으면 아무것도 할 수 없다. 아빠도 오늘 너에게 편지 쓰려고 해도 도통 시간을 낼 수가 없어 근무 마쳤지만 조금 밀린 서류를 마무리하고 너에게 편지를 쓴다.

숙소에 가서 너에게 편지를 쓰면 되지만 퇴근하지 않고 너에게 먼저 편지를 쓴다. 회사에서 실시하는 교육 프로그램에 답안지를 제출해야 할 것 같다. 요즈음 교육 프로그램은 온라인 강좌로 실시하니 무조건 듣고 시험 쳐서 답안지를 제출해야 한다.

이놈의 디지털 시대에 사는 것도 편리하지만 강의들은 시간 출석 체크 모두 체크해야 하니 농땡이도 못 치고 꼼짝없이 할 수밖에 없다.

남에게 부탁할 수도 있지만 대신할 사람은 아무리 주위를 돌아봐도 없다.

너나 해줄까. 엄마에게도 부탁했다간 욕만 얻어먹을 것 같고 시간이 촉박하여 오늘 준비해야 할 것 같다.

오늘 준비해야 제출 시간을 맞출 것 같다.

아빠의 독수리 타법으로 인터넷에서 자료를 찾아야 할 것 같고 요즈음 온라인 시험은 복사하여 붙이기가 안 되어 머리가 아프다. 무조건 타이핑해서 넣어야 하니 한참 하다 보면 어깨에 통증이 온다. 물론 젊은 친구들은 생각나는 대로 자판을 치면 되지만 아빠는 치다가 잊어버린다.

때로는 글로 써서 젊은 친구에게 부탁하는 아빠 동료도 있지만, 아빠는 자존심 때문에 시간이 걸려도 그냥 하려고 한다.

아빠에게 응원을 부탁한다.

A4 10장 분량 정도인데 글자 크기도 정해져 있어 죽자 살자 타이핑 해야겠다. 아빠는 왜 타이핑 속도가 늘지 않는지 모르겠다.

내 나이 또래에는 나름 컴퓨터 좀 한다고 했는데 그래도 많은 양의 워드에는 질겁하겠다. excel이나 power point로 보고서를 만들고 서류 정리하는 것은 잘 되는데 복사 붙이기가 안 되는 과제물 제출에는 아빠도 항복하겠다.

너에게 편지 쓰는 정도는 아주 즐거운 마음으로 깔끔하게 하지만, 워드는 아빠 적성에 맞지 않는 것 같다. 너의 군대 편지 받고 반가워서 아빠 이야기만 줄기차게 했다.

이번 주에는 각개전투 훈련이라 힘들 것이다. 뛰고 기고 수류탄 훈련도 받아야 하는데 지난주에 화생방 훈련은 잘했냐?

요즈음은 방독면을 벗지 않는다고 하는데 아빠는 가스실에서 방독면 벗고 '고향 봄'을 한 곡 부르고 쪼그려 뛰기 30번 뛰고 나왔다.

동기 중 멍청한 고문관이 하나 있어 '열'에는 복창 안 해야 하는데 멍청한 놈이 계속 "열" 하는 바람에 거의 초주검이 되어 가스실에서 나왔다.

그나마 동기 한 놈이 기절해서 나왔지. 멍청한 고문관 한 놈이 우리 소대 동기 이등병 계급장도 한번 못 달아보고 다 가스실에서 떼죽임당할 뻔했다.

나오니 눈물 콧물 범벅이 되어 있는 꼬락서니 하고는 정말 아빠는 화생방 훈련에는 아픈 추억이 많다.

아빠 대학 다닐 때는 민주화 운동을 한답시고 최루탄 가스 많이 마셔 면역이 잘되어 잘 버틸 줄 알았는데 고문관 동기 한 놈 만나니 어쩔 수 없더라. 그래도 그 골통 고문관을 원망하지 않았다.

작전을 세웠다. "앞으로 쪼그려 뛰기나 윗몸 일으키기 단체로 번호 붙일 때는 아예 번호 붙이지 말라" 하고 그날 저녁에 3분 샤워하고 내무반에서 낄낄거리다 점호시간에 철모에 대가리 박아 30분하고 취침했다.

지금 생각해 보면 그게 군 훈련소 생활인 것 같다.

행군하면 꼭 낙오하는 놈 나오는데 그러면 또 어떻게 하냐? 어쩔 수 없이 동기 중에 힘 좋은 시골 촌놈이 군장 두 개 메고 행군해야지. 옆에 또 한 놈은 총 들어주고 나중에는 탄띠 철모 다 받아주고 같이 들어와야지 어쩌겠니? 동기인데….

8km 완전군장 구보해 보아라. 가관이다. 아마 너희들은 완전군장 구보는 없을 것이다.

훈련소에서는 50분 안에 들어와야 하는데 운동화 신고 팬티 바람으로도 8km를 뛰는 게 쉬운 일이 아니다. 그런데 군화 신고 군장 메고 수통에 물 채워서 총 메고 철모 쓰고 들어올 때 보면 희한하다.

정말 게거품 물고 넘어가는 놈 많이 보았다.

세월이 흐르고 나니 피 끓는 젊은이들이나 할 수 있는 일들이었다고 생각한다. 젊은 패기가 없었다면 절대 할 수 없을 것이다.

사랑하는 아들아!

이제 너도 젊고 패기 있는 대한민국의 젊은이다.

아빠는 네가 묵묵히 하루하루를 잘 견디어 주어서 내 아들이 자랑스럽고 고마울 따름이다.

이제 내리막이다.

힘내고 잘 견디어 엄마 품으로 돌아오는 날을 아빠가 기다리고 기대할게.

항상 네가 있어 행복한 아빠가 텔레파시로 전한다.

우리 아들 파이팅!!!

포상 전화는 아빠에게 하지 말고 엄마에게 해라

군대훈련에 고생하는 사랑하는 아들 (편지글)

장마가 시작한다더니 조금 전에 약간씩 비가 온다.

근무 시간 중에 군 훈련소 5중대 홈페이지에서 구구절절한 위문편지를 읽고 몇 자 적어 본다. 어떻게 알았는지 벌써 사격 훈련한다고 하니 신기하다.

아무리 찾아봐도 훈련과정은 없던데 어디서 소식 들었는지?

사격 훈련하려면 군기가 셀 텐데 잘하겠지?

오발 사고나 안전사고 날까 봐 조교나 교관들이 긴장하고 살벌하게 할 것이다. 막상 사격 몇 발 쏘는 것은 아무것도 아닌데 PRI 훈련은 사람을 잡는다. 원래는 Preliminary Rifle Instruction의 약자이지만, 앞 알파벳 따서 "피가 나고, 알이 배기고, 이가 갈린다"라고 해서 '피알아이'라고 한다.

이번 주가 많이 긴 것 같다.

자꾸 잊어 보려고 하는데 어째 쉽지 않다. 컴퓨터 바탕화면에 네 모습 보는 재미도 있지만, 회의 시간에 한 번씩 지금쯤 뭐 하고 있을까 하고 멍청히 있다가 주위에서 아빠 옛날 애인 생각하느냐며 놀림도 당했다.

밥 챙겨 먹는 것은 걱정하지 않는데 이제 장마가 시작되어 걱정이다.

실내에서 정신교육도 하겠지만 비 온다고 훈련 취소를 하지는 않겠지. 비가 오면 군복 젖고 좌우로 굴러 몇 번 하고 나면 빨래도 빨고 말려야 할 텐데….

요즈음 중대에 세탁기는 있겠지만 그래도 귀찮을 것 같아서 군인정신으로 잘 견디어라, 혹시나 너 여자 친구가 위문편지 썼나 싶어 찾아보니 없어서 서운했다.

딴 애들은 여자 친구가 재미있게 편지 많이 올렸던데 군대에서는 부모 편지보다 애인 편지가 많이 기다려질 건데 재미없는 아빠 편지만 올리는구나. 그래도 아빠가 재미없는 글이지만 시간 나는 대로 바깥소식 전해줄게. 어제는 아빠가 회식이 있어서 술을 조금 많이 먹어 편지 쓰질 못했다.

어제는 상당히 더웠지? 엄청 덥더라. 오늘도 회식 있을 것 같아 근무 시간에 몇 자 적는다.

맨날 회식이다. 아빠들 회식 때는 술자리 주제가 자식 놈들 군대 간 이야기를 많이 한다. 어제 처음으로 자식 군대 이야기에 끼어들다가 공익이라고 뭐 거가 군대가 아니라고 놀리기에 아빠 성질에 가만있었겠느냐?

한참 동안 바락바락 공익 편들다 혼났다.

그래도 아빠가 이겼다.

오늘이 열흘째 되는 날이네! 그래도 국방부 시계는 잘 돌아간다.

조금만 더 돌아가면 되겠다.

혹시나 전화할 운이 생기면 아빠에게 전화하지 말고 엄마에게 전화해라.

아빠도 네 목소리 듣고 싶고 할 말도 많지만, 그래도 여자는 그렇잖아.

포상 전화를 하게 해준다고 전화하려고 너무 힘들게 빡빡 기지 말고, 아빠는 전화 안 해도 텔레파시로 다 너의 마음 받고 있다.

포상받으려면 얼마나 힘들겠냐?

그래도 혹시나 운이 좋아 그럴 일이 있으면 엄마에게 할까 아빠에 할까 고민 말고 엄마에게 전화해라. 항상 아빠와 떨어져 있어 너와 많은 대화도 못 나누고 아쉬운 게 많았는데 이렇게 아들에게 편지 쓸 기회가 있어 주어 아빠는 좋다.

독수리 타법이라 시간은 많이 걸리지만 그래도 아들에게 내 마음을 전해줄 수가 있어 아빠는 좋다.

훈련 기간 중에 일과를 마치고 편지 보는 낙이라도 있어야 안 되겠나?

어제 그렇게 덥더니 오늘 오후부터 추적추적 비가 내린다.

많은 비는 아니지만 그래도 제법 내린다.

내무반에 에어컨은 있는지 모르겠다.

아빠 때는 상상도 못 할 일이지만 워낙 군대가 좋아졌다고 해서 괜히 궁금해진다. 나도 서서히 바보 같은 궁금증을 가져 본다. 자식 군에 보내 놓고 나니 별생각을 다 해본다.

집안 소식을 전해주려니 아빠가 객지에서 근무하여 집에 안 가니 잘 모르겠다.
전화가 없는 걸로 봐서 잘 지내리라 생각되니 너도 그래 알아라.
지난 일요일에 성당을 다녀왔다.
군에도 성당은 갈 건데 미사 잘 보고 왔으리라 생각된다.

우리 성당에는 보좌 신부님이 볼리비아로 가신다고 해서 신부님이랑 수녀님들과 같이 백리향에서 점심 먹었다. 이별주로 낮부터 고량주 몇 잔하고 오다가 엄마 대모님이랑 입가심으로 맥주 몇 잔 더 당기고 오후 내내 잤다. 이것이 지난주에 있었던 집안 소식 전부 다.
간단해서 좋은 것인지 나쁜 것인지 모르겠지만 하여튼 집안 소식은 더 전해줄 게 없다.

그리고 오늘 저녁에는 아빠 회식이라 퇴근 시간까지 너에게 편지 쓴다고 오후 내내 이러고 있다. 회사서 알면 아빠 농땡이 깐다고 죽이려고 하겠지?
그래도 아빠는 월급쟁이의 꿈인 아빠 방이 따로 있어 다른 직원이 보면 업무 열심히 하는 것 같이 보일 것이다. 오늘은 회의가 1건 밖에 없어 이런 여유를 부리고 있다. 비도 오고 어제 먹은 술이 덜 깨서 만사 귀찮아서 너에게 편지를 쓰며 오후 내내 이러고 있다.

훈련 기간에는 아침에 눈을 떠서 저녁에 잘 때까지 빈틈을 주지 않을 것이다, 행여 잡생각 할까 봐, 하루하루 잘 보내라. 항상 아빠가 텔레파시로 너에게 힘을 보낼게.
오늘은 여기까지 하고 접을게. 아빠 편지 재미없는 수다가 떨다가 끝난다. 재미있는 거 많이 쓰려고 하니 막상 부자간에 군대 훈련받는 자식에게 전할 말이 많지 않구나.
건강하게 무사히 훈련 마치고 엄마 품으로 잘 돌아오길 바랄 뿐이다.

아빠의 명령이다! 씩씩하게 엄마 품으로 돌아오라.

사랑하는 나의 아들 꽤 더웠지? (편지글)

집에 있는 에어컨이 생각날 정도로 더웠지?

아빠도 아침부터 더워서 너 생각 많이 나더라. 집에 에어컨은 너 돌아올 때까지 기다리며 아직 켜지 않고 있다. 엄마도 너 생각이 나서 그런지 아직 에어컨을 돌리지 않는다고 하더구나.

아빠 사무실은 에어컨 빵빵하게 돌아간다.

에너지를 절약하라고 하지만 그래도 그런 게 아닌 것 같다. 직장생활은 시원하게 틀어놓고 열심히 일한다. 너는 더위를 많이 타지 않지만 그래도 아빠는 걱정이 된다.

군 훈련소가 대학교 하계 수련관도 아니고 더위를 참는 것도 훈련 일부이니 잘 견디길 바랄 뿐이다.

이번 주말은 비가 많이 온다고 하나 조금만 견디어 보아라.

이제 집에 돌아올 날이 꼭 일주일 남았구나.

'벌써!'라고 말하면 섭섭하겠지?

그러나 흐르는 시간은 아무도 막을 수 없다. 시간은 정확히 지나고 있다.

힘들 때나 슬플 때나 기쁠 때도 시간은 정확히 지나가고 있다. 힘들 때는 시간이 늦게 가는 것 같고 기쁠 때는 시간이 금방 지나가는 같지만 주어진 시간은 일정하게 가고 있다. 지금 너는 시간이 지겹도록 늦게 가겠지만 누구에게나 똑같은 시간이 주어져 있다.

어제 아빠는 아침부터 시간이 어떻게 지나가는 줄 모르고 하루를 지냈다.

한 달마다 보고하는 월례회 준비와 보고로 시간에 쫓기다가 겨우 시간 맞추어 보고하고 저녁에 회식하고 술 한잔하고 집에 오니 12시가 넘었다.

오늘부터는 아빠가 약속한 공부 하느라고 늦게까지 사무실에 남아 있는데 미루어 놓았던 일을 하고 나니 벌써 시간이 많이 되어 너에게 편지 쓰고 퇴근하려고 한다.

이번 주말은 비가 많이 온다고 하는데 이번 주만 잘 견디어라, 아빠는 제대할 때쯤 '떨어진 낙엽도 피하라'고 했다.

제대 말년에 그만큼 조심하라는 말이지 너도 군 훈련소 말년이다.

이번 주 마지막 종교 활동 잘하고 훈련소 성당에는 또 다른 하느님을 만날 수 있을 거야. 기도와 다짐을 사회에 나와서도 잊지 않기를 바란다.

사람은 망각이 있어 살아갈 수 있다고 생각하지만, 그래도 잊을 것과 잊지 않을 것은 구분할 수 있어야 올바른 삶을 사는 것 같다.

오늘 3주 차가 끝났으니 "마지막 주차 훈련을 잘 견디고 씩씩하게 엄마 품으로 돌아오길 바란다."

"이건 아빠의 명령이다!"

그리고 너는 군 복무 시작이다. 훈련이 끝나도 23개월은 공익 근무해야 군 복무를 마치는 거다. 국방의 의무는 하기 싫다고 해서 안 하는 것이 아니다. 최근 몇몇 유명인처럼 군 복무 때문에 인생을 망칠 수도 있다.

군대 간다고 했다가 안 간 모 가수는 우리나라에 입국도 못 한다.

대한민국 국민이면 4대 의무는 다해야 한다.

대한민국 국민의 4대 의무 첫째, 교육의 의무 둘째, 국방의 의무 셋째, 납세의 의무 넷째, 근로의 의무인데 너는 이제 두 번째 의무를 하는구나. 우리나라에서는 둘째 의무까지 마쳐야 나머지 두 개의 의무도 할 수 있는 것이 현실이다. 여자들은 국방의 의무가 없어서 좋아하겠지만 너도 이제 남자로서 다 컸다고 생각한다. 이제 성인이 되고 국방의 의무를 다하는 내 아들이 있어 아빠는 행복하다. 아들이 있어 행복한 아빠가 오늘은 여기까지 적을게 아빠 내일 근무하는데 시간 봐가며 또 너에게 소식 전할게.

사랑해 내 아들!

아빠처럼 후회하지 말고 네가 하고 싶은 것을 해라

사랑하는 나의 아들! (편지글)

오늘 날씨가 무척 더웠다.

이 폭음이 내일도 계속될는지?

아빠가 일하는 현장에서도 얼음이 동날 정도였다.

현장에서는 제빙기를 완전가동 시키는데도 얼음이 모자랄 정도다.

힘들지?

6월 날씨치고는 너무 더운 것 같다.

각개전투 훈련이라 불볕더위와 싸워야겠구나. 힘들더라도 사나이로 태어나 한 번은 겪어야 하는 일이니 열심히 해라.

어제는 아빠가 편지를 쓰지 못했다.

보고할 자료가 많은데 타자 실력이 늦은 아빠가 저녁 야간까지 해서 자료를 만들었는데 저장하지 않았다가 다 날려 보내고 두 번 만든다고 오늘까지 밤늦도록 일한다.

미치고 폴짝 뛰겠다.

사람은 자기 적성에 맞는 일이 있겠지?

아빠는 자료 만들고 보고서 만드는 데는 영 소질이 없나 보다. 우리 아들은 체질인 것 같은데….

현장에 나가보아도 그렇다. 이 불볕더위에 100M 고공에서 철골 작업을 하는 근로자를 보면 아빠는 죽으면 죽었지 못할 것 같다. 다 맡은 일이 다르지만, 아빠가 일하는 현장에는 여러 가지 직종이 있는데 육체적으로 힘든 일이 많다.

누구를 위해 저 위험스러운 일을 하겠니?

가장이라는 책임감에 가족을 위해서 저렇게 힘든 일을 하는 근로자를 보면서 아빠는 반성을 많이 한다. 힘들지만 그래도 힘들다는 말도 못 하고 이 땡볕 아래 열심히 일하는 근로자들 보면서 나도 열심히 일해야겠다는 생각을 많이 한다.

너도 언젠가는 가족을 위해 너의 모든 것을 희생해야 할 날이 오겠지만 엄마 아빠 그늘에 있을 때 네 꿈을 마음껏 펼치기를 바란다.

항상 자랑스럽고 고맙지만, 그래도 노파심에 아빠는 늘 네 걱정이다.

조금은 네가 원하고 좋아하는 일을 하며 한 가정의 가장으로 살아주었으면 하는 것이 아빠의 바람이다. 때로는 너를 힘들게 하지만 그래도 아빠가 살아온 경험과 실패담으로 너를 피곤하게 만드는지 모르겠다.

이다음 네가 어른이 되어서 아빠처럼 후회하지 말고 늘 네가 하고 싶은 일을 하며 살기를 바란다.

아빠는 월말이면 늘 바쁘다.

월간 보고서에 월 서류 정리를 하자면 야근도 해야 한다.

내일은 월간 보고 마치고 나면 회식이 있어 약간 긴장을 풀고 술 한 잔으로 피곤을 풀 것 같다. 내일 혹시 편지 못 쓰면 네가 이해해라. 그럭저럭 내일이 목요일이니 열흘 남았구나. 힘든 너에게 말하기 어렵지만, 세월은 잘도 간다.

6월이 하루 남았네!

7월부터 시험 준비하려고 한다.

국가 기술 자격시험이라 기억력이 따라주질 않아 걱정이지만 그래도 용기 내어서 해보련다. 10월 초에 시험이라 또 바쁘겠다.

한번 해보고 떨어지면 어떠냐 하는 배짱 시험 한번 치려 보려 한다. 너도 훈련받는다고 공부와 멀어졌다고 생각 말고 항상 준비하는 마음 잊지 마라. 언젠가 좋은 결과가 오리라 믿는다.

아빠가 훈련받는 자식에게 공부 이야기하는 걸 보면 월말이라 요즈음 많이 피곤한가 보다. 아무 생각하지 말고 훈련 잘 마치고 엄마 품으로 잘 돌아오길 바란다.

오늘 수다는 여기서 마칠게.

아들이 너무 보고픈 아빠가

아름다운 사회가 너를 반겨줄 거다

사랑하는 나의 아들! (편지글)

오늘 정말로 무덥다.

헉헉거리며 다닌다.

토요일인데도 한 가정의 가장의 책임을 다하려는 가장들의 땀방울이 아름답게 보이기도 한다. 모두가 쉬고 싶은 날씨이다.

토요일 휴일 근무는 휴일수당이라는 금전의 유혹을 마다 못하고 수백 명의 가장이 오늘같이 뜨거운 날씨에 몇 모금의 찬물로 더위를 식히며 열심히 일하고 있다.

아빠가 할 수 있는 일은 충분한 얼음을 공급하고 가끔 휴식 시간에 담배 한 대 같이 피우며 “상당히 더운데 급하게 일하지 말고 차근차근하게 하라"라는 위로의 말밖에 없구나.

아빠가 에어컨 나오는 사무실에 있는 것이 현장 근로자들에게 미안뿐이다.

너도 꽤 덥지?

훈련소는 더우면 훈련을 잠시 중지할 수 있지만, 현장에서는 정해진 공사 기간과 실적이 있어 작업을 중지할 수도 없다.

근로자들의 능률은 하락하지만 그래도 어쩔 수 없이 목표 달성을 위해 작업 중지 결정을 못 하는 아빠의 마음이 아프다.

아빠는 사무실에 앉아 더위는 피할 수 있지만 그래도 이 무더위에 안전사고는 나지 않을까 걱정이다.

다들 고공에서 작업을 하기에 걱정이 많이 된다. 퇴근하고 긴장감 풀고 시원한 생맥주 한 잔이 간절하다. 오늘 같은 날 아들과 시원한 생맥주 한잔하면 아빠 피로가 다 풀릴 텐데 아쉽지만 다음 주로 미루어야겠다.

다음 주 토요일에 시원한 맥주 한잔하자. 그날이 기대된다.

군에서 훈련받은 이야기도 궁금하고 한 달이지만 많이 성숙했을 네 모습이 기대된다. 항상 착하고 바르게 잘 자라 주었지만, 여태껏 네 일생에서의 육체적으로 진한 고생을 체험하리라 생각된다.

통제된 시간과 통제된 공간 활동 내에 육체의 한계를 시험하는 것이 결코 쉬운 일은 아닌 것을 아빠도 알고 있다.

4주간 동안 많은 것을 느끼고 많은 것을 체험하길 바란다.

야간 행군과 땡볕 아래 완전군장 행군은 힘들고 지치지만 20kg 무게를 지고 20km 걸어갈 수 있다는 것을 나 자신이 느낄 수 있는 것이다.

예를 들어 오늘 같은 날 사과 한 상자를 짊어지고 걸어서 외갓집에 갖다 드리라고 아빠가 너에게 심부름시키면 너는 아빠가 치매 걸렸다고 할 것이다. 주위에서는 나보고 계부냐고 그러겠지? 사회에서 있을 수 없는 일을 군대에서는 한다. 사회에서는 절대 할 수 없는 일을 군대에서 할 수 있는 그것이 군인정신이다.

너는 지금 군인정신으로 모두 잘하고 있지만, 사회에 나오더라도 지금 하는 것을 잊지 말고, 지금의 반만 하면 무엇이든 할 수 있다.

남은 마지막 주를 잘 견디고 늠름하고 구릿빛으로 그을린 네 모습이 벌써 보고 싶다.

다음 주 아빠와 시원한 맥주 한 잔 들이켜자. 일주일 후에는 이 아름다운 사회가 너를 반겨줄 거다.

힘내!

우리 아들 파이팅!!!

난 아들 바보라서 행복하다

사랑하는 나의 아들 (편지글)

아침 출근하자마자 바탕화면에 깔아놓은 너와 동기들의 모습을 물끄러미 쳐다본다. 사진 찍을 때와 모습이 많이 바뀌었겠지. 월요일이라 매우 바빠서 늦게까지 회의하고 서류 마감하니 11시가 넘어 피곤해서 너에게 편지 쓰질 못했다.

요즈음 항상 마음은 너에게 있지만, 부쩍 바빠진 현장 돌아가는 일에 정신없이 일하다 보니 너에게 편지를 쓰지 못하는구나. 언제나 너를 믿고 한결같이 너를 마음에 간직하고 살지만, 마음과 몸이 하나가 될 수 없어 마음 한구석 미안함이 많다.

아침에 날씨는 꼭 알아보고 출근한다.

늘 아빠는 현장 일로 날씨에 민감하지만 그래도 요즈음처럼 민감하지 않았는데 요즈음은 비와 온도에 민감하다. 며칠만 있으면 나오는데 늘 바보 아빠가 된다. 그래도 난 아들 바보라서 행복하다.

아빠가 군 생활하면서 이런 기분은 아니었는데 정말 아버지라는 게 이상하다. 누구나 다 하는 군 생활이지만 내 아들이 군 생활한다니 군인이 새롭게 보인다. 군대 일이 늘 남의 일로 늘 강 건너 일처럼 생각했는데 네가 군인이라는 신분으로 있으니 다 내 일처럼 보인다.

여기 포항에는 점심시간부터 비가 내린다.

비가 내리니 시원해서 좋지만, 또 비 오는 데서 훈련받을 너를 생각하니 비 오는 게 좋은지 더운 것이 좋은지 모르겠다.

내일모레면 네가 돌아오는구나.

무척이나 보고 싶고 기다림이 이렇게 지루할지 몰랐다.

다른 아이들은 2년을 군 생활하면 2년을 기다려야 한다. 하지만 너는 4주면 끝나고 집에서 공익 근무를 하는 것인데 내가 너무 호들갑 떠는 것 같아 나도 조심스럽지만 그래도 궁금하고 답답할 뿐이다.

앞으로 이틀 밤을 내무반에서 자고 나면 훈련소에서 나오는데 아빠는 소풍 가는 아이처럼 손꼽아 자는 날을 세고 있다.

많이 늠름해졌겠지, 늠름해진 만큼 생각과 사고도 바뀌었으면 한다.

이제 훈련소 생활을 정리할 시간이 되었구나.

내일이면 퇴소 준비를 하겠지?

정훈교육과 보안 교육도 받았으리라 생각한다.

이번 네가 훈련소에 입소하여 체험하고 경험한 것들이 사회생활을 하면서 많은 도움이 되었으면 하는 것이 아빠의 바람이다.

하나밖에 없는 사랑하는 나의 아들아.

짧은 시간이지만 너와 만나볼 수 없는 통제된 곳에 떨어져 있으면서 아빠도 많이 생각했지만, 아빠는 너를 믿고 너의 꿈을 펼치는 데 작은 도움이 되려고 늘 노력한다. 너도 이제 많이 자랐고 나라에서 네가 필요할 만큼 성장했다. 이제 혼자서 스스로 모든 것을 헤쳐 나가고 힘들고 어려울 때 아빠는 옆에서 작은 조언자 역할을 해야겠다고 생각한다.

이제 힘든 훈련소에서도 잘 견디어 준 자랑스러운 나의 아들이 이 세상 어디에서도 잘 견디어 내리라고 생각한다.

아빠가 돌이켜보아도 훈련소만큼 세상살이가 연속해서 힘들지는 않다.

힘든 과정 잘 견디어 주었고 또 사회에 나와서도 훈련소에서만큼 견디면 성공하리라 생각한다.

딴사람은 몰라도 아빠가 너무 내 아들만 가지고 유별나다고 할 수 있겠지만 아빠는 네가 자랑스럽다.

이번 주일에는 너와 함께 미사를 볼 수 있다는 것에 마음이 설렌다.

항상 아빠 옆에서 미사를 늘 같이 올렸는데 네가 없던 이번 몇 주는 많이 허전했는데 이제 너와 같이 미사 볼 수 있어 기대된다.

아빠도 늘 내 곁에 있은 아들이 고맙고 자랑스럽지만 이렇게 손닿지 않고 볼 수 없는 곳에 떨어져 있어서 더욱더 그리웠다.

이제 다시는 이렇게 보고 싶어도 못 만날 곳에 떨어져 있지는 않을 것이라고 믿는다.

미국에 있어도 전화하면 되고 보고 싶으면 항공권 끊어서 날아가면 되는데 이렇게 그립고 보고 싶지는 않을 것 같다. 아빠하고 새로 만나는 날 우리 부자 더 끈끈하고 뜨거운 새로운 정이 생기리라고 생각된다.

아빠의 이 편지를 받을 때면 모든 훈련을 무사히 마치고 그동안 받았던 옷 군장 총기 반납을 할 것으로 생각된다. 4주간 훈련받은 것 유종의 미를 거두고 훌륭하고 멋있는 사나이가 되어 아빠 품에 다시 안기기를 기대한다.

사랑하는 내 아들아.

아빠는 네가 하는 모든 행동과 모든 것들이 신기하고 바라만 보아도 신이 난다. 네가 태어날 때부터 지금까지 하나씩 하나씩 변해가는 모습과 행동들을 바라보는 것만으로도 아빠는 행복하고 힘이 난다.

아빠의 모든 삶과 희망의 원천은 네가 있어 가능한 것이야.

사랑해 나의 자랑스러운 아들.

늘 아빠에게 삶의 희망과 꿈을 주어 고맙다.

사랑해.

그리고 아름다운 마무리가 될 수 있도록 아빠의 품에 돌아올 때까지 젖 먹는 힘까지 다해서 마무리 잘하길 바란다.

늘 내 아들만 생각하는 아빠가

네가 내 아들이라는 게 자랑스럽다

사랑하는 아들에게 (편지글)

오늘 이 편지가 네가 훈련소 있을 때 쓰는 마지막 편지인 것 같다.

아빠는 나름대로 일과를 마치고 편지 읽는 낙이라도 있다.

몇 통 되지는 않지만, 아빠 나름대로 시간을 쪼개 편지를 썼는데 오늘부로 군대 간 자식에게 전하는 편지글도 마무리해야겠다.

이 편지를 받을 때면 모든 훈련이 종결되었겠지? 수고 많았다.

너에게 훈련 마지막 날이라 솔직히 이야기한다.

아빠 고향이 대구라 50사단에 아빠 친구도 있고 후배도 있어 너의 소식 물어보고 또 너에게 한번 찾아가서 격려도 해주라고 부탁도 하고 싶었지만 일절 하지 않았다.

내 아들이 신성한 국방의 의무를 다하는데 아빠의 작은 걱정으로 너의 신성한 국방의 의무에 해가 될까 봐 아무에게도 연락하지 않았다. 중대장님께도 편지 한 통 쓰려고 했었다. 하지만 모두가 다 귀한 자식을 맡아 공평하게 훈련 시키는데 행여 나의 걱정으로 잠시라도 중대장님께 누가 될까 아무 글도 전하질 못했다. 아들이 집에 오고 난 뒤 너의 소대장님이나 중대장님께 감사의 글이라도 전할까 한다.

아빠 마음이야 궁금하고 항상 마음 졸였지만, 훈련 잘 견디어줘서 고맙다.

너 태어나 제일 힘든 4주간의 나날을 잊지 말라는 마음으로 부탁하고 싶다.

아빠가 너에게 다시 한번 잔소리하자면, 훈련을 다 마쳤지만 훈련받으면서 다져 먹은 마음을 잊지 말았으면 한다.

태어나 자유도 없이 맞추어진 시간과 규율대로 육체적으로 제일 힘든 시간을 보낸 것 같지만 앞으로 살다 보면 더 힘든 일도 많을 것이다.

그럴 때마다 이번에 고생한 4주를 생각하면 모두가 쉽게 될 거다.

그간 수고 많이 했다 난 네가 내 아들이라는 게 자랑스럽다.

자식이 아버지가 되어 가는 길

'어제 일은 지난 일이라 돌이킬 수 없으니 생각하지 말고, 내일 일은 고민을 당겨서 할 필요가 없으니 생각하지 말고, 오직 오늘 이 시간에 충실해라' 하는 보편적인 말이지만 그래도 개인적으로는 2013년도는 뜻깊은 한 해이다.

늦었지만 아들 녀석이 SKY는 아니지만, 원하는 대학 원하는 과에 입학하였고 국방의 의무도 마쳤다. 자식 놈이 넘어야 할 큰 산을 한 해에 다 넘어선 것 같다. 집 떠나 객지에서 외로움과 고독을 씹으면서도 그것은 가장으로서 보편적인 삶에 일부일 뿐이다.

그러나 자식 문제는 그렇지 않다.

내가 자식에서 아버지가 되기까지 큰 산을 몇 번 넘어야 했다.

첫째, 대학 졸업 둘째, 군 의무복무 셋째, 취업 넷째, 결혼 다섯째, 2세 출생과 같이 최소한 다섯 가지를 거쳐야 자식에서 아버지가 된다고 생각한다. 물론 부와 명예도 같이 누리면 좋겠지만 그건 희망 사항일 뿐이다. 내가 거쳐 갈 때는 몰랐지만 돌이켜보니 자식은 최소한 이 길을 걸어야 하는 결론을 얻게 되었다.

그래서 늘 부모는 조마조마하다.

자식은 처음 가는 길이기에 초행이라 모르는 길이다. 하지만 나는 거쳐 온 길이라 쉽지 않은 길이라는 걸 알기에 걱정하고 산을 넘을 때마다 도와주고 싶고 용기와 격려를 해준다.

그것이 아버지의 길인 것 같다.

대학은 생존경쟁 사회에서 좀 더 나은 삶을 살려면 가야 한다.

군대는 우리나라에서 태어난 남자라면 피해 갈 수 없다.

취업은 굶어 죽지 않으려면 해야 한다.

결혼은 여자·남자, 암·수로 태어난 이상 원초적이고 본능적으로 짝을 찾아 짝을 이루어야 한다. 인류 존재를 위한 거창함보다는 나의 2세를 보고, 키우는 행복이 한 남자로서 마지막 행복이기에 그렇게 평범하게 살려고 내 자식을 위해 모든 것을 바치는 것 같다.

다행히 작년에 다섯 가지 중 두 가지를 해결한 내 자식이 대견스럽고 나도 잠시 안도의 한숨을 쉬어 본다. 다른 자식은 쉽게 넘어가는데 내 자식이라 그런지 한고비, 한고비 넘길 때마다 마음이 많이 졸였다.

물론 다섯 가지 모두 다 넘을 때까지 돌보아 주면 좋으련만, 나는 첫째와 둘째만큼은 최소한 아비로서 해주어야 한다고 의무감과 강박감을 느끼고 살았다.

취업과 결혼 문제까지도 도와주면 좋겠지만 그럴 능력이 없어 늘 자식에게 미안하다. 최소한 대학과 군대 문제도 해결해 주지 못하고 내가 이 세상을 하직하면 자식에게 볼 면목이 없었을 것이다. 또한 죽어도 이승의 삶에 한(限)이 맺힐 것 같아서 두 가지 문제만은 내 손으로 보살펴주어야 한다는 강박감에서 살아왔다. 그런데 작년에 두 가지다 해결되었으니 마음이 홀가분하고 뜻깊은 한 해였다.

이제는 내가 없이도 최소한 이 세상을 살아가는데 불편한 점은 있겠지만 큰 지장은 없을 것 같다. 이제는 자식이 알아서 해야 한다고 생각한다.

이젠 성인이 되었고 홀로서기를 할 나이도 되었다고 생각한다.

물론 내 건강이 지탱해 주고 내 경제력이 될 때까지 당연히 도와주려고 한다. 하지만 최소한 할 일은 다 했다는 생각이 나 자신에게 칭찬해 주고 싶다. 아직 남은 일이 많이 있지만 그래도 그건 그때이고 2019년 2월 아들놈 대학 졸업까지만 버티어 준다면 최소한 마음에 짐을 애써 벗을 것 같다.

그다음은 이젠 살아가면서 최소한 자식에 짐은 되지 말자고 다짐해보는 나이가 되어 간다.

막내딸 졸업할 때까지만 회사에 남아 있고 싶다는 소망이 직장생활 마지막 바람인 고과장의 어버이날

오전부터 철골 자재 반입 검수하느라 한바탕 난리를 쳤다.

미리미리 준비해서 반입시키면 될 것을 급하게 제작해서 자재 검수할 때 내 입장을 난처하게 한다. 돌려보내자니 현장 작업이 중단되어 공기를 못 맞출 것 같고 그냥 대충 넘어가지니 내 의무를 소홀히 하는 것 같아 철골 자재 검수 때마다 많은 고민이 된다. 철골 자재가 너무 많이 훼손되어 불합격 처리하여 회차 시켰다.

물론 시공사에서 수긍하고 그냥 회차하면 좋으련만 단 한 번이라도 수긍하지 않고 어떻게든 반입하려고 한다. 심할 때는 "공기를 못 맞추면 감리가 책임져라."라는 협박 아닌 협박도 받는다.

한 번씩 자재를 불합격 처리를 하고 나면 진이 다 빠진다. 감리라는 직업이 가장 힘들 때가 검수 검측할 때이다. 처녀가 애를 낳아도 할 말이 다 있는데 검수 검측 받는 측은 말도 안 되는 어떤 이유를 대면서 쉽게 수긍하지 않을 때 참 어렵다.

보는 시각에 따라 다를 수도 있지만 요즈음 말로 "달라도 너무 다르다."

늘 하는 일이고 평생을 해온 일이지만 요즘은 안 부딪치려고 노력은 하지만 감리와 시공사 간의 시각차는 변할 수 없는 것 같다.

자재를 회차 시키는데 한바탕 곤욕을 치르고 사무실에 들어오니 책상에 택배가 하나 있었다. 아들 녀석이 보내온 택배였다.

"웬 택배?"하고 열어보니, 평소 내가 피우는 담배 10갑 한 상자와 카네이션 한 송이가 들어있다. 어버이날이라고 아들이 보낸 것이었다.

고등학교를 졸업하고 합격한 대학이 성에 차지 않는다고 대학에 안 가겠다고 하여 군에 보냈다. 자기가 공부 안 한 것은 생각하지 않고 눈만 높아서 한참 애를 먹이더니 올해 입학하여 휴학계를 내고 군 복무를 마무리하고 있다. 키우면서 단 한 번도 나를 속 태운 적 없는 놈이 대학 문턱에서 이렇게 나의 속을 태울지 몰랐다.

그래도 올해 대학에 가겠다며 입학해서 한숨 돌렸다.

요즈음은 여자 친구가 순천에 있어 한 달에 한두 번은 내게 왔다 간다. 오면 물론 용돈도 챙겨줘야 하지만, 덕분에 아들 녀석이 한 번씩 와서 맥주 한잔하는 낙도 있다.

그런 녀석이 5월 3일에 와서 아무 말도 하지 않고 내 돈만 축내고 돌아가서 조금은 섭섭했다. 그런데 택배 상자로 카네이션을 보내주니, 오전에 자재 검수 일로 속상했던 마음을 싹 지워주었다.

자식이 뭔지 오전 내내 스트레스로 기분이 언짢았는데 카네이션 한 송이에 마음이 다 풀리고 기분이 상쾌했다. 늦게 본 자식이라 무엇이든 다해주고 싶지만 부족한 것 같아 자식에게 늘 미안했다. 이제 더 많은 것을 해주고 싶지만 내 나이를 생각하면 항상 긴장되고 조급해진다.

광양에 온 뒤로는 TV를 끼고 산다. 퇴근하면 바로 숙소로 간다.

조금이라도 아껴야 아들놈 오면 용돈이라고 챙겨 줄 것 같아 바로 퇴근하여 집에서 TV 보며 산다.

그래서 안 보던 드라마를 보는데 얼마 전 KBS 2TV에서 “직장의 신”이라는 드라마를 보면서 가슴이 미어짐을 느꼈다. 방송된 10회 '고과장의 시계는 거꾸로 간다'라는 것이었다. 대충 줄거리는 이러했다.

28년간 한 직장에 몸담은 베테랑 중견 사원이지만 시류에 편승하지 못해 고장이 난 아날로그시계처럼 구닥다리 취급을 받는 만년 과장 고과장(김기천), 그의 시계도 수명을 다했다.

후배 직원들이 그를 권고사직에서 제외하기 위해 안간힘을 쓰는 것도 모르고 자신을 위한 시장 조사 현장에서 술에 취해 길가에 드러누웠다.

그런 고 과장에 대해 미스김(김혜수)은 "마케팅영업지원부의 짐짝 같은 존재"라고 야멸치게 평가했고, 그는 결국 권고사직을 통보받고 자리를 비우게 된다.

하지만 구닥다리 아날로그시계도 필요할 때가 있는 법이다.

계약만 성사되면 마영부 최대 실적이 될 '옹자염' 기획 건이 수기 계약서 하나 때문에 수포가 될 위기에 처했다.

사내 시스템 다운으로 수기 계약서를 써야 하는 불가피한 상황에서 천하의 미스김도 악필로 옹아집의 노여움을 사게 된 것이다. 어쩌면 미스김이 고과장을 구하려고 일부러 악필을 선보였을지 모를 일이지만 어찌 되었건 고과장이 필요한 절체절명의 시기가 온 것만은 확실했다.

미스김은 단골 식당 주인(명계남)과 술잔을 기울이던 고 과장을 빛의 속도로 옹아집 옹 앞에까지 데려왔다. 예상했던 대로 아날로그식 고 과장은 일명 '송조체'로 필체를 과시하며 옹아집 옹의 마음을 돌리는 데 성공, 마영부의 운명을 바꿔놓은 구원투수가 됐다.

막내딸 졸업할 때까지만 회사에 남아 있고 싶다는 소망이 직장생활 마지막 바람인 고정도 과장이다. 동갑내기 황 부장 앞에서도 늘 존대하며 허리를 굽혀야 하고 젊은 사원들에겐 '짐짝'처럼 짐이 되기만 하는 고 과장의 모습에서 우리들의 아버지, 베이비붐 세대의 슬픈 자화상을 마주해야 했다.

가까스로 권고사직 위기에서 벗어난 고 과장. 마지막 순간 자신을 도운 미스김에게 고마움을 전하는 그의 모습에서 시청자들은 또 한 번 눈물을 빼야 했다.

자신을 '고장 난 시계', 미스김을 '첨단시계'에 비유한 그는 차갑게 돌아서는 미스김에게 "혼자서는 못 가. 작은 바늘도 가고 큰 바늘도 가고 그렇게 다 같이 가야 갈 수 있는 거지. 다 같이 가니까 나 같은 고물도 돌아가는 거야"라며 인생 선배로 다가갔다.

"혼자서 큰 바늘, 작은 바늘 다 돌리면 너무 외롭다"라고 조언하는 고 과장에게 요점이 뭐냐고 받아치는 미스김에게 "밥 먹고 가"라고 아빠 미소를 짓는 고과장을 보면서 보는 이들은 물론이고 미스김 조차 눈물을 쏟아냈다.

KBS 2TV에서 "직장의 신" '고과장의 시계는 거꾸로 간다.'라는 고과장은 아날로그

혹은 이제는 물러나 달라고 재촉당하는 이 시대의 아버지를 상징하는 것 같아 나의 코끝을 찡하게 했다.

막내딸 졸업할 때까지만 회사에 남아 있고 싶다는 소망이 직장생활 마지막 바람인 고 과장이 나의 마음과 너무 똑같아 코끝이 찡해지고 가슴이 미어졌다.

아들놈이 보낸 택배 하나에 이렇게 긴 글을 쓸 줄도 몰랐다.

자식이라는 놈이 내 삶에 전부인 것 같다.
그리고 마지막 남은 나의 활력소인 것 같다.

마침 오늘 회사 조직 활성화 일정으로 저녁에 전 직원들과 저녁 같이 한다고 하니 또 쓸데없는 헛소리 농담 몇 마디 하면서 동료들과 호탕하게 웃으면서 오늘은 거나하게 한잔할까 한다.

올해 5월 8일은 나에게 너무 뜻깊은 날이다

아들은 열애 중

아들 녀석이 요즈음 사랑에 빠졌다.

고등학교를 졸업하고 대학에 바로 들어가지 못했다.

중학교에서 곧잘 공부를 잘해서 고등학교를 자율 고등학교에 입학시켰다. 하지만 졸업 때는 원하는 대학에 입학하지 못해 재수시켜 달라고 해서 또 실패하면 군에 입대하는 조건으로 고등학교를 졸업하고 바로 입대 신체검사를 해놓고 재수하게 하였다.

억장이 무너졌다.

자라면서 한 번도 말썽을 부리거나 나에게 반항 한번 않은 자랑스럽고 착한 아들이었다. 그러나 대학 문턱에서 나를 애타게 하고 속을 태웠다.

평소 대학이 인생의 전부가 아니라고 누누이 말하고 내 아들은 굳이 대학에 안 가도 된다는 것이 내 입장이었다. 그런 나를 아내는 이상한 사람으로 취급하였다.

내 생각은 애 하나 서울로 보내 대학 졸업시키는데 아무리 적게 들어도 1억이 들어간다. 그런데 점수에 맞추어 아무 필요 없는 대학에 그냥 대학을 나와야 사회에서 뭐라도 한다는 조건 하나에 1억이라는 거금을 투자한다는 것은 봉급쟁이로서는 말도 안 된다고 생각했다.

아들에게 그랬다.

대학은 본인 장래를 위해 꿈과 희망을 품고 들어가야지, 남들이 가니 나도 간다는 생각을 버리라고 했다. 과 선택도 아들과 신중하게 시간을 갖고 충분히 대화하여 결정했다. 그래서 대학을 과 위주로 선택했다.

대학 선택이 힘들었다.

합격한 대학은 과는 맞는데 대학이 아니고, 대학은 맞는데 원하는 과에는 안 되었다.

요즈음 대학 입학 조건이 너무 많아서 원서도 원하는 대학에 돈만 주면 다 원서를 낼 수 있었다. 웃기는 것이 제발 원서라도 좀 넣어달라고 부탁도 들어온다.

원하는 대학은 떨어지고 그냥 담임선생이 추천한 대학은 몇 군데 합격했지만, 아들이 원하지 않아 다 포기했다.

조금 아쉽지만 내가 보기엔 괜찮은 대학이 있어 아들 몰래 아내에게 입학금을 내라고 했다. 재수가 쉽지는 않으니 보험 삼아 입학금을 내라고 했는데 아내가 아들에게 이야기했다. 아들은 대학 입학금 내놓아도 "대학 안 간다"라고 절대 내지 말라고 해서 입학금을 내지 않아 아내하고 크게 싸웠다.

그렇게 대학입시는 실패하고 가슴은 아팠지만, 아들을 군에 보냈다.

어차피 남자는 거쳐 가는 의무였기에 약속대로 군에 보냈다.

대학은 차후로 미루고….

그런데 군 복무 중에 아들이 연애했다.

친구 소개로 만났는데 공익 근무해서 연애를 할 수 있었을 것 같다.

재미있는 것이 아들 연애하는데 내가 더 신났다. 내성적인 성격에 숫기가 없어 여자에게 전혀 관심이 없을 줄 알았는데, 연애하는 것은 나를 닮았는지 자기가 알아서 잘한다.

아들 자랑이 팔불출이지만 내 아들 녀석은 다행히 나를 닮지 않아 잘생겼다. 키도 크고 얼굴도 작은 얼짱이다.

몸도 마른 편에 요즈음 여자들이 좋아하는 남자 스타일이다.

그런데 대학도 입학하기 전에 여자 친구를 사귄다고 했다.

아내가 아들 녀석 공부는 안 하고 연애질한다고 아들 녀석을 혼을 좀 내라고 난리를 쳤다. 할 수 없이 대학입시 준비하는 놈이 공부는 안 하고 연애질한다고 혼을 내려고 불렀다.

요즈음 아이들 직선적으로 이야기하면 반항이라도 할까 봐 아들 녀석과 늘 다니는 생맥줏집에서 아들 녀석을 불렀다.

이것저것 둘러대면서 이야기하다가 여자 친구는 뭐 하는 아이냐고 물어보았다.

고등학교 때 친구의 소개로 만났는데 현재는 교대 4학년이라고 했다. 아들 녀석은 재수하고 여자 친구는 3학년 때 만나서 지금은 임용고시 공부 중이라고 했다

"교대 4학년!" 깜짝 놀랐다.

아버지가 되고 나니 끝없는 욕심이 생긴다.

공부 안 하고 연애질한다고 혼을 내려고 불렀는데 연애하는 녀석이 교대생이라고 하니 속마음은 "이게 웬 떡" 재수하는 놈이 교대생을 사귄다니.

요즈음 초등학교 교사가 신붓감 순위 1등 아닌가?

그래도 자식 앞에 속마음을 비치지 않으려고 포커페이스로 말했다. "여자 친구도 임용고시 공부하고 너도 대학입시 공부를 해야 하니 당분간 딴생각하지 말고 공부에 열중하라" 꾸중 대신 충고하고 마무리했다.

아내가 혼을 냈느냐며 묻기에 교대 4학년 여학생을 사귄다고 말하니 "재수하는 놈이 무슨 교대생을 사귀냐?"

"사귀는 여학생 지금은 학생이라 그렇지 발령받아 학교에 선생님으로 출근하면 아들 녀석은 바로 차일 건데 정신 차려라."라고 하면서 펄펄 뛰었다. 그러던 아들놈이 다행히 군 복무를 하면서 작년에 대학을 해결했다.

물론 내 설득도 작용했지만, 아들 녀석이 한발 물러서 주어서 조금은 미흡한 대학에 합격했다. 군 복무를 마무리하기 위해 휴학계를 내고 6월 12일에 아무 탈 없이 군 복무를 마쳤다.

전역하는 날, 내가 아내에게 대학 입학할 때까지 간섭하거나 잔소리하지 말고 아들에게 카드를 한 장 주라고 했다.

물론 아내는 펄펄 뛰었지만 내 고집대로 했다.

그리고 아들 녀석에게 일렀다.

입학할 때까지 신나게 놀고 대학 가서는 공부 열심히 하라고 부탁했다.

아들 녀석도 대학 가서 열심히 하겠다고 약속했다. 아들 여자 친구도 임용고시를 잘 보아서 졸업하자마자 3월에 교사로 임용되어 지금은 작은 시골 학교 2학년 담임교사로 근무 중이란다. 마침 내가 근무하는 광양 옆에 있는 순천 주변에 그 여학생이 선생님이 되어 근무하고 있다.

아들놈은 매주 여자 친구를 만나러 금요일 경주에서 출발하여 순천으로 갔다가 일요일에 경주로 돌아간다.

요즘은 여자 친구가 방학이라 아들 녀석은 아예 가출 중이다.

신나게 잘 놀고 있다.

얼마 전 아들놈 생일이었다.

아내가 다급하게 전화가 왔다.

“사귀는 여선생이 집까지 찾아왔다"라고 해서 “무슨 김밥 옆구리 터지는 소리냐”라고 했더니 아들놈 생일날 오후에 웬 아가씨가 현관 입구에 서성이고 있어 누구냐고 물어보니 아들놈 여자 친구란다.

생일선물 이벤트로 여자 친구가 깜짝 선물로 아들 녀석 모르게 순천서 경주까지 찾아왔단다.

요즈음 아이들 어디로 튈지 모르는 세상이지만 말 한마디 없이 그냥 남자 친구 집에 찾아온다. 맹랑하기도 했지만 그래도 기분은 좋다.

1등 신붓감이 제 발로 우리 집에 찾아오는데 어느 부모가 싫겠는가?

기가 차다 부모라는 입장이….

상대방 부모 처지에서는 쳐 죽일 일이지만 나는 기분이 좋다. 그래서 부모 입장이 되어 보면 양면성을 가지게 된다. 항상 내 자식 관점에서 욕심만 생기는 것 같다.

요즈음 시국에 교대가 어떤 교대인가?

내신 1등급 달고 있어야 안심하고 원서를 내어보는 곳이다. 내신 1등급이 또 쉬운 것이 아니다. 막상 내 아들 녀석도 자율고등학교 출신이지만 요즈음 대학 입학이 쉽지 않다.

자식 키워보니 대학 들어가기가 쉽지만은 않다.

우리 때와는 달리 수많은 대학이 있지만, 막상 원서를 내려니 낼 곳이 없었다. 우리야 예비고사 본고사 치르고 조금 실력이 달려도 배짱 지원하면 운 좋게 원하는 대학에 갈 수도 있었다.

나도 운 좋은 사례지만….

그런데 요즈음 등급이 사람 죽인다. 벼락치기 공부도 안 되고 운 가지고도 안 된다. 오라는 대학은 많지만 갈 대학은 없다. 이름도 모르는 대학이 수없이 많다. 입학 전형은 천 가지가 넘는다고 했다.

아들놈 대학 보내려다 스트레스받아 죽는 줄 알았다.

아들놈이 남들보다 늦게 대학은 해결했지만 내신 수능 1등급 아니면 아예 자존심 같은 것은 다 버려야 한다. 우리 아들이 공부를 못했다고 생각하지 않는다.

열심히 공부했다.

고등학교 때 목욕탕에 가서 아들 녀석 등을 밀어주다 울컥한 적이 있다.

등에 굳은살이 박였다. 온종일 책상에 앉아 있어서 등에 생긴 굳은살을 본 이후 공부 열심히 하라는 소리를 다시는 하지 않았다.

자율고등학교 3년 동안 방학도 없이 밤 1시까지 공부시켰다.

선생님들도 학교의 명예와 대학합격률 실적을 위해, 애들을 거의 공부하는 기계로 만들었다. 나는 결코 내 아들이 공부 못 한다고 생각하지 않는다.

돌이켜 보아도 나보다 공부는 더 잘했다고 생각한다.

그러나 부모의 욕심 때문에 대학에 실패했다고 생각한다.

서울대, 고대, 연대. 공군, 육군, 해군사관학교. 경찰대. 지방대 의대, 약대 그리고 교대가 부모들이 원하는 대학이다.

1등급이 다 모이는 대학이다.

요즘은 1등급도 그냥 1등급이 아니고 소수점 단위다.

1.1등급도 있고 1.9등급도 있다.

1등급과 1.9등급은 1등급이라도 하늘과 땅 차이고 강남 1등급과 강북 1등급이 다르고 특목고, 자립고 가 다르고 8학군과 일반고가 또 다르다.

서울에 있는 대학은 다 서울대라고 할 정도로 서울에 있는 대학에 들어가기 힘들다.

우스운 이야기로 우리가 대학 갈 때는 서울에 있는 명문 사립대학 아니고는 어지간하면 들어갔다. 그런데 요즘은 서울에 있는 대학은 최소 2등급은 받아야 그나마 기대하고 원서를 낸다고 하니 정말 머리 아픈 시대이다.

지방 국립대학보다 서울 소재 사립대학이 내신등급이 더 높다고 하니 얼마나 어이없는 세상인가. 힘들고 어렵게 공부한 우리 세대로서는 이해하기 힘든 것이 요즈음 대학 진학의 현실이다.

우리 세대는 가난해서 서울 소재 대학으로 가야 하는 꿈은 접어야 했다.

하숙비, 사립대학교 비싼 등록금은 감히 꿈도 꾸지 못하고 지방 국립대학에 우수한 아이들이 많이 갔다. 70년대에는 똑똑은 아이들이 가난 때문에 80%가 대학을 포기하고 공고, 상고, 농고 많이 갔는데 요즘은 80%가 대학에 진학한다.

그것도 똑똑한 놈들은 서울로 무조건 서울 소재 대학이고 아니면 수도권 대학이란다. 서울에 가야만 뭔가를 이룰 수 있는 것처럼, 부모가 허리가 휘어지든 말든 인 서울이다.

나처럼 지방에 있는 평범한 봉급쟁이가 서울에 있는 대학에 자식 놈 대학 졸업시키고 나면 빚만 진다는 말이 틀릴 것이 하나 없다.

아들에게 미안한 마음이지만 지방 사립대에 입학한 것을 다행으로 생각한다. 박봉이지만 빚은 안 지고 대학을 졸업시킬 것 같다.

내 마지막 희망이 자식에게 상속은 물려주지 못할망정 대학은 내 손으로 졸업시키고 싶다. 그렇게 하기 위해서라도 앞으로도 몇 년은 죽었다고 생각하고 간, 쓸게 빼놓고 열심히 일해야 한다.

그런데 아들놈이 1등 신붓감과 사귄다고 하는데 내가 말릴 필요가 있겠는가? 고등학교 때 내신 1등급을 받고 교대에서 열심히 공부하여 임용고시를 우수한 성적으로 통과하였다. 그리고 졸업하자마자 3월에 초임으로 발령받았으니 얼마나 대견스러운가? 내 딸 같으면 업고 다녔을 것이다. 이제 내년 3월에 지방 사립대학교에 들어가는 놈을 좋다고 집까지 찾아와주었다.

그것도 먼먼 순천에서 경주까지….

나야 신나고 좋지만, 그쪽 집안 어른들이 볼 때 얼마나 속이 터지겠는가?

그런데 여선생 부모님이 우리 아들과 사귀는 것을 알고 허락했다고 하니 그저 감사할 따름이다.

요즈음 내 자식이 내 마음대로 안 된다고 하지만 얼마나 귀하게 키웠을까. 공부 잘해서 원하는 교육대학 들어가 임용고시 한 번에 합격하여 졸업하자마자 초임 발령받아 선생님으로 부임했으니 얼마나 자랑스럽고 대견한 딸인가. 그런 딸이 이제 내년에 대학 입학할 놈을 좋다고 저러니 기가 찰 노릇 아닌가?

나도 기가 차지만 내 아들 쪽에서 볼 때는 마냥 좋다.

연애한다고 다 결혼하는 것은 아니지만 그래도 차일 때 차이더라도 좋다.

그래도 대학도 안 간 놈이 학교 선생하고 연애한다니 기가 차지만 제 아비를 닮아서 여자 보는 눈은 있다.

내 아들놈이 능력 있는 것 같고 설사 세월이 흘러 격이 벌어져 여선생에게 실연당해도 능력 있는 여자를 차지하려면 얼마나 내 능력을 갖추어야 하는지를 깨우칠 것이다.

인생을 살면서 내가 가르쳐 주지 못한 것을 또 경험하고 배울 것 같아서 아들이 열애 중인데 내가 더 신난다.

아내의 아침 배웅 인사

내가 출근할 때 내 아내는 특별한 일이 없는 이상 주차장까지 내려와서 차에 시동을 걸고 출발할 때 배웅 인사를 한다.

아이가 어릴 때는 아침에 학교 보내려고 아침에 엄마의 손길이 아주 필요해서 그렇지 못했다. 하지만 이제는 아이가 다 커서 엄마의 손길이 필요치 않기에 아침 배웅 인사를 차에까지 와서 한다.

요즈음 시대에 무슨 뚱딴지같은 말이냐고 할 수 있지만 한번 생각을 해보고 짚고 넘어가야 한다.

가장은 매일 출근한다.

누구 때문에?

당연히 내 가족 때문이다.

가장이 출근하지 않으면 당장 내 가족은 누구의 도움 없이는 굶어 죽는다.

모두가 가장에 당연한 의무라고 생각한다.

그러면 주부가 집에서 가사도 당연한 의무가 아닌가?

의무의 사전적 의미는 “당연히 해야 할 일”이다.

아내가 자식을 낳고 자식을 기르고 가사를 하는 것과 남편은 가족이 살아갈 수 있도록 경제적으로 책임을 지는 것이 “당연히 해야 할 일”이다.

암컷 새가 알을 품고 있을 때 원초적 동물 본능으로 수컷 새가 둥지에 먹이를 물어다 준다. 그것처럼, 가장이 출근할 때는 최소한 마을 어귀까지 배웅은 안 나오더라도 최소한 차까지는 나와야 한다고 생각한다.

요즈음 방에서 가장이 출근하든 말든 배웅하지 않는 가정이 많다.

최소한 아파트 엘리베이터까지도 안 나온다.

애들이 무엇을 보고 크겠는가?

나는 아내의 배웅을 받지 않으면 출근하지 않는다.

그리고 퇴근해서 집에 들어갈 때 아내나 자식이 방에서 나와서 인사 안 하면 밖으로 다시 나간다.

내 가족에게 퇴근 인사를 받지 못하면 내 집이 아니다.

하루를 누구 때문에 살았는데 내가 놀러 갔다 온 것도 아니고 가족을 위해서 열심히 일하다가 가정으로 돌아온다. 그렇다면 가족은 당연히 가장의 수고에 감사하고 반갑게 맞이해주어야 하는 것이 가족의 의무이다.

맞벌이 부부는 서로 가사와 자식 교육 문제를 공동으로 책임지고 나누어서 하는 것이 당연하다. 요즈음 맞벌이 부부가 많다 보니 맞벌이 부부 남편이 가사도 하고 아이도 돌본다고 전업주부도 같이하려고 한다.

맞벌이 부부하고 전업주부는 달라야 한다.

맞벌이하는 가장치고 마음 편한 가장은 없다.

늘 아내에게 미안하고 가장이 부족해서 아내를 생활전선에 내보내는 것 같아 늘 미안하기에 가사를 돕고 양육 문제도 도와주는 것이다.

전업주부는 왜 전업주부인가.

가장이 경제를 책임지고 가사는 주부가 책임지기로 약속하고 분업한 것이다. 요즈음 전업주부는 맞벌이 부부가 하는 것을 보고 가장이 집에 들어와서 안 도와준다고 불만이다.

그것이 불만이면 맞벌이를 같이하고 가사도 가장과 같이하면 되는 것이다.

그런데 전업주부가, 가사에 도움을 받는 맞벌이 부부를 부러워하거나 그것 때문에 불만을 가져서는 안 된다.

나도 어려울 때 아내가 맞벌이했으면 하고 생각할 때도 있었다.

전문인이 아닌 이상 최저임금 정도의 단순 업무를 하느니 나 혼자 힘들면 되리라 생각하고 가정일이나 잘 챙기라고 늘 부탁한다.

가사가 쉽지는 않다.

그러나 직장 일보다는 쉽다.

내 일 내 가족 일이기 때문이다.

직장생활을 하는 주부에게 물어보라.

그 사람이 제일 부러운 것이 집에서 가장이 벌어다 주는 돈으로 집안 생활을 하는 것이 소원이다.

전업주부도 힘들겠지만, 가장이 경제를 책임지고 아침에 출근하는 것에 감사한 마음으로 배웅해야 한다. 또한 가정으로 돌아왔을 때 반갑게 맞아주고 편안히 쉬고 내일 또 힘차게 출근할 수 있도록 도와주어야 한다.

그래서 가장의 출근 배웅 인사를 방 안에서 하는 것이 옳지 않다고 생각한다. 이유는 간단하다.

가장이 출근하지 못하면 그 출근길을 방에서 인사하는 주부가 생활전선에 나가야 한다.

가장은 단순하다.

내 가족이 나에게 감사할 줄 알고 존경하면 비록 내 몸이 산산이 부서지고 자존심이 땅바닥에 떨어져 굴러다녀도 가족을 위해서 죽자 살자 피 터지는 생존경쟁 전쟁터에서 살아남아야 한다.

그런데 요즈음 남편의 몫은 당연한 일이고 아내의 몫은 열녀나 하는 것처럼 비추어진다. 요즘은 모든 주택, 전자제품이 얼마나 편리하고 가사 일을 줄여 주었는가?

아이 대여섯 낳는 걸 하나둘만 낳고, 빨래터는 드럼세탁기, 부뚜막은 싱크대, 가마솥은 전기압력밥솥, 아궁이는 보일러, 장독은 김치냉장고, 호롱불은 LED 전구, 청소는 로봇청소기, 우물물은 냉온 얼음정수기, 한방에 가족 모두가 모여 자는 오두막집, 판잣집은 욕실 딸린 각방에 아파트로, 또한 요즈음 가정주부가 휴대전화기 없는 사람이 있는가 에어로빅, 요가 얼마나 많이 먹어 살찐다고 아침저녁 운동 산책 등산 친구와 모임 몇 개는 당연하고 얼마나 더 혜택을 누려야 하는가?

20평대 아파트는 살면 가장은 무능한 사람 취급당한다.

또한 가정주부가 왜 차가 필요하고 수백만 원 하는 가방이 꼭 필요한가?

앞으로 가사노동은 더욱더 줄어들 것이다.

가사가 줄어든 만큼 가장은 더 열심히 벌어야 한다.

요즈음 가정주부가 누리는 혜택이 얼마나 많은가?
수백 년 전 조선시대 때의 이야기가 아니다.
얼마 전까지 우리를 키워준 어머니들을 왜 벌써 잊었나?

새벽에 눈 비비며 아궁이에 불 때서 가마솥에 밥을 하고 낮에 밭에 감자 캐고 옥수수 따서 보리쌀에 섞어 남편 애들을 먹였다. 밥이 부족하면 어머니는 물에 불린 누룽지로 허기를 달래시고 저녁에 호롱불에 바느질하던 어머니의 기억은 다 남아 있을 것이다.

다시 한번 돌이켜 보자.
우리 어머니들이 비만한 어머니가 있는가?
우리의 어머니가 살이 쪄서 고민하는 어머니가 있었는가.
60~70년대는 비만한 어머니는 단 한 사람도 없었다.

인생살이 3대 서러움, 1. 배고픈 서러움 2. 집 없는 서러움 3. 못 배운 서러움을 이 시대의 아내는 모르고 산다.
최소한 3대 서러움을 모르고 사는 전업주부라면 매일 생업 전선으로 나가는 가장에게 아침 출근 배웅 인사는 해야 한다.

가족 생계를 책임지는 가장의 존경심에 대한 예의라고 거창하게 표현하자는 것이 아니라 생업 전선에 나가서 산업재해, 과로사, 교통사고 등 불의에 사고로 저녁에 집으로 돌아오지 못하는 가장이 1년에 3,000여 명이 있다는 것을 모르고 산다.

배고픈 서러움, 집 없는 서러움, 못 배운 서러움, 부모 없는 서러움, 자식 없는 서러움보다 제일 큰 서러움은 배우자 없는 서러움인 걸 모르고 산다.

나에게 없는 아내만 가진 행복

사랑하는 아내에게 (편지글)

오랜만에 친구들이랑 멀리 가을 여행 간다고 가슴 설레지?

편하게 다녀와. 가정은 내가 잘 지키고 있을 테니 걱정하지 말고 잘 다녀와라. 아들 초등학교 방학 때 체험 학습한다고 가족 여행 가고는 정말 오랜만이지?

어려운 곱이곱이 마다 슬기롭게 잘 참아주고 잘 넘겨주어서 정말 고마워.

앞만 보고 달려오다 보니 우리 가족 여행을 같이 다녀 온 지도 오래되었다.

바쁘다는 핑계와 금전적 여유 없이 사느라 그렇게 되었던 것 같다.

이제 아들도 다 키웠으니 당신이라도 친구들이랑 여행 다니며 수다도 떨고 즐겁게 지내라. 늙으면 부부가 제일이라고 하지만 그래도 고추 친구가 제일 좋다.

늘 당신과 당신 친구들을 보고 있으면 정말 부럽다.

한동네에서 태어나 같이 학교 다니고 중년 나이까지 몰려다니는 것을 보면 그렇게 보기가 좋을 수가 없다. 고향 친구이자 고추 친구가 환갑을 바라보면서 그렇게 정기적으로 만나기가 쉽지 않다.

요즈음 같이 부모 형제도 만나기 힘든 각박한 세상을 살아가면서 옆에 같이 할 친구가 있는 그것이 행복이다.

나에게 없는 당신만이 가진 행복을 잘 간직하길 바란다.

아무리 고추 친구이지만 사소한 일에 마음 상하고 섭섭한 마음이 안 생기도록 친구들에게 당신이 먼저 양보하고 배려했으면 한다. 각자 살아온 것은 비슷하지만 현재의 삶이 서로 다르기에 여러 사람이 모이다 보면 마음은 같으나 서로 생각이 다를 수가 있다.

60년 가까이 살아왔기에 자기 생각이 맞는다고 하면 생각을 바꾸기가 힘든 그것이 중년이다.

당신 친구 말처럼 “우리 나이가 시집 눈치 볼 나이냐?” 하는데 남 눈치 안 보고 자기주장을 할 나이가 되었다.

당신 친구들 모두 그렇게 하여도 당신이 양보하고 배려하면 모두 당신이 가질 수 있는 행복이 될 것이다.

직장생활처럼 먹고 살려는 생계형 모임에서는 어쩔 수 없이 내 주장을 하고 죽자 살자 붙어 잘잘못을 따져야 내가 살아남을 수 있다. 하지만 당신 친구들 모임 같은 것은 내 돈 내고 즐겁고 행복한 모임이 되어야지 조금이라도 섭섭하거나 마음이 무거운 일이 생기면 안 된다.

물론 당신은 잘하겠지만 그래도 꼴에 내가 신랑이라고 노파심에 이야기하는 것이니 이번 가을 여행 재미있게 친구들과 좋은 추억 많이 만들고 오기 바란다.

용돈 많이 주고 싶은데 형편이 안 되어 조금 넣었다.

나도 용돈 좀 많이 주라. 그러면 나도 아내 여행 갈 때 용돈 팍팍 줄 것인데 이번 달에 난 긴축재정이라서 조금 넣었다.

이번 달에는 아들놈이 아빠 용돈 등쳐가고 아내 가을 여행 간다는데 용돈 안 주려니 남편 체면이 말이 아니라서 조금 넣었다.

딴 친구들 신랑한테 용돈 많이 받았다고 기죽지 마라. (내 봉급 당신이 모두 가져가잖아) 이다음 성경 대학 졸업여행으로 유럽 갈 때 용돈을 달러로 많이 줄게. 그래도 친구들에게 남편 자랑할 것이 없으면, 아내 가을 여행 간다고 비싼 여행 가방 남편이 골라주고 사주었다고 자랑해라.

마음 편하게 아무 걱정하지 말고 즐겁게 지내고 그동안 쌓였던 스트레스 제주도에 다 놓아두고 가벼운 마음으로 돌아오길 바란다.

부부싸움이 칼로 물 베기라고?

아내가 갱년기에 접어들면서 성격이나 하는 말투가 많이 변해서 한 번씩 당황한다. 내가 너무 고생시켜서 그런 것 같다. 내가 성질도 나지만 이제는 애도 다 키웠으니 자기 하고 싶은 것 하라고 내버려 둔다.

집안 살림하는 여자가 봉급쟁이 나보다 더 바쁘다.

나도 젊은 시절 사업 핑계로 집에 잘 안 들어가고 가정에 소홀한 것이 많아 이제는 대충 마음에 안 들어도 넘어가려고 한다.

사소한 일로 부부가 싸우는 것도 귀찮고 또 싸움하는 순간 지기가 싫다.

부부싸움 칼로 물 베기라고 하지만 싸움하면 자존심 때문에 목숨을 건다.

지면 어떻고 이겨도 남는 것도 없는데 항상 부부싸움이라는 것이 사소한 데서 시작하여 자존심 대결로 간다. 그래서 될 수 있는 한 요즘은 그냥 넘어간다. 어지간히 서운한 점이 있어도 자꾸 양보하고 귀찮아서 그냥 넘어가니 요즘은 아내가 앞뒤 없이 자기주장만 하는 느낌이 자꾸 들어 섭섭한 마음이 자꾸 든다.

며칠 전에도 다툴 일이 있었지만, 그냥 넘어 갈려다 도저히 안 되겠다 싶어 편지 한 장 썼다.

아내에게는 편지 한 장 쓰기가 잘 안 된다.

연애할 때는 편지도 한 번씩 주고받았지만 결혼해서는 아침저녁으로 매일 보는데 편지 주고받을 일이 별로 없다.

그렇다고 섭섭함을 가슴에 담아 두면 언젠가는 폭발할 것 같고 또 그전에 내 성격에 말 안 하면 삐져서 쫀쫀하게 굴 것 같아, 편지를 썼는데 써놓고 보면 낯간지럽고 해서 못 보내는데 마침 좋은 글이 있어 내 마음 대신 같이 전했다.

어쩌면 청각장애인도 아니면서 글로 마음을 전달하는 것이 그렇지만 말 몇 마디 주고 받다 서로 의견이 안 맞아 또 충돌되는 것보다 나을 것 같다.

어쩌면 서글픈 일이지만 부부가 사는 것이 별거인가 그냥 살 비비며 살면서 조금 양보하고 그냥 살면 되는 데 쉬운 것이 더 행동으로 하기 힘들다.

서로가 바라는 것이 많고 그놈에 얼어 죽을 자존심 때문에 각자 자기 관점에서만 말하니 마주치면 피해야지, 부딪치면 죽는다. 두 사람 모두

싸움은 패자만 있고 승자가 없는 싸움을 하지 않는 것이 기본 원칙이다.

부부싸움은 승자도 없고 두 사람 다 상처만 남는 패자뿐인 싸움이다. 그래서 부부싸움은 시도조차 하면 안 되고 그것도 안 되면 피해야 한다.

이것이 부부싸움의 원칙이다.

고독과 외로움 속에 자유를 즐긴다.

어제 이경규가 진행하는 힐링 캠프에 한석규가 출연한 프로를 잠시 보았다. 늘 퇴근하면 TV 시청하는 것이 전부이지만 어제 본 영화배우 한석규가 한 말이 내 머리를 떠나지 않아 몇 자 적어 본다.

토크쇼라 시시콜콜한 말을 많이 하지만 "고독과 외로움 속에 자유를 즐긴다"라는 한석규 말에 내가 너무 늦게 깨우친 것 같다.

객지 생활을 많이 해서 난 늘 외롭고 고독하다고 생각하고 늘 힘들어했다.
과거에도 그랬고 지금도 늘 그렇게 생각했다. 그런데 한석규의 말을 듣고 보니 나처럼 자유를 만끽하고 살은 사람이 드물 것 같다.

그랬다.
비록 퇴근하여 휑한 숙소에 들어가면 아침 9시까지 어쩔 수 없는 묵언수행 하며 살았다. 혼자 있기가 싫어 퇴근할 때 동료들과 어울리는 시간을 많이 만들려고 했다.

혼자 있으면 '내가 왜 이렇고 살까?' '누구를 위하여 이러고 사는지?' 혼자 있을 때 별별 안 좋은 생각만 했는데 돌이켜 생각해 보니 난 자유를 만끽하며 내 멋대로 살았다.

그래서 오히려 가정으로 돌아가면 가족이라는 테두리 안에서 답답하고 오히려 적응하지 못한 것 같다.

"자유"

짧게는 한주, 길게는 한 달을 내 멋대로 살다가 가정으로 돌아가면 무언가 불편하고 불만이었다. 하지만 그것이 내 가족 때문이 아니고 내가 자유에 몸이 길들어져 가족이라는 것을 오히려 불편해한 것 같다.

하루 16시간을 아무 간섭도 받지 않고 누구도 건드리지 않는 세상에 살았다. 그러다가 주말 48시간을 가족과 같이 보내는 것이, 가족이 나에게 불편해한 것이 아니라 내가 가족에게 맞추어 산다는 것이 더 불편했으리라 생각한다.

먹고 싶으면 먹고 먹기 싫으면 안 먹어도 되었다. 하지만 가정으로 돌아오면 식사 시간도 맞추어야 하고 메뉴도 가족에게 맞추어야 하니 내가 더 불편한 것 같다.

가족에게 맞추어야 하는 것이 그런데도 내가 고독하고 외롭다고 느끼고 늘 소외감에 살았다.

내가 누린 자유는 잊어버리고….

아들 아르바이트

우리 몸은 사회 적응을 잘한다.60~70년대 휴일 없이 일할 때는 아무런 이상 없이 일했다. 70~80년대에 휴일이라는 것이 생기면서 일주일에 하루를 쉬었다.

일요일에 쉬는 직장은 축복받은 직장이다.

90년대를 들어서면서 노조가 생기고 많은 희생을 치르고 휴일에 쉬지는 못했어도 휴일에 근무하면 휴일근무수당이라는 돈으로 보상받았다.

지금도 휴일 없이 근무하는 직장인들도 많고 휴일 근무를 해도 휴일근무수당을 보상받을 수 없는 직장도 수두룩하다. 다행이지만 나는 휴일에 근무하면 돈으로 휴일을 보상받는다. 그런데 요즘은 주5일 근무에 몸이 적응하여 휴일 근무하려니 몸이 말을 듣지 않는다.

아침에 일어나기 싫고 출근하기도 싫다.

저녁이면 몸도 피곤함을 제대로 느낀다.

주5일 근무가 내 몸에 익숙해져서 휴일 근무하려면 몸이 말을 듣지 않는다. 그래도 휴일 근무를 한다.

몸뚱어리는 휴일 근무를 안 하려고 발버둥 치지만 지친 몸을 이끌고 내 몸뚱어리에 사정하면서 휴일에 출근한다. 휴일 근무를 하면 돈으로 휴일을 보상받기 때문이다.

얼마 전 연봉협상 테이블에서 연봉을 삭감되는 현실에 부딪쳤다.

회사에서 어려운 사정을 설명하면서 내 연봉은 삭감하지 않고 대신 휴일근무수당을 조금 삭감하자고 하여 감사한 마음으로 받아들였다.

어쩌겠는가? 구조조정에 연봉조정까지 하는 처지에 연봉은 삭감하지 않는다는 조건을 받아들이지 않을 간 큰 50대 직장인이 있겠는가?

물가는 천정부지로 오르고 자식새끼는 이제 대학에 입학했는데 어쩌겠는가? 이토록 지루하고 힘든 불경기 속에 살아남은 것에 감사해야 할 처지에 그나마 연봉에 손대지 않겠다는 회사의 말에 감사하고 감사한 마음으로 받아들였다.

휴일에 가족끼리 여행·외식·나들이 못 해도 그냥 집에서 긴장을 풀고 푹 자고 아내가 차려준 밥상을 받고 고기반찬 없다고 투정 부리며 밥을 먹는다. 하나밖에 없는 아들놈 데리고 목욕탕에 가서 등이라도 밀어달라고 하면 대충 어설프게 밀어주는 자식 놈의 포근한 손 느낌을 느끼며 목욕탕을 나온다. 아들과 치킨에 생맥주 한잔하고 취기가 오르면 자식 놈 부축을 받으며 아내를 불러낸다. 노래방으로 가서 자식 놈은 모르는 7080 노래 한 곡조 목에 핏대가 오르도록 빽빽 부르고 싶은 것이 베이비붐세대에 태어난 가장들이 꿈꾸는 마음이자 휴일의 행복이 아니겠는가?

휴일에 가족들과 나들이 간 적은 기억에 없고 외식 한번 그럴듯하게 한 적도 없다. 왜 휴일에 가족들과 나들이 가고 싶지 않고, 외식하고 싶지 않겠는가?

잠시 나들이하고 외식하면 아내 눈치를 보아야 한다.

나들이 외식비가 한 달 생활비라고 옷 한 벌 값이라는 잔소리 듣기가 싫다. 늘 빠듯하게 살아가는 아내에게 미안하고 적게 벌어 주는 것이 죄인 같은 마음이 들어서 가족 나들이와 외식은 잊은 지 오래다.

자식 놈 중·고등학교 다닐 때는 자식 놈 공부하는데 눈치가 보여서 미루었다. 이제는 자식 놈 대학 입학시켜놓고 나니 벌써 등록금 걱정에 푼돈이라도 모으는 아내의 모습이 보인다. 그렇다 보니 나들이, 외식을 하자는 말은 입에 떨어지지 않아 그냥 이렇게 살아간다.

어렵게 아들놈을 대학 입학시키고 아내하고 나하고 약속했다.

물려줄 재산은 없지만, 대학 등록금은 우리 손으로 해주자고 했다.

세월이 좋아 등록금 융자가 잘 되니 당장은 융자 내어 등록금은 낸다고 한다. 하더라도 나중에 다 아들놈의 빚이 되니 그것만은 하지 말자며, 아내가 허리끈을 쪼아 맨다.

나도 할 말은 없지만 그렇게 하자는데 어쩌겠는가? 남만큼 벌지 못하는데.

그냥 어부인께서 시키면 시키는 대로 해야겠다.

얼마 전 아들놈이 전화가 와서 엄마가 아르바이트 못 하게 한다고 투정을 부렸다. 6월에 국방의무를 마치고 내년 3월에 입학해야 한다. 그동안 마음껏 놀라고 했는데 노는 데도 지겨웠는지 아르바이트를 하겠다고 했는데 아내가 하지 말라고 했다는 것이다. 아내에게 물어보니 커피숍에서 아르바이트한다고 하여 반대를 했다고 한다.

기가 찼다. 평소에도 나보다도 아들놈에게 목숨 걸고 살지만 아내가 말하기를 "사실은 대학생이 커피숍에서 아르바이트하는 모습이 별로 보기가 좋지 않았다"라고 한다. 아내가 보수적이고 대학생이 된 아들 녀석이 커피숍에 아르바이트하는 것이 성에 차지 않는 것 같다.

대학생이면 대학생에 맞는 아르바이트를 하라고 했단다. 과외를 하던 관공서나 도서관 아르바이트하라는 것이었다. 나는 몇 푼 벌어 보려고 주말에 집에도 가지 않고 눈에 쌍심지를 켜고 휴일 근무를 하는데 아들놈에게는 아르바이트하지 말란다. 기가 차고 억장이 무너진다.

대학생 된 아들을 대학생답게 곱게 키우려는 엄마의 마음을 모르는 것은 아니다. 하지만 남편은 죽으라고 부려 먹으면서 자식 놈에게는 그렇지 않은 모양이다.

내가 한발 물러나서 아들을 이해시켰다.

엄마의 마음을 설명해 주고 이번만큼은 엄마에게 양보하자고 했다. 목에 칼이 들어와도 내 뜻대로 하는 내 성격에 양보하자고 하니 아들놈도 의아해하면서도 부모의 뜻에 따랐다.

새삼 착한 내 아들 녀석이 대견스러웠다. 부모 형제 복은 없어도 처자식 복은 있는 것 같다. 그렇기에 사는 재미가 있어 이렇게 살아가는 것이 아니겠는가?

사실 아들 녀석이 커피숍에서 한 달을 아르바이트해 보았자, 내가 휴일 근무 4번만 하면 내가 더 많이 받을 것이다. 하지만 나는 아들 녀석에게 아르바이트하면서 컵도 깨고 실수도 하고 해서 꾸중도 들어보는 것을 권하고 싶었다. 때로는 깐깐한 손님을 만나 욕도 얻어먹고 억울한 일도 당해 아무도 없는 곳에서 눈물을 흘리며 사회의 쓴맛을 보기를 원했다. 그렇게 한 달을 일하고 일한 대가를 몇 푼 안 되는 돈을 손에 쥐어 보아야 돈의 소중함과 돈을 버는 것이 얼마나 힘들다는 것을 깨우쳐야 한다고 생각했기 때문이다. 그래서 아르바이트를 시키려고 했는데 아내의 꿈인 반듯한 대학생으로 키우고 싶은 아내의 마음을 이해하기에 이번에는 내가 한발 물러섰다.

이제 나도 나이를 들어가며 많이 철들었다.

옛날 같으면 어림도 없는 일이지만 나이가 들어가면서 아내의 속마음을 읽을 수 있기에 자꾸 양보하는 일만 생긴다. 그래서 남자는 나이 들면서 아내에게 져준다고 하는 것 같다.

오늘 점심 먹으려 유명 식당에 갔다.

물론 대접받으러 갔지만 식당에 여행객이 많이 왔다.

가족과 같이 온 사람, 연인과 같이 온 사람 등 여러 사람이 왔지만, 근무복을 입고 식사하는 우리 일행이 덩그러니 눈에 띄었다. 나는 아무 말도 하지 않고 밥만 먹고 식사를 끝내고 돌아오는 차 안에서도 아무 말도 하지 않았다. 그러나 혼자 속으로 투덜거렸다.

"제기랄 나도 언제쯤 휴일에 저렇게 가족이나 연인들과 같이 관광지에서 밥 한번 먹어보지?"

휴일에 근무복을 입은 나의 모습이 오늘따라 왠지 초라하게 보였다.

휴일에 근무하는 것을, "직장을 잃은 가장들이 얼마나 부러워하는지 알아라."라는 아내의 말도 잊은 채….

그러나 다음 주에도 휴일 근무를 해야 할 것 같다.

아들 녀석 아르바이트 비를 내가 대신 채워 주어야 하기 때문이다.

살맛 나는 세상, 나는 존경받는 행운아다

아들이 고3 때 대학교 시험 면접에서 떨어져 담임 선생님과 면담했더니 아들놈이 입학 사정관 면접 질문에 "존경하는 사람이 누구냐"라고 물었는데 아들놈이 "아버님입니다"라고 너무 평범한 대답을 해서 면접시험에 떨어진 것 같다고 했다.

그렇게 대답하면 대부분 떨어진단다.

쉬운 대답하지 말라고 고등학교에서 면접시험을 가르쳐 보냈다는데 그렇게 대답했단다. 담임선생님 앞에서는 참 "멍청한 놈이다"라고 하고 나왔지만 나는 기분이 좋았다.

참 웃기는 세상이다.

"아버지를 존경한다는데 뭐가 문제야. 그런 대학 안 가도 된다. 등록금이 아깝다 재수하든 삼수를 하든 아빠가 시켜 줄게. 난 내 자식이 자랑스럽다." 하며 솔직한 내 속마음을 내비치지 못했다. 아들놈에게 미안한 마음으로 "다음 면접시험 때는 특별한 사람 정해놓고 그 사람에 대하여 잘 알고 면접시험 봐라."라고 했다.

대학입시 준비하면서 공익 근무를 하는 내 아들을 볼 때마다 내 삶의 의지가 되고 항상 대견하고 나 자신이 뿌듯한 걸 보니 나는 애처가는 아니어도 아들 바보인 것이 나를 행복하게 한다.

IMF 때 집안이 몰락하고 그 여파로 사업이 모두 망한 뒤 가지 못할 곳도 다녀왔다. 사십이 넘어 땡전 한 푼 없이 고향을 등지고 처가까지 내려와 몇 번을 삶을 포기하고 싶은 유혹에서 벗어났다.

오래되고 작은 아파트지만 누구의 도움 없이 처자식이 따뜻하게 겨울을 지낼 수 있는 보금자리도 있다. 매달 내가 벌어다 주는 돈으로는 부족하지만, 남에게 손 안 벌리고 빚 없이 알뜰살뜰, 오순도순 사는 처자식의 모습을 보면서 행복을 느낀다.

인생의 반려자로 만나 집안이 풍비박산이 나도 시부모님을 돌아가실 때까지 모시고 직설적이고 단순한 성격의 남편에게 순종하며 곁을 지켜준 아내가 있다.

어려운 환경 속에서 못난 아버지에게 말대꾸 한마디 하지 않고, 말썽 한번 부리지 않으며 잘 자라 준 모범생 아들이 아빠의 삶의 활력소를 부어 넣어주었다.

이렇게 나를 지켜주니 세상에서 나보다 행운아가 또 있겠는가?

가족들도 철없는 남편 못난 아빠에게 불만 하나 없이 늘 감사하게 생각하고 나 역시 풍족하게 해주지 못해 늘 미안한 마음이 많다.

그렇게 사는 내 가족들을 보면서 이제야 내가 행복한 행운아라는 것을 알았다.

처자식에 대한 반성

살다 보면 모든 것이 다 내 뜻대로 되면 좋겠지만 삶의 99%는 내 뜻대로 되지 않는 것이 인생살이다.

그래서 내 뜻대로 안 되면 맞추어 주면서 사는 것이다.

남남이 만나 남으로 살아온 시간보다, 이제는 더 많은 시간을 같이 살아왔지만, 아직도 서로의 생각과 사고가 다르니 어쩔 수 없이 맞춰 살아가야 할 것 같다.

부부라는 것이 서로서로 이해하고 보듬어 주면서 의지하며 사는 것이라 했는데 이해하고, 책임은 잊고 의지만 하려는 것이 아닌지 나 스스로 돌아보게 한다. 서로의 입장만 생각하고 상대의 모자람이 더 크게 느껴지는 것에 서운해하고 아쉬워하고 있지 않은지 돌아보게 된다.

그리고 자식도 내 소유물이 아니다.

아무리 내 피와 살로 만들어 나보다 더 중요한 분신이지만 이제는 한 사람의 인격체일 뿐이다.

아직 부모 그늘에서 눈칫밥 먹고 살지만 언제 가는 부모 곁을 떠나겠지?

도와줄 수 있을 때 조금 더 데리고 있다고 생각하고 조급하게 생각하지 않으려고 한다.

부모 마음이야 다 똑같지만 어찌하겠나?

내 새끼가 남들보다 조금 늦는걸….

나의 훌륭한 어머니 장모님

4남매를 잘 키워낸 훌륭한 어머님이라고 내가 감히 남들에게 제일 존경하고 자랑하는 분이다.

4남매 다 키우실 때까지 얼마나 힘드셨을까?

배울 만큼 배우고 남들에게 빠지지 않는 직장과 직위를 가진 나도 자식 한 놈 대학 시키는데 힘들다.

요즈음 아이들 유별나게 키운다고 하지만 자식 한 놈 대학 졸업시키는데 내 모든 것을 바쳤다. 모든 것을 다 바치고 나니 이젠 남은 것은 늙은 몸뚱어리와 대책 없는 노후만 남았다.

장모님은 후회하지 않을 만큼 4남매 잘 키워 다 출가를 시키셨다. 자식들에게 손 내밀지 않고 두 분 잘 계시면서 여든 중순에도 늘 자식들 걱정을 하신다. 찾아뵐 때마다 무엇이라도 손에 챙겨 쥐여 주시니 뵐 때마다 나도 저 나이에 저렇게 살 수 있을까? 하는 의구심이 든다.

장모님은 내가 제일 존경하는 분이다.

내가 있을 때 잘 해드려야 하는데 하면서도 마음뿐이다. 젊은 시절에는 고생하시는지 몰라서 못 했고, 철이 들어 잘해드리고 싶었지만 내 자식 하나 키우는 데 급급하다 보니 늘 죄송한 마음뿐이다.

벌써 여든을 넘긴 적잖은 나이인데 이다음 또 후회할 일을 만든다.

또 내 부모님처럼 돌아가시고 후회할 일만 남긴다.

내가 존경하는 사람

일흔 중반이 넘어서 은퇴하는 장모님께(편지글)

돌이켜 보면 장모님을 뵌 지가 수십 년이 되었는데 장모님께 제 속에 있는 이야기를 한마디도 못 한 것 같습니다.

평생을 가게 일만 하셔서 만나 뵐 때마다 항상 바쁘신 장모님과 시간 내어 편하게 마음에 담은 이야기 한마디도 못 나누고 늘 그냥 돌아왔습니다.

장모님 그동안 수고 많으셨습니다.

일흔이 넘은 연세에도 여태껏 찬 바람 부는 갯가에서 손님 비위 맞추며 횟집 운영이 매우 힘들었을 것입니다. 그래도 평생을 바친 곳인데 어느 날 갑자기 자리를 물러나니 얼마나 아쉬운 마음이 드셨습니까?

그러나 이제는 장모님도 편히 쉴 때가 되었다고 생각합니다.

장모님 마음이야 늘 가게를 하실 수 있겠지만, 그동안 평생을 가게에서 고생하시며 4남매 모두 다 잘 키우셨습니다. 이제는 편하게 늦잠도 주무시고, 이집 저집 놀러 다니십시오. 또한 맛있는 것도 드시고, 손주들 재롱 보시면서 편안하게 지내십시오.

자식들 모두 공부 다 시키시고 출가시켰으니 조금은 편안하게 지내셔야 하는데 저부터 뜻하지 않은 일로 장모님께 걱정시켜드려 늘 송구스럽게 생각합니다. 저는 평소 존경하는 사람이 두 사람이 있는데 한 사람은 박정희 대통령이고 한 사람은 장모님입니다.

어디를 가도 나는 늘 그렇게 이야기합니다.

제 나이 오십 세를 넘어서, 저도 자식을 키워보니 저의 어머니와 장모님을 자꾸 비교하게 됩니다. 한때 남부럽지 않은 많은 재산과 부귀영화를 누리면서도 자식들을 잘 키우지 못해 돌아가실 때까지 어머니는 자식 덕을 보지 못하고 임종하셨습니다.

제 아내는 내 부모님은 부모 도리 다했다고 늘 나에게 말합니다. 하지만 아직 내 마음속에는 부모님을 향한 원망과 미움을 지우지 못해 이렇게 못난 놈으로 살고 있습니다.

돈이 뭔지 재산이 뭔지 항상 자식보다 돈이 먼저인 우리 엄마를 생각합니다. 잊을 때도 되었건만 돌아가신 지 벌써 10년 훌쩍 넘어가는데도 아직도 내 가슴속에 원망과 미움을 버리지 못하고 있습니다.

매년 한 번은 성묘도 하러 가고 제사도 잊지 않고 지냅니다. 하지만, 제가 엄마를 그리워하고 고마워서 제사를 모시고 성묘를 하는 것이 아닙니다. 이제는 돌아가신 분에 모든 것을 이해하고 화해했으면 좋겠는데 어려움이 닥치고 힘들 때마다 엄마부터 원망합니다. 그렇기에 제사라도 모시면, 성묘라도 가면 내 마음이 편해질 것 같아서 한 번도 빠지지 않고 제사를 모시고 성묘를 가지만 제 마음에 응어리는 풀리지 않습니다.

제가 부모님을 미워하고 원망하는 못된 놈이고 배은망덕한 자식이지만 많은 것을 잃고 모든 것을 포기하고 싶을 때 장모님이 계시지 않았으면 저는 아마 지금 이 세상 사람이 아니었을 겁니다.

묵묵히 저를 믿고 속 타는 마음 다스려가면서 지켜보아 주시고 만날 때마다 격려해 주셔서 감사드립니다. 때로는 자식에게도 막막하고 조바심이 날 때도 있지만, 이끌어 주기보다는 지켜보시면서 격려해 주신 가르침을 기억하며 장모님 방식으로 자식을 교육하고 가르치고 있습니다.

그 가르침 잊지 않겠습니다.

존경합니다. 장모님

어머님이라고 부르고 장모님이라고 쓰는 어머니

존경하는 장모님 (편지글)

저 때문에 마음고생 많이 하셨으리라 생각합니다.

자식을 키워보면 부모 마음을 안다고 했는데 저는 자식을 키워보면 볼수록 더 저의 부모님을 이해하지 못하고 원망할 뿐입니다.

돌아가실 때까지 단 한 번이라도 미안하다고 말 한마디만 해주셨더라도 이렇게 원망하지 않았을 겁니다. 아내도 저 때문에 육체적, 정신적으로 고생이 많았습니다.

저의 어머니께서 모질게 하여도 모자 연을 끊을 수도 없고 그렇다고 나도 힘든데 마냥 따를 수도 없었습니다. 그런 가운데 제 아내가 중간에서 내 몫까지 우리 부모님께 잘해주어 평생 갚아야 할 빚으로 남아 있습니다.

지금도 제 아내에게 우리 어머니가 진 빚을 갚으려고 객지에서 이러고 있지만 늘 장모님만 생각하면 마음이 아픔이다.

장모님 반만 나에게 해주셨다면 지금처럼 이렇게 힘들지 않게 살 수 있었을 것입니다. 하지만 모든 것이 자식보다 돈이 먼저인 저의 부모 때문에 자식은 자식 데로 이렇게 죄인이 되어 삽니다.

존경하는 장모님

결혼해서 잠시 감포에서 장모님과 같이 살면서, 살아가시는 모습을 보고 많이 깨우치고 열심히 살고 있습니다.

저도 장모님처럼 열심히 살려고 노력합니다.

장모님의 반도 따라갈 수는 없지만 그래도 장모님을 저의 본보기로 삼고 닮으려고 늘 노력합니다.

지난 시절에 얽매여 사는 것이 힘든 고통이지만, 장모님에 비하면 아무것도 아니라는 것을 압니다. 항상 힘들 때마다 부모를 원망하는 것을 보면, 아직 장모님을 따라가려면 한참 멀었고 철이 들지 못한 것 같습니다.

장모님께서는 아직도 자식들을 보면 걱정이 많으시겠지만 이제 그런 걱정하지 마십시오.

다들 고만고만하게 잘 삽니다.

제가 볼 때는 아무 걱정하지 않아도 될 것 같습니다.

제 아내가 한 때 저로 인하여 장모님께 걱정을 끼쳐드렸는데, 적은 봉급이지만 통째로 아내에게 보내 알뜰히 살림을 살고 있습니다. 아내도 하고 싶은 것 더 많이 하도록 제가 옆에서 도와주도록 노력하면 될 것 같습니다. 아내는 내가 더 많이 잘 챙겨 줄 것을 장모님께 약속드리겠으니 걱정하지 마십시오.

남편보다 하느님을 더 좋아하고 믿어서 성당에 잘나가 처신 잘해서 많은 사람에게 칭찬받고 성당에서 많은 재미와 즐거움을 느끼고 있어 지금처럼 제가 돈만 열심히 벌어다 주면 걱정할 것이 없습니다.

처남은 손해사정사가 되어 평생 먹고사는 데 지장 없으니 걱정 내려놓아도 될 것 같습니다.

처제는 워낙 알뜰하고 백 서방도 잘하니 둘이서 자식 잘 키우고 잘 살아 있으니 걱정할 것이 없고요.

막둥이 처남은 그래도 회사 나가면 넉살이 좋아서 사회생활 잘하고 처남댁도 생활력이 강한 사람이라서 자기 몫은 다하니 걱정하지 않아도 될 것 같습니다. 특히 막내처남은 아들 두 놈이 워낙 잘생겨서 엇길로 나가지 않을 것입니다.

나중에 두고 볼 일이지만 막내처남은 아들만 쳐다보아도 살판날 것입니다.

그러니 이제 장모님, 장인어른만 생각하시고 다른 걱정은 하지 마시고 편안하게 사십시오. 평생을 일하시던 장모님이 아침에 일어나 할 일이 없다는 것이 적적하실 것입니다.

가게 때문에 평생을 명절에도 쉬지도 못하고, 매달려 사셨으니 이제는 못 하셨던 일들을 마음껏 하시고 만나고 싶은 사람들과 다니고 싶은 곳 다니십시오. 아버님께 어디 나가는 것을 싫어하시면 어디 갈 때 큰딸 앞장세워 가십시오.

저도 객지에 있고 아들도 대학생이라 자기 일은 스스로 알아서 하니 걱정하지 마시고 큰딸 데리고 다니세요. 제 아내도 장모님께 잘하겠지만 그래도 장모님 마음 불편하게 하면 저에게 전화해 주십시오. 그러니 조금도 마음 개의치 마시고 다니고 싶은데 다니시고 하고 싶은 것 다 하시고 사셨으면 합니다.

제가 어른에게 감히 드릴 수 없는 말씀이지만, 그래도 내 몸이 움직일 수 있을 때 여기저기 다니셔야 합니다. 평생 장사하느라 몸이 좋지 않겠지만, 그동안 마음은 있어도 장사하느라 가보지 못한 데는 마음이 내키는 데로 다니세요.

감포 집에서 답답하면 우리 집에라도 자주 오셔서 편안하게 쉬었다 가십시오. 우리 집은 사위도 없으니 편하실 것입니다. 당분간 사위는 멀리 있으니 편안하게 딸내미가 차려준 밥 드시고 여기저기 놀러 다니십시오.

성격은 장인어른을 닮아 애살스럽지 못해 남 비위를 맞출 줄도 모릅니다. 자기 하기 싫은 일을 억지로 하고 나면 얼굴에 티가 나고 머리도 아프고 허리가 아프다고 잘 드러눕습니다. 하지만, 남에게 신세 지는 것 싫어하고 곧은 데로 살려고 하니 조금 피곤하시겠지만 나이 들면 "딸과 친구가 된다."라고 합니다.

똑같이 자식 낳아 키우면서 마음을 서로 알고 이해하기 때문에 이 세상에서 제일 친한 친구 사이처럼 될 것 같습니다. 그러니 편안하게 큰딸 앞장세워 가고 싶은데 많이 다니세요.

제가 경주에 있으면 제가 좋은 곳에 많이 모시고 다닐 텐데 요즈음 저도 경주에 자주 가지 못합니다. 저도 주말이 되면 객지에 있다가 보니 집밥도 먹고 싶고 집에 가서 쉬고도 싶지만, 경비를 아끼려고 주말에 회사 숙소에 있습니다.

집에 가고 싶지만, 금요일 늦게 올라가서 일요일 점심 먹고 내려오는데 왔다 갔다 경비 부담됩니다. 많지도 않은 봉급에 아내에게 다달이 용돈을 타서 쓰다 보니 아내에게 따로 기름값 달라고 손 내밀기도 자존심이 상합니다. 또 아들 녀석이 여자 친구가 순천에 있어 저에게 한 번씩 오는데 아비 찾아오는 자식 놈 손에 엄마 몰래 용돈이라도 쥐여 주며 아빠 노릇 하려고 경주에 가질 않습니다.

주말이면 제가 있는 주변에 유명한 관광지도 많지만 나가지 않고 집에만 있습니다. 나가면 어딜 가도 돈을 써야 하니, 집에 있는 것을 무조건 절약하는 것으로 생각하고 집에 꼭 붙어 있습니다.

그래서 요즈음에는 주말에 집에 있으면서 KBS2 저녁 8시에 방송하는 주말연속극 '참 좋은 시절'이라는 드라마를 즐겨봅니다. 물론 연속극도 재미있지만 모든 것을 경주에서 촬영하여 경주 구석구석이 나옵니다. 연속극을 보면서 마음이 많이 아려옵니다.

대구가 고향이지만 대구는 생각하기도 싫고, 연속극이지만 경주가 나오면 많은 생각을 합니다.

경주가 내 고향처럼 느껴집니다.

장모님도 저처럼 그러신지요?

장모님이나 저나 똑같이 고향이 대구이지만 어째 대구는 생각하면 할수록 화가 나고 생각하기가 싫습니다. 텔레비전으로 보는 경주는 내 고향처럼 가고 싶은 것이 마음이 이상해집니다. 그래서 주말마다 경주가 나오는 연속극을 나도 모르게 봅니다.

늘 무심코 지나던 길인데 텔레비전에서 보니 좋은 곳이 많이 있더라고요.

경주에도 좋은 곳이 많습니다. 우리 집에서 가까운 황성공원도 그렇고 천마총, 불국사, 안압지 박물관 여러 곳에 좋은 곳이 많습니다.

이제 시간이 넉넉하고 경주시민에게는 돈도 받지 않으니 가까운 곳부터 산책 삼아 다녀보세요.

연세도 많으시고 몸도 좋지 않아서 장모님께서 가게를 하지 않으신다고 할 때 저도 반겼지만, 막상 그만두시고 나니 장모님 걱정이 많이 됩니다.

고생도 많이 하셨지만, 평생을 하신 일이고 아침에 일어나셔서 할 일이 없으면 장모님이 허전하시면 어쩌나 하는 것이 제일 걱정입니다.

장모님 한동안 아침에 일어나시면 할 일이 없어서 멍하실 것입니다. 평생을 새벽이면 지친 몸을 이끌고 찬 바람 쐬며 새벽에 가게를 나가셨는데 어느 날 갑자기 아침에 일어나 갈 곳이 없으면 많이 허전할 겁니다. 그럴 때는 텔레비전도 보시고 하실 일이 없어도 이것저것 조그마한 소일거리라도 찾아서 재미를 붙여 보십시오.

일찍 일어나셔서 잠이 오지 않으면 어판장에도 놀러 가시고 육거리에도 가보세요. 막상 돈 벌려고 어판장에 가는 것과 놀기 삼아 어판장에 가는 것이 아주 다를 것입니다. 그래도 마음이 허전하거나 살아온 것이 허무한 마음이 들거든 늘 다니시던 절에도 가보시고요.

존경하는 장모님

몇 년 전부터 저도 장모님께서 육거리에 장사하시는 모습을 볼 때마다 마음이 많이 아렸습니다. 추운 겨울날 연세 드신 장모님께서 찬 바람 부는 밖에서 손님 한 사람이라도 더 받으려 앉아 계시는 모습을 볼 때마다 안타까웠습니다. 이제는 그만두고 좀 쉬시지, 하는 마음이 많이 들었지만 차마 말은 꺼내지도 못하고 저 혼자 아픈 마음을 달랬습니다.

요즈음 참 좋은 세상입니다.

2시간이면 서울에 가고, 세상에 맛있는 음식도 돈 주면 모두 사 먹을 수 있고 상상을 초월할 만큼 좋은 곳도 많습니다. 물론 장사하면서 동네 사람들과 전국 여행도 많이 다니셨을 것입니다. 그래도 여러 사람과 시간에 맞춰 짜인 여행 코스를 다니시는 것보다는 가까운 곳을 가시더라도 천천히 구석구석 시간을 가지고 편안하게 다녀보세요. 재미있고 신기한 것이 많을 것입니다.

장모님께서 자식 넷 키워 출가시키고 손주들 대학 들어갈 때까지 마음 졸이며 걱정하시고 자식들에게 신세 안 지려고 일흔이 넘으실 때까지 횟집을 하시는 동안 세상은 엄청나게 바뀌었습니다.

좋은 곳도 많고 갈 곳도 많습니다. 천천히 차근차근 좋은 세상 즐기면서 사시길 바랍니다.

저라도 장모님 곁에 있으면 주말에라도 시간 내어 장모님 모시고 다닐 건데 멀리 떨어져 있어 말만 이렇게 하고 모시고 다니지 못해 죄송합니다.

대신에 큰딸과 드시고 싶은 것 드시고 가까운 곳부터 놀러 다니세요.

장모님께 드릴 말씀은 많은데 막상 하고 싶은 말은 다 못한 것 같습니다.

그냥 변변치 못한 큰사위가, 장모님 그간 고생 많이 하셨습니다, 그러니 앞으로는 아무 걱정하지 말고 편안하게 하시고 싶은 것 하시며 사시라는 말을 두서없이 이렇게 말씀을 드렸습니다. 그리고 장모님은 내가 존경하고 훌륭한 장한 어머니라는 말씀을 꼭 말씀드리고 싶습니다.

장모님 사랑합니다. 그리고 존경합니다.

저의 부모님께 죄송하고 불효막심한 놈일지라도 우리 엄마보다도 열 배, 백배 사랑합니다. 장모님을 만나 부모의 사랑이 어떤 것인지를 깨우쳤습니다. 저도 장모님처럼 내 자식에게 몸으로 사랑을 실천하는 것을 배웠고 그렇게 살려고 노력합니다.

건강하게 사셔서 제 곁에 오래오래 계셔주십시오.

아들 녀석 졸업시키고 나면 저도 시간의 여유를 가지고 장모님 모시고 여기저기 놀러 다니겠습니다.

장모님이 그렇게 하셨겠지만, 저도 지금은 아들놈 대학 졸업시키는 그것밖에 생각을 못 합니다. 아들 대학 졸업시키고 조금 여유가 생기면 제 부모님에게 못한 효도를 장모님께 다해드리겠습니다.

내가 이 세상에서 마지막 할 일은 아들 대학 졸업시키고, 장모님 모시고 여기저기 놀러 다니며 맛있는 것 사 먹고 구경하며 모시고 다니는 것이 저의 마지막 도리라고 생각합니다. 그때는 나이 먹은 사위라 조금은 불편할지 모르시겠지만 크게 할 일도 없고 세대 차이도 얼마 나지 않아 오히려 같이 다니기 좋을지도 모릅니다.

오늘 장모님께 처음 편지를 쓰면서 결혼 후 처음으로 장모님이라고 불러 봅니다. 글을 쓰면서 어머님이라고 하려니 저의 어머니와 헷갈려서 장모님이라고 썼습니다. 장모님은 제 아내가 맺어준 또 다른 저의 어머님입니다.

그래서 여태껏 살면서 장모님이라고 하지 않고 늘 어머님이라고 불렀습니다.

늘 감사합니다.

마음에 표현할 시간이 없어서 감사하다는 말씀 한번 못 드렸는데 내 마음속에는 늘 감사한 마음을 잊지 않고 살고 있습니다. 그래서 저에게는 장모님은 항상 살아계시는 저의 어머니입니다.

어머님 늘 사랑합니다.

어머님 늘 건강하셔서 제가 아들 무사히 대학 졸업시키는 모습도 봐주시고 제 아들 장가갈 때도 어머님이 함께하셔서 "이 서방 고생하고 잘했다"라고 칭찬해 주시길 기대합니다.

어머님 칭찬 듣도록 열심히 살겠습니다.

이제 어머님은 건강이 최고입니다.

어머님은 건강만 생각하시고 다른 것은 모두 내려놓으시고 건강만 챙기십시오. 어머님은 세상 모든 것을 다 이루신 이 시대를 살아가는 가장 훌륭하고 존경받을 수 있는 어머니이십니다.

이제 걱정 근심 다 내려놓으시고 이제부터 어머님 자신만 생각하고, 하고 싶은 대로 하시며 편안하게 사시길 바랍니다.

어머님 사랑합니다.

그리고 존경합니다.

어머님을 존경하는 못난 큰사위 올림

아버지는 가장 외로운 사람이다

평소 저는 드라마는 별로 보지 않는데 KBS 2TV에 주말드라마 내 사랑 금지옥엽 마지막 회 마지막 장면에서 어디서 많이 본 시로 대미를 장식했다.

'아버지 마음' (김현승) 시가 주말드라마 때문에 이슈가 되었다.

저작권 문제로 시를 옮겨 적을 수는 없지만, 자식들의 울타리가 되어 비바람과 눈보라를 막고 서 있는 아버지란 존재를 느끼게 하는 시(詩) 한 편이 김현승 님의 '아버지의 마음'이란 작품이다.

아버지는 언제나 한 곳에서 자리를 지켜주는 집과 울타리 같은 모습으로 다가온다.

아버지는 가족을 위해 희생하는 가장(家長)으로서, 반복되는 매일의 힘든 수고와 삶의 무게를 짊어지고 산다. 그래서 때론 고통과 고독으로 '보이지 않는 눈물'의 술잔을 기울인다.

사랑과 근심으로 삶의 무거운 짐을 혼자 짊어진 채 묵묵히 가족들의 울타리가 되어 힘겨운 몸짓을 하는 많은 아버지의 모습이다. 시(詩) 속에서 금방이라도 툭 튀어나올 것만 같지만 이 시를 읽을 때마다 나도 아버지를 생각하게 된다.

나에게 아버지란 단어가 주는 어감은 별로 없다.

평생 아버지와 단둘이서 해본 것이 아무것도 없다.

아무리 아버지와의 기억을 찾으려 해도 없다. 평생 용돈 한번 받아 본 적 없고 돌아가시면서 단 한 푼의 유산도 물려주지 않았다. 단둘이 대화한 적이 없고, 외식 또한 같이 한 적도 없으니, 당연히 여행 한번 가지 못했다.

나에 대한 모든 것은 어머니가 통솔 아래 어머니가 결정했다.

학교에서 사고 치면 어머니가 학교에 와서 해결하고, 사회에 나와 사고 치면 어머니가 합의하셨다. 경찰서에서 빼내 오고 잘못하면 뒤통수도 어머니에게 맞고 말대꾸에 반항도 어머니에게 했다.

나에게 아버지란 그런 어머니와 같이 동거하는 사람 정도였다.

아주 좋게 생각하면 어머니가 워낙 나를 잡으니 그냥 내버려 두는 것이다. 나쁘게 말하면 대를 잇기 위한 자식이지 책임감도 없고 자식에 관한 관심도 없는 분이다.

자식 학업에도 관심이 없었고 진학이나 미래 진로에 관해서도 마찬가지였다. 물론 부모님과 찍은 입학 사진, 졸업 사진도 당연히 없다.

나 혼자 입학하고 혼자 졸업했다.

입학식, 졸업식 날은 평소보다 많은 용돈을 받았다. 수업이 없는 날이라 나처럼 부모가 오지 않는 친한 친구 (보육원 아이)들과 놀았던 기억밖에 없다.

하지만 형 입학식과 졸업식은 집안 잔치다.

지금 생각해 보니 형은 말썽 한번 안 부리고 엄마 말 잘 듣고 일류 중·고등학교와 SKY 대학교를 입학하고 졸업했으니 집안의 자랑이고 부모님의 자랑이었다. 그렇다 보니 형의 입학식과 졸업식은 서울에 가셔서 며칠 동안 집을 비우셨다. 졸업식이 끝나고 형이 집에 오면 친척들까지 집에 와서 축하해 주었다.

그러나 나는 중학교 때 사고는 쳤지만, 나름대로 성적은 빠지지 않아 중학교를 졸업하고 고등학교 과정 없이 특수 전문대학 5년제 대학에 입학했다. 하지만, 타이틀이 전문대학이라 대수롭지 않게 여기는 것 같았다. 등록금은 주셨지만, 전혀 관심이 없었다.

그러니 오직 관심은 고등학교 때부터 서울 명문 고등학교, 대학교에 간 형에게 있었으니 나에게는 전혀 관심이 없었다. 학교 다니면서 바라는 것은 오직 하나, 사고만 치지 않았으면 하는 부모님 바람이었지만, 그 바람마저 들어주지도 못했다.

나는 아버지를 원망하지 않는다. 다만, 아버지 같은 아버지가 되지 않기 위해 최선을 다했다.

비록 훌륭한 아버지는 되지 못해도 자식에게 울타리가 되어주고 풍족하진 않지만 부족함이 없도록 노력하려고 했다. 험난한 인생살이 먼저 실패하고 후회한 일들을 내 자식은 겪지 않도록 이끌어 주려고 했다.

초등학교 때부터 별난 아빠로 소문났다.

자식 일이면 항상 모든 일의 우선이었다. 아들은 고등학교 졸업 이후, 경제적 독립을 하지 못했지만 내 마음에서는 독립시켰다.

무슨 일을 하더라도 부족함이 없도록 한 발짝 뒤에서 응원하고 격려했다. 말이 쉬워 부족함이 없도록 하는 것이지만, 그것이 아버지의 삶의 고단함이었다.

지금의 현실은 그 힘겨운 삶의 고단함을 위로받고 싶어 하는 아버지가 설 곳이 없다. 경제적 능력이 절대적 가치로 치부되는 오늘날 현실 속에서 '아버지'라는 이름만으로 감당해야 하는 사랑과 희생의 크기는 너무나도 큰 것 같다.

가족의 생계를 책임지면서도 어쩌면 가장 많이 외면당하는 고독한 존재인 아버지에게 그나마 위안과 안식처였던 자식이 이젠 다른 곳을 보며 가고 있다. 그래서 아버지는 외롭다.

다행히 많은 정성과 노력을 해서 내 자식을 부끄럽지 않게 잘 키웠다.

이 시는' 아버지의 때는 항상 씻김을 받는다.

어린 것들이 간직한 그 깨끗한 피로….'로 끝을 맺는다.

"밖에서 일이 아무리 힘들고 어려워도 집에 돌아와 자식들의 맑고 순수한 모습, 올바르게 자라는 모습을 보며 아버지는 그 모든 고독과 고달픔을 깨끗이 보상받는다"라고 김현승 시인은 말하였다. 하지만 나는 잘 커 준 것이 고맙고 그것이 가장 큰 보상이다.

나는'아버지의 마음'이란 시를 접할 때마다'아버지가 마시는 술에는 항상 보이지 않는 눈물이 절반이다.'란 구절에 마음이 와 닿는다.

숨비소리

철없던 시절, 나는 아버지의 술잔에 채워진 눈물을 볼 수가 없었지만 내가 마시는 술잔에는 항상 나의 보이지 않는 눈물이 채워졌다.

아버지의 짜디짠 그 눈물이 자식의 술잔으로 옮겨 담기지 않아도 괜찮다.

다만, 내가 이승을 떠날 때 싸늘하고 창백한 내 얼굴에 "고맙습니다." 하면서 아들의 뜨거운 눈물방울이 떨어지면 "인생 잘 살다 가노라"라며 웃으면서 자식과 영원한 이별을 할 수 있을 것 같다.

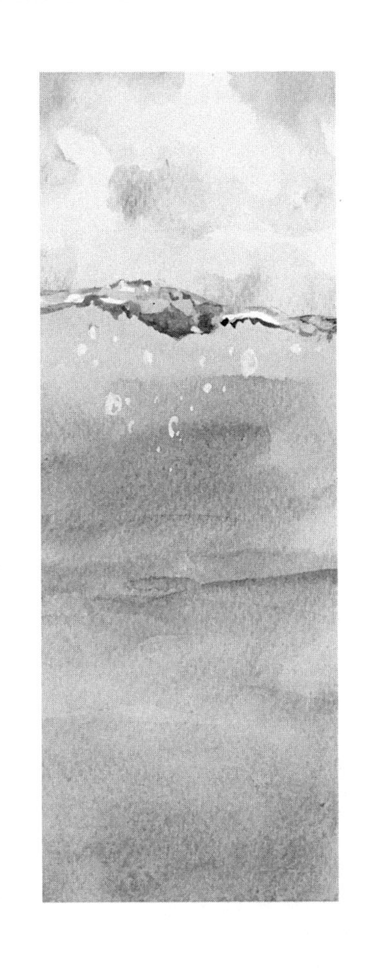

3. 삶이 뭐냐고
궁금해 하지도
묻지도 마라

사는 것이 뭐냐고 묻지 마라

사는 것이 뭐냐고 나에게 물으면
내 삶은 잃은 지 오래되었다고 말 할 수 있겠다.

우리 나이에 내 삶을 사는 사람은 과연 얼마나 될까?
대부분 내 삶을 포기 하고 사는 것 같다.
특히나 가족과 떨어져 생활하는 가장은 더하다.

한 번씩은 일찍 퇴근하여 저녁 먹기 귀찮아서
라면 한 그릇 냄비 채 끓여 먹을 때
내가 왜 이렇게 살지 하는 생각이
나를 처절하게 만들 때가 많다.

그런데 왜 사느냐고?
나는 되묻는다.
안 살면 어떻게 할 건데?

삶이, 삶이 아닐지라도 살아야 하고
이 삶이 나에게 아무것도 아니어도
그래도 살아가야 하는 것이, 지금의 내 삶이 아니겠는가?

지금도 내 삶이 힘들 때 한 번씩 생각한다.
내가 사는 이유는
나만 쳐다보고 사는 처자식이
지금의 나를 필요하기 때문이라고 말하겠다.

힘든 세상에서 살아남는 것이 내 삶이 전부

존경하는 형수님(편지글)

어제부터 가을을 부르는 늦여름 비가 내립니다.
유난히도 덥더니 이제 더위도 한풀 꺾입니다.
4년 동안 많은 일이 있었지만 그래도 잘 견딘 것 같습니다.

요즘은 건설경기가 바닥에 바닥이라 몇 푼 번다는 것이 정말 힘듭니다. 어려운 건설경기에도 내가 아직 월급쟁이를 할 수 있다는 것이 신기할 정도입니다. 어떤 일로 약국을 그만두셨는지 모르지만, 형수님의 이야기 듣고 나서 힘들어하는 것 같아 마음이 아픕니다. 저 역시도 제일 두려운 것이 이 건설경기에 직장에서 그만두라고 할까 봐 제일 걱정입니다.

경기가 좋을 때는 어디라도 밥벌이할 것은 걱정하지 않는데 건설경기가 최악이라는 IMF 때 보다 더한 것 같습니다.

존경하는 형수님
형수님 목소리만 들어봐도 지금 얼마나 어려우신지 알 것 같습니다. 이렇게 어려우면 자꾸 지난 과거만 원망하게 됩니다. 저 역시, 지금도 어렵지만 지난 시간 어려울 때마다 부모 형제 원망 많이 했습니다.

형수님이 서울 가시기 전부터 저는 참 많이 아파했습니다. 죽고 싶을 때가 한두 번이 아니었습니다. 초등학교에도 들어가지 않는 아들을 보고 있으면 미쳐 버리고 싶었습니다.

처가에 무일푼으로 내려갈 때 얼마나 자존심이 상하고 괴로웠는지 돌이켜 생각해 보면 두 번 다시는 못 할 짓이었습니다. 나만 상처받고 나만 힘들고 죽을 지경인데 아무도 나의 어려움을 모릅니다. 혼자 참아야 하고 혼자 감내해야 했습니다. 지금 형수님이 그럴 것입니다.

자존심도 상하고 세상이 나를 버린 것 같고 내 능력이 하나도 없는 것 같아 힘들 것입니다. 그러나 저를 보고 너무 힘들어하지 마십시오. 위로하려고 하는 것이 아니라, 나이가 들어감에 따라 입지가 점점 좁아지는 것을 느끼면서 형수님의 마음을 동감할 뿐입니다.

추석 성묘를 다녀왔습니다.

늘 마음에 걸려서 부모님 묘지를 좀 더 예쁘게 꾸며드렸습니다.

돌아가시고 난 뒤 소용없는 일인지 알지만, 내 마음에 조금이라도 짐을 내려놓으려고 예쁘게 꾸며드렸습니다.

한층 마음이 편했습니다.

지금은 모두가 다 힘든 시기입니다.

낙담하지 마시고 하루하루 버티어 보는 것이 좋을 것 같습니다.

멀리 보면 힘들고, 하루만 생각하고, 하루도 길다면 이 순간만 생각하면 조금 편해질 겁니다.

대학도 결정하지 못한 아들을 보면 가슴이 답답하고, 조급한 마음으로 한숨만 나오겠지만 어쩌겠습니까?

그냥 가는 데까지 가보는 거죠?

우리 세대가 겪어야 하고 감수해야 할 일들인 것 같습니다.

늘 건강하세요.

제 건강도 못 챙기는 형편이지만, 그래도 뚜렷하게 아픈 곳이 없어서 별생각 하지 않고 버티는 데까지 버티어 보려고 노력합니다.

남은 인생은 아들, 아내를 위해서 살아가려고 합니다.

어차피 한 번은 죽을 몸, 이 세상에 미련이 있거나 죽는 것이 두렵지는 않습니다. 아들과 아내에게 내가 이 세상에 존재하는 것이 조금이라도 도움이 될 것 같아 이렇게 버티고 있는 것입니다.

형수님도 죄 없는 자식들 생각하고 잘 견디시기를 바랍니다.

아직도 자식들에게는 엄마의 손길이 필요할 것입니다.

그래서 저 역시 좁은 입지 조건에서 버티고 견디며 하루하루 전쟁을 치르고 있습니다. 내 삶보다는 아들과 아내의 삶에 도움이 될 수 있어서 이렇게 버티는 것도 행복합니다.

나로 인하여 아들과 아내가 조금이라도 행복할 수 있다면, 그것이 나의 행복이자 이 힘든 세상에서 살아가는 내 삶의 전부입니다.

삶에는 정답이 없다.

거리를 지나치다 보면, 당신 한 몸 지탱하기조차 힘겨워 보이는 노인네들의 모습이 보인다. 바람 빠진 손수레에 온갖 잡동사니 폐품을 가득 싣고 안간힘을 쓰고 있는 것을 보노라면, "저것들을 고물상에 팔아야 기껏 몇천 원 받을 텐데 저 고생해야만 할까?" 하는 안쓰러움과 답답함이 밀려온다. 먼 훗날 내 모습을 미리 보는 것 같기도 하고, 차라리 저 고생 안 하고는 못 살까?

그런 상념에 빠진 적도 있었다.

봉급날인데도 만족하지 못하고 늘 가난한 삶을 산다.

사실 한 것도 많지 않은데 25일이면 어김없이 봉급은 들어오지만 늘 불만스러운 것은 사실이다. 잘나지도 유능하지도 않은 내가 돌이켜보면 능력에 비해 봉급이 많은 편인데 회사에는 불만이 있다.

폐지를 줍는 사람들을 보면 온종일 주워봤자 내 퇴근길 맥주 한 병값도 안 되는 돈인데 나는 술 한 잔 취하면 몇만 원의 팁을 그냥 준다. 쓸데없는 객기도 부리려고 할 짓 안 할 짓 다 하면서 나는 부족하다고 몸서리를 친다.

오늘 아침에 쓴 이 글과 다짐이 저녁 회식 자리가 끝나면 또 물거품이 될 것이다. 하지만 몇천 원어치의 파지 값보다 더 힘들게 손수레를 밀고 가는 그 노인네들도 “나보다 더 행복한 순간들이 있었겠다.”라고 생각을 하면서 비장한 각오로 하루를 시작한다.

행복을 찾을 줄 모르는 어리석은 나의 삶의 하루를….

아파트 평수가 행복 순위? 월세를 사는 사람들

아파트값이 천정부지로 오르더니 이제 주춤한다.

아내 볼 면목이 없다.

평생 집을 지은 건축 특급기술자, 건축 수석 감리사의 집이 20년 넘은 27평 아파트에 산다. 직접 시공하고 감리한 아파트만 수천 채가 넘는다.

그 가운데서도 내가 사는 아파트는 주변에서 시세가 높지 않다.

아들 중학교 전학 때문에 산 아파트에 지금도 살고 있다.

6년 전 사는 곳 주변에 편안한 아파트가 들어올 때 고민을 많이 했다. 은행 융자 1억만 내면 살 수 있었는데 1억 융자가 싫어 포기했다. 그런데 분양가 3억 2천 했던 아파트가 지금 5억이란다.

중이 제 머리 못 깎는다고 평생 남의 집만 지어주었지 정녕 자기 집 하나 옳게 못 챙겼다.

이유는 간단했다.

나이 육십에 일억원 융자 자신 없었다. 지금은 아쉬운 마음도 있지만, 미련을 가지지 않기로 했다.

평생 남의 집에 안 살아보고 늘 대궐 같은 집에서만 살았다.

결혼할 때, 신혼집이 500평 건물에 마지막 층 100평을 펜트하우스를 만들어 살았다. 주방이 지금 사는 아파트만 했다.

거실에 벽난로, 실내 연못에 바텐더까지 꾸며 놓고 욕실만 세 개였다.

겨울엔 춥고, 여름에 더웠다.

단독 건물이라 주택 100평을 따뜻하게 하려면 연료비는 얼마나 들어가고, 시원하게 살려면 에어컨 전기세는 어떻게 감당했겠는가? 애 키우며 청소하려면 거의 아내는 거의 매일 초주검이었다.

그래서 아내는 큰 집에 욕심이 없었는데 경주에 이사 오면서부터는 집에 손님을 초대하지 않는다.

주변에 어느 아파트 사느냐가 부자의 순서이고 행복에 순서인 것 같아 "일억원 융자 내어 편안한 아파트를 분양받을걸" 하며 후회도 했다.

다행히 집값이 올라 어떻게 했겠지만, 나이 육십 세에 융자 일억원을 내어 십 년간 매달 원리금과 이자를 갚으려면 금리가 좋아도 한 달에 백이 삼 십만 원씩 매달 냈어야 했다. 원리금 이자 갚다가 칠십 세까지 살지도 못하고 죽었을 것이다. 돌이켜보면 반은 갚았겠지만 잘못했다가는 인생 종 친다.

부동산 때문에 한 집안이 풍비박산이 나고 부모·형제도 모른 사람처럼 뿔뿔이 살아가 저승 갈 때 초상집에서 잠시 보는 것이 전부다. 부동산으로 풍비박산을 한번 겪은 나로서는, 주택은 말 그대로 집이어야 한다는 것이 나의 논리다. 이 편안한 집이 좋은 것이 아니라 그냥 편안한 집이 제일 좋은 집이다.

추울 때 따뜻하고 더울 때 시원하고 돈 걱정 없는 집이 최고의 집이다.

집에 가면 편해야 한다.

편한 집이 스위트홈이다.

아파트 평수와 관계없이 왜 월세 집에 벗어나려고 하는가?

'봉급날은 길어도 월세 날에는 짧다'라는 말도 있듯이 매달 돈을 내야 하니 하루하루 얼마나 스트레스를 받겠는가?

그런데 겉보기에 멀쩡한 사람이 사는 집이 다 월세 집이다.

나도 아차 했으면 백 수십만 원짜리 월세 집에 살 뻔했다.

한 번도 우리 아파트가 가격이 오른다고 좋아해 본 적이 없다.

돈이 남아 부동산이 투자용으로 두 채 이상 가져 있으면 몰라도, 은행 융자 내어 아파트에 투자하면 언젠가는 죽는다.

설사 잠시 많은 이익을 가져다줄지 모르지만 그런 사람은 극히 드물다. 항상 마지막 결론이 좋지 않다는 것을 옆에서 보고 직접 겪었다. 평생을 남의 집을 짓고, 또한 큰 빌딩을 몇 채 가져 보고 살았기에 정녕 어떤 집이 스위트홈인지 나이 육십 세가 넘어 깨우쳤다.

숨비소리

오래되고 작은 평수지만 우리 집은 스위트홈이다.

우리 집에는 걱정이 없다.

아파트 원리금 상환이 없어서 돈 걱정도 없고 주변 인프라가 잘되어 있어 불편한 것도 없다. 철길 옆이라 한 번씩 기차 소리가 났는데 그것조차도 그동안 미안하며 어디론가 사라졌다.

가끔 아내가 잔소리 안 하면 이상하듯이 기차 소리도 가끔 그립다. 그중에서 제일은 우리 성당과의 거리가 교우 중 우리 집이 제일 가깝다. 직선거리로 백 미터도 되지 않는다.

그래서 그런지 아내는 매일 성당에 가는가 보다

"하느님 감사합니다."

"제가 하느님 성전 제일 가까이 사는 요셉입니다."

"교우 중 하느님의 집과 가장 가까운 이웃에 살고 있으니 제일 먼저 우리 가족 시험에 들지 않게 하시고 악에서 구해주소서 아멘 "

내가 늙어 감을 느낄 때

요즈음 들어서 버리지 못하는 물건이 많다.

오래된 것은 추억이 묻어 있고, 새것은 언젠가 필요할 것 같아서 버릴 수가 없다. 늙어 가는 증거인 것 같다.

몇 년 전 처가 집을 지어주었다.

물론 내 돈으로 지어준 것은 아니지만 평생 집 짓는 기술 하나로 살았는데 내가 할 수 있는 모든 기술을 동원해서 정성껏 처가 집을 잘 지어 드렸다. 그런데 장인어른이 내가 정성껏 예쁘게 지어준 집에, 붙여서 창고를 지어 달라고 하셨다. 물론 집 안에 소소한 잡동사니를 보관할 수 있는 공간을 마련해 드렸지만, 창고를 지어달라고 하셨다.

새로 지은 예쁜 집 옆에 창고를 지어 흉물스러운 집을 종종 보아온 나는 장인어른께 창고를 짓지 말자고 설득을 했다. 내 나름대로 정성껏 지은 집이어서 나로서는 마음이 내키지 않았지만, 마음을 굽히지 않으시고 완고하셨다. 허가 문제와 세금 문제로 인하여 보기는 흉했지만 적은 비용이 드는 패널을 이용하여 크게 지어드렸다.

장인어른이 지어달라고 해서 지은 창고는 처가에 갈 때마다 늘 내 눈에 거슬려서 아예 관심조차 두지 않았었다. 어느 명절에 처가에 가서 싱크대 배수구에 고장이 나서 간단하게 고치려고 파이프 렌치를 찾았다. 그랬더니 장인어른께서 창고에 있다며 열쇠를 주어 문을 여는 순간 한동안 그곳에 멍하니 서 있었다.

언제 만들었는지 선반을 만들어 선반마다 온갖 물건을 쌓아두었다. 쌓아둔 것이 아니라 깔끔하게 정리까지 해두었다. 먼지 하나 녹 하나 없이 망치며 각종 공구, 못은 종류와 크기별로 그리고 수많은 종류의 부속품까지 완벽하게 정리해두었다.

우리 집에도 공구함이 있지만, 드라이버 하나 찾으려면 온 공구함을 다 뒤져야 하는데 장인어른 창고는 그야말로 보물창고처럼 정리해두었다.

싱크대 수리를 마치고 장인어른께 여쭈어보았다.

"창고에 있는 것 중 안 쓸 것은 버리고 새로 정리하시죠?" 하니 장인어른께서"다 언젠가는 다 쓸 것들이다." 하며 딱 한 마디만 하셨다.

언젠가는 쓸 물건?

그때 아무 말도 하지 않았지만 지금 돌이켜 보면 나도 지금은 장인어른을 닮아가고 있다. 책상 정리를 한번 하려면 버릴 것은 버려야 하는데 버리지 못하는 것이 많아서 책상 정리가 안 된다.

아들이 쓰던 문구류 때문이다.

아들이 고등학교를 졸업하고 자기 방을 정리했다. 초등학교 때부터 고등학교까지 문구류 등, 잡동사니를 라면상자로 서너 박스를 버린다고 내놓았다. 버리기 전에 내가 쓸만한 것이 있나 싶어 이것저것 골라내다 보니 한 상자 분량의 문구류가 나왔다. 버리기가 아까워 회사로 가져와서 내가 필요할 때 쓰려고 책상과 캐비닛에 넣어두었다. 그런데 5년이 지난 지금도 그것을 버리지 못하고 내 책상과 캐비닛에 뒹굴고 있어서 책상 정리가 안 된다.

버리려니 못 버리겠다.

지우개, 몽당연필과 컴퍼스, 삼각자는 아들이 초등학교 때 잊어버릴까 봐 유성 펜으로 아들 이름을 붙여 놓아 못 버리겠다. 플라스틱 파일은 시험 치고 100점 맞았다고 플라스틱 파일에 곱게 넣어 아빠에게 자랑하려고 내놓는 모습이 생각나서 못 버리겠다. 또한 가위는 미술 숙제한다며 고사리 같은 손으로 색종이 올리는 모습이 생각나서 못 버리겠고. 집게는 100점짜리 시험지 모아서 집어 놓은 거라 버리지 못하겠다. 스카치테이프는 글씨 못쓴다고 내가 아들놈 공책 찢어버렸을 때, 고사리 같은 손으로 찢어진 공책에 닭똥 같은 눈물을 떨구며 스카치테이프로 붙이는 모습이 생각난다. 지금도 마음이 아려 쓰지도 버리지도 못하고 벌써 5년째 내 책상 서랍에서 굴러다닌다.

버리지 못하는 물건에는 하나하나 추억이 묻어 있다.

그래서 버릴 수가 없다.

나도 이제 장인어른을 닮아가는 것인지, 아니면 장인어른처럼 늙어가는 것인지 모르겠다. 다음에 장인어른이 돌아가시고 나면, 잘 지은 집 옆에 붙어 있는 내가 그렇게도 싫어하는 흉물스러운 장인어른의 보물창고는 누가 정리할지 벌써 궁금하다.

그러나 나는 절대 정리할 수가 없을 것 같다.

장인어른을 저세상에 보내고, 장인어른의 추억마저 치울 수 있는 용기가 없을 것 같아서….

아들 초등학교 숙제

아들이 초등학교 2학년 때, 아빠 잘하는 것을 써보라고 선생님 이 숙제를 낸 것 같다. 평소에 숙제를 돌보아 주지만 아빠가 잘하는 걸 써오라 하니 옆에서 거들어 줄 수가 없었다.

그런데 아들 녀석이 꾹꾹 눌러서 적었다.

사랑하는 아빠의 장점

1. 집을 잘 지으신다.
2. 운전을 잘하신다.
3. 나와 엄마를 사랑한다.
4. 키가 크다.
5. 건강하다.
6. 이웃을 사랑한다.
7. 남을 잘 도와준다.
8. 음식을 잘하신다.
9. 수학 과학 실험을 잘하신다.
10. 우리나라 도로를 잘 아신다.
11. 힘이 세다.
12. 글을 잘 쓰신다.
13. 컴퓨터를 잘한다.
14. 편식하지 않는다.
15. 나의 공부를 잘 도와준다.

아들이 나를 이렇게 잘 보아주니 고맙지만 한 장 채우려고 얼마나 고생했을까?
그래도 살판은 난다.
이래서 사는가 보다.

아무리 힘들어도 9살 된 아들 녀석이, 지금은 부도나서 외갓집에 얹혀사는 것도 모르고 고사리 같은 손으로 15가지나 아빠가 잘하는 것이 있다고 해주니 좋다.

억지 춘향이 짓을 해서라도 15가지나 찾아 써준 아들에게 고맙지만 그래도 아들 녀석의 이번 숙제가 가장 힘들었을 것 같아 마음이 짠하다.

오히려 15가지를 앞으로 잘하라는 나의 숙제인 것 같아 마음이 아려온다.

자식이 무엇인지, 아버지라는 것이 무엇인지 살면 살수록 더 모르겠다.

그래서 모든 것은 내려놓을 수 있지만, 자식은 내려놓지 못하는 모양이다.

이래서 부부는 인연이지만 자식은 천륜이라고 하는 것 같다.

못난 놈 웃기는 행복 교육

한 달에 서너 번씩은 현장 모든 근로자 안전교육을 시킨다.

매달 하는 것이고 2시간 동안 현장 근로자들 교육을 하는데 쉽지는 않다.

똑같은 이야기를 하면 근로자들이 지겨워하고 매달 교육내용을 바꿔야 하기에 쉽지 않다. 그래서 내가 살아온 인생사 이야기와 가정사 이야기로 예를 많이 든다.

살아오면서 느낀 이야기 집안 이야기 아내, 자식 이야기도 많이 한다.

이번 달에 교육 주제를 "숨어있는 행복을 찾으려고 하지 말고 손에 있는 행복을 놓치지 마라"

주제로 교육했다.

누구나 다 아는 내용이지만 우리는 잊고 산다고 강조했다.

그것은 근로자들에게 교육이라는 것보다는 오히려 나에게 전하고 싶은 이야기다.

나는 얼마나 행복한지 잠시 잊고 살았다 .

알뜰히 사는 아내는 참으로 궁상떨게 보인다. 남편 건강 생각해서 술 담배 끊어라고 하는데 담배 술마저 끊으면 무슨 낙으로 사느냐고 짜증을 낸다.

딴 자식들은 서울대, 연고대를 쉽게도 들어가는데 내 아들은 지방 사립대에 가고, 나는 회사에 충성을 다했는데 나이 들었다고 타지로 발령을 냈다.

내 인생은 하나라도 풀리는 것이 없나?

불평불만을 했는데 돌이켜 보면 남편 박봉 쪼개어 아들놈 기죽이지 않고 뒷바라지시키며 항상 남편이 벌어 주어서 우리가 이만큼 산다고 감사해한다. 서방님 말이라면 밤낮을 가리지 않고 모든 것을 다해주는 예쁘고 착한 아내가 내 곁에 있다.

또한 아버지 부담 덜어주려고 국립대학 가려고 했지만 늙은 아비 부탁으로 지방사립

대학에 들어가는 철들은 자식이 내 옆에 지키고 있다.

회사는 아파트와 더불어 관리비까지 내주고 출근해서 농땡이를 부려도 매월 25일이면 시간 맞추어 봉급을 준다.

하지만 생각이 나를 불행하게 하고, 생각이 나를 행복하게 하는데, 우리는 생각을 바꾸지 못한다. 그로 인하여 항상 슬프고 불안해하며, 긴장하고 그러다 보면 자기 자신을 스스로 불행하게 만든다고 이야기했다.

교육하고 보니 내가 다른 사람에게 교육할 것이 아니라 내가 교육받아야 했다. 다른 사람에게 이야기하기보다는 나 스스로가 먼저 생각을 바꾸어야 하는데 세상 살다 보니 이렇게 웃기는 일이 많이 벌어진다.

웃어야 오래 산다며 그렇게 웃음전도사를 자청한 황수관 박사님도 나이 칠십 전에 돌아가셨다. TV에서 부부애를 과시하며 죽고 못 사네 하더니 어느 날 성격 차이로 이혼했다며 뻔뻔스럽게 혼자 TV에 출연하는 모습을 보면서 세상 참 웃기는 일이 많다고 했다.

나도 웃기는 놈이다.
손에 있는 자기 행복은 모르면서 남에 행복 챙겨준다고 2시간 동안 떠들어대는 웃기는 놈이다.
웃기는 놈 연휴라 한 달 만에 집에 간다.
이번 연휴에는 집에 가서 웃기는 놈 안 되어야 하는데 걱정이다.

한 번씩 변화된 삶도 괜찮은 것 같다.

자식 놈이야 지 잘 나서 떠나면 그만이다.

키울 때 자식이지 키워 놓으면 다 자기 잘해 큰 줄 안다.

내 부모님에게 그러했기에 어찌하겠는가. 인과응보인데 끝이 없이 퍼주기만 하다가 나중에 우리는 노후대책도 못 세워 놓고 늘그막에 자식 눈치나 봐야 할 것 같다. 나도 자식과 이별 연습을 많이 하는데 아직은 보살펴 줄 것이 많다. 끝날 기미도 보이지 않고 아직 많이 남았다.

부부도 오래 살다 보면 그리움을 잊어버릴 때가 많다.

산소처럼 늘 곁에 있어 귀중함을 잊고 살기에, 기름값 절약한다는 핑계로 회사 숙소에 있다.

그래도 아침에 출근할 때 늘 혼자 세수하고 옷 입고 출근하는 시간이 서글프고, 저녁 식사 시간이면 혼자 숟가락을 들고 싶지 않다. 어느 때는 내가 왜 이러고 사는지 의문스럽지만, 주말마다 집에 가서, 일주일에 한 번 보는데 조금은 눈과 귀에 거슬려도 참고 지낸다. 그렇다 보니 인내심도 생기고 부부가 몇십 년을 같이 살다 보면 서로 잊어버리고 사는 것도 많은듯하다. 사랑, 그리움, 존경하는 마음이 곁에 있으니, 늘 그렇게 살고 이해하겠지 하며 시간을 갖고 떨어져 있는 것도 필요한 것 같다.나 역시 매일 부딪히지 않으니 충돌 안 생기고 좋다.

아내가 옆에 없어서 출퇴근 시 불편함은 크지만, 집에 가면 꼼짝을 하지 않는다. 아내가 한 번씩 숙소에 와서 정리는 해주고 가지만 불편함과 그리움이 동반한다.

하느님 뜻이라고 생각하고 하루하루 알차게 보내려고 노력한다.

요즘은 사순절이라 금식을 하고 음주도 하지 말라지만, 나는 노동 현장에 있다는 핑계로 금식도 안 하고 음주는 자제하고 있다. 매일 변함없는 하루살이지만 한 번씩 변화된 삶을 살고 싶지만 뚜렷하게 바뀔 것이 없어 그냥 포기한다.

환갑[還甲]

나에게 환갑[還甲]은 아주 멀리 있었다.

30~40대 때 친구 부모님 환갑잔치에 무던히도 많이 참석했다.

대학 다닐 때 음악감상실 DJ도 보고 대학 축제 때 MC도 보고 군대는 문선대 MC 출신이라 20대 후반에는 친구들 장가갈 때는 결혼식 사회를 다 봐주었다. 그리고 30대 초반부터는 친구들의 부탁으로 부모님 회갑 잔치 사회를 봐주었다.

이벤트 회사가 없던 그 시절에는 시골집 마당이나, 도시의 큰 식당을 빌려서 출장 밴드, 민요를 부르는 여자분을 불러서 한바탕 흥만 띄우면 되었다.

나이 서른 살밖에 안 된 놈이 환갑에 대하여 잘 몰랐지만, 그냥 부모님 앞에 재롱부린다는 마음으로 그날 하루는 웃기는 농담을 많이 했다. 부모님께서 좋아하는 노래도 한 곡 뽑고 부모님 노래시키고 자식 노래, 찾아주신 친척, 손님들 흥겹게 노래 한 곡씩 하게 하는 것이 전부였다.

출장 밴드가 귀하던 시절, 앰프 기타 한 대면 온 동네가 난리가 나고 여유가 있는 사람은 드럼 한 대 더 추가시키면 난리는 난리도 아니고 종일 동네잔치였다.

남들 부모 회갑 잔치는 그렇게 도맡아 해주었지만 정작 내 부모님 회갑 잔치는 해드리지 못했다. 아버님 1916년생이어서 내가 20살 대학 2학년이고 형은 대학 4학년 때이니 우리 부모님은 회갑을 완전히 포기했다. 그리고 나도 회갑에 대해서 몰랐을 때이고 철이 없어 부모님 회갑은 어떻게 치렀는지 기억이 나지 않는다.

물론 칠순 잔치도 하지 않았고 두 분 다 맞춘 듯이 팔순 잔치도 하지 않고 여든다섯에 돌아가셨다.

그래서 내가 환갑이라는 것이, 잘 실감 나지 않는다.

요즘은 나보고 "환갑이 낼모레네." 하는 소리를 자주 듣는다.

"환갑! 진짜 나도 환갑이 다 되었는가?" 하며 깜짝깜짝 놀란다.

불행인지 행복인지 아내와 나이 터울이 10살이나 나서 아직도 철없이 살아가는데 웬 환갑?

환갑은 음력 간지가 다시 돌아오는 해 60년 만에 맞는 생일이다
환갑은 태어난 간지(干支)의 해가 다시 돌아왔음을 말한다. 환갑상은 성대하게 차리는데, 하객들이 볼 수 있는 앞쪽에 여러 음식을 진설하고 여유 있는 집은 교자상 2개를 사용하기도 한다.

상 앞에 환갑 맞는 사람이 앉으면 맏아들, 둘째 아들, 맏딸, 둘째 딸 등의 순으로 부부가 나란히 서서 잔을 올리고 남자는 재배(再拜), 여자는 4배 하여 헌수(獻壽) 한다.
오늘날은 다 같이 재배하거나 1배 한다.
그다음은 차례로 잔을 올리는데 어머니의 환갑이라도 아버지에게 먼저 잔을 올린다. 부모 중에 한 분만 살아계신다면 1잔만 올린다.

악공(樂工)과 기생을 불러 풍악을 하고 권주가(勸酒歌)를 부르는 등 매우 성대하게 치렀다. 손님들은 기념이 될 만한 물건들을 선물하며, 형편이 좋지 않은 사람들은 일을 도와주는 것으로 부조한다.

환갑잔치는 수연(壽宴)이라고도 하는데 환갑을 며칠 앞두고 수연시(壽宴詩)의 운자를 내서 친척이나 친지에게 시를 짓게 하여 잔칫날 이를 발표하면서 흥을 돋우었으며, 이 시를 모아 수연 수첩을 만들어 자손에게 전하기도 했다.

환갑을 맞는 사람이 병중이거나 그해의 운이 불길하면 환갑을 차리지 않기도 하며 때로는 날을 가려서 앞당기기도 한다. 평균수명이 높아진 오늘날에는 차츰 환갑의 의미가 축소되고 있다.

내 나이 만으로 58살 우리 나이로 59살 진짜 나이 60이 턱밑에 왔다. 환갑이 아니라 정말 아무것도 해놓은 것이 없이 나이만 먹은 것 같다. 해놓은 것은 이제 군대 갔다 와서 올해 대학 입학한 자식 한 놈이 내 인생의 전부인 것 같다.

어쩌면 오래 산 것 같기도 하다.

벌써 고인이 된 친구들도 많다.

40대, 50대에 죽은 친구 중에 병으로, 때로는 불의에 사고로 죽은 친구도 있다. 나보다 먼저 이승을 떠난 주변 친구들을 보면서 나도 살 만큼 살았다고 생각한다. 다들 건강관리 잘하고 열심히 살았는데 먼저 떠났다는 소식을 전해 들을 때마다 뒤통수를 망치로 맞은 것처럼 멍하니 며칠은 가슴앓이한다.

“이승을 오는 데는 순서 있고 이승을 떠나는 것은 순서가 없다”라고 한다. 하지만 나보다 나이가 적은 주변 사람들이 환갑도 치르지 못한 채 이승을 떠나가는 모습을 보면 나도 떠날 준비를 해야 하지 않나 하는 불안감에 사로잡힌다. 이승에 미련은 없지만, 마지막 할 일이 하나 남아 있어 이렇게 삶에 발버둥 치고 있다.

올해 대학에 입학한 아들놈 때문이다.

유엔이 발표한 세계인구 현황 보고서에 따르면 한국 여성의 평균수명은 84세로 세계 8위 남자 77.3세로 세계 26위라고 밝혔다.

불행인지 다행인지 모르지만, 평균수명까지도 살고 싶은 마음은 전혀 없다.

하나뿐인 자식 놈 독립하고, 나의 경제력이 상실되면 1년만 내 마음대로 살다 그냥 떠났으면 하는 것이 나의 소망이다.

환갑이 나의 인생에는 큰 의미가 없는 것 같다

내 부모님처럼….

60년 번째 나의 생일·환갑

음력 2016년 5월 24일 양력 2016년 6월 28일 화요일 기어이 올 것이 왔다.

1956년은 병신(丙申)년 원숭이띠 해에 태어나 음력 간지가 다시 돌아오는 해 음력 2016년 5월 24일 돌아온 것이다.

근무 시간 중 동료 직원들이 숫자 60이 적혀있는 케이크를 들고 와서 환갑이라고 축하해 주었다. 가슴이 먹먹하고 코끝이 찡하다. 환갑에 떳떳하게 대기업을 다니며 근무 시간에 직장동료들에게 환갑 축하받는 사람이 몇이나 되겠는가?

대기업 직원들은 특별한 사건이 없는 한 60세 정년이 보장된다.

하지만 환갑이 좋지만은 않다. 환갑잔치 치르는 해에 임원이 아니면 예외 없이 정년퇴임을 해야 하기 때문이다.

56세에 임금피크제가 시작되면 더럽고, 치사해서 정년만 채우고 안 한다고 말하지만 모두 마음속에 없는 말이다. 대부분 50대 초중반까지는 정년퇴임하고서는 절대 일을 하지 않고, 무조건 여행 다니며 그동안 못한 것 하고 푹 쉰다고들 한다. 하지만 막상 퇴직하는 해에는 다른 직장을 알아보고 계약직 촉탁직 신분으로도 재계약을 하려고 혈안이다.

다행인지 불행인지 나는 프로젝트 계약직으로 65세까지 일해야 해서 정년퇴직이 실감은 나지 않는다. 모든 정년퇴직 자가, 나를 부러워하지만 나는 그들이 부럽다. 여행을 가고 쉬는 것을 한 살이라도 젊을 때 즐겨야 하는데 65세까지는 일을 해야 할 것 같다.

생일 당일 축하를 못 할 사정이 생기면 생일날을 당겨서 챙긴다. 이유는 간단하다. 미루다 불의의 사고라도 당하면 생일날이 제삿날이 될 수 있기 때문이다.

나의 환갑잔치는 누가 해주겠는가.

그래도 환갑이라고 그냥 지나치기가 그랬는지 지난 주말에 아들과 아내가 광양에 와서 챙겨주고 갔다. 좋아하는 소고기를 구워 먹고 환갑 특별용돈도 받았다.

평소 환갑은 평생에 처음이자 마지막이니 환갑잔치는 주변 친척 지인들과 잔치를 크게 하여야 한다고 늘 주장했다. 하지만, 막상 내 환갑은 아들과 아내 셋이서 고기를 먹으며 평소 생일처럼 조촐하게 보냈다.

달라진 건 아내와 아들 용돈의 단위가 조금 커진 것 외는 없다.

요즈음 환갑잔치 누가 하냐며 타박해서 그냥 지나쳤다.

그러나 서운한 건 사실이다. 60여 년을 아무 탈(중간에 부도는 났지만) 없이 가족 잘 챙기고 살았으면 잘 산 것 아닌가?

혼자 생각이지만 "환갑을 못 넘기고 죽는 사람도 많은데 이만하면 잘 살았다."라고 생각하며 자축한다.

그런 서운함 속에서 환갑 당일에 직장동료들이 케이크를 들고 근무 시간에 축하해 주니 코끝이 찡할 만큼 고맙다. 퇴근하고 환갑을 챙겨 준 직장동료들에게 저녁 식사를 거나하게 대접해야겠다. 환갑 기념으로 받은 특별용돈으로 푸짐하게 내야겠다. 인생 뭐 있나!

2025년 12월 28일 일요일 음력 2025년 11월 9일인 아내 환갑잔치는 내가 잘 차려주어야겠다. 경주 5성급 호텔 뷔페식당에서 장인·장모님 모시고, 처남 처제 부부를 초대하고 가까운 아내 친구 부부들도 초대해야겠다.

내 아내 환갑까지 별 탈 없이 잘 살아주어 고맙다고 자랑하고, 축하받으며 환갑잔치를 해주어야겠다.

그러려면 또 그때까지 아무 탈 없이 잘 살아야 한다.

2025년 12월 28일까지

게으른 삶의 행복 논리

나는 게으르게 살아가려고 노력한다.

생계에 목숨을 건 생존경쟁 사회에서도 난 게으르다.

아니 게을러지려고 노력한다.

아침에 늦잠을 즐기는 편이다.

아침잠 10분 더 자려고, 아침밥을 먹지 않는다. 집에서 출근 시 5분 늦게 출발하여 지각하지 않으려고 신호, 과속 위반 스티커가 날아오는 것에 적응하여 화도 안 난다.

잠자기 전 양치질은 일주일에 한두 번씩 빼먹는다. 잠이 살포시 오는데 양치질하기가 귀찮고, 자야 하는데 양치질을 하고 나면 잠이 깨어서 싫다.

집에 있을 때는 항상 팬티 바람이다.

내 몸에 뭔가 걸치는 것이 귀찮고 잠자리에 배겨서 싫다.

머리는 될 수 있는 한 짧게 자른다. 머리를 감고 말리기가 귀찮고, 머리가 길면 머리를 정리해야 하는 것이 싫다.

주말은 특별한 일이 없으면 먹고 잠만 잔다. 나가려면 씻고 머리를 다듬고 옷을 챙겨 입는 그것이 싫다.

등산을 가지 않는다.

어차피 또 내려와야 하는 것을 죽자 살자 올라가기 싫어서다.

하지만 이렇게 살아도 불편함이 없다. 남들은 이해 못 하지만 난 너무 편하다.

내가 사는 아파트가 조금 오래되어 조금 더 넓은 새 아파트로 이사를 하자고 한다. 주택 융자를 받으면 원금과 이자로 인하여 매월 빚에 쪼들리는 것이 싫다. 지금은 겨울에 따뜻하고 여름에 시원하고 또한 관리비도 적게 나와서 좋다.

매년 3월에 연봉협상과 진급 문제는 회사에 일임한다. 진급은 임원이 아닌 이상 더 올라갈 곳이 없다. 연봉을 많이 주면 좋겠지만 아침에 일어나서 출근할 회사가 있고 매월 날짜에 맞춰 봉급을 받는다. 봉급을 가지고 처자식과 생계를 유지하고 내 업무를 간섭할 상사가 없어서 회사에 다니는 것이 나는 행복하다.

내 봉급은 아내 통장에 입금되고 나는 용돈 타서 쓴다.

집안의 경제권은 아내가 쥐고 있어서 돈에 대하여 신경을 쓸 필요가 없다. 용돈이 모자라 카드가 구멍이 날 때도 있지만, 아내에게 거짓말해서 삥땅을 치면 알고도 모른 척 넘어가 줘서 나는 행복하다.

집안 대소사 일은 내가 모두 결정한다.

폭군이라는 소리를 듣기도 하고 때로는 내 결정이 틀려서 곤란한 일도 생기지만 불만을 표시 내지 않고 져주며 따라주니 나는 정말 행복하다.

나는 정기 건강진단을 받지 않는다.

주삿바늘로 피 뽑는 것도 귀찮고, 내 몸 구멍마다 호스를 밀어 넣는 것이 싫다. 나이를 먹으면서 피곤함도 많이 느끼지만, 감기에 걸렸을 때는 아스피린 두 알을 먹고 푹 잠을 자면 개운해져서 병원에 갈 일 없다.

일주일 한 번씩 소 도살장에 끌려가듯 억지로 성당을 나간다. 일어났다 앉았다 하는 것이 귀찮고 신부님 강론 시간이 지루해서 싫다. 매일 죄를 짓는 죄인이 고해성사하고 영성체 모시는 것이 부끄럽다. 하지만, 하느님 백으로 어려운 고비를 잘 넘기고 큰 탈 없이 이만큼 버티어 온 그것이 행복하다.

나는 게으르고 멋대로 산다.

역마살에 여행을 좋아해서 집을 나가면 며칠씩 돌아다니고 집안일에 신경을 쓰지 않는다. 사람을 좋아하고, 술자리가 길어져서 취한 상태로 집에 들어가 가는 일 자주 있다. 하지만, 다혈질 성격의 비위 잘 맞춰 주며 내 곁을 지켜주는 내 가족이 있어 나는 행복하다.

남들은 나를 이해 못 해도 게으르게 살아도 나는 아무 불편 없이 살아간다.

감사한 마음

매일 늘 같은 일이 반복되고 변함없이 다람쥐 쳇바퀴 돌듯 똑같은 일상생활이지만 살아 있음을 주님께 감사하다. 열심히 일하여 벌어다 주는 대가로, 내 가족들이 생계를 유지하는 것에 늘 감사한 마음을 가진다.

젊은 날 철없이 보낸 날들이 가끔 후회스러울 때도 있다, 하지만, 돌아갈 수 있는 기회를 준다고 하여도 다시는 돌아가고 싶지는 않다. 이제까지 눈앞의 1시간 앞을 몰랐기에 이렇게 살아왔다. 하지만 다시 한번 내가 살아온 길을 다시 살아보라 하면 다시는 못 살 것 같다. 이만큼 버티면서 살 수도 없을 것 같고 더 나은 삶을 살 수 있다는 보장도 받을 수 없기 때문이다.

뒤돌아보면 철없던 시절도 많았고 후회되는 일도 많았지만, 내일을 알 수 없으므로 잘 버티며 오늘까지 왔다. 하루하루가 죽고 싶을 만큼 힘든 일도 많았지만 나보다 더 힘든 사람들도 이 세상에 반은 된다고 생각하기에 오늘도 감사한 마음으로 살아간다.

지금 내 주변에 사는 이들이 모두 나보다는 더 나은 삶은 사는 것 같다. 하지만 좋은 환경에서 좋으신 분들과 같이 생활하기에 잠시 내가 작게 느껴지고 초라함을 느끼는 것 같다.

며칠 전 회장님께서 내가 근무하는 현장을 다녀갔다.

큰 체격도 아니고 주변에서 늘 보는 60대 중반의 평범한 사람이었지만 현장에서 마주친 회장님의 모습은 몸 주변에서 빛이 발광하는 것처럼 느껴졌다. 대기업 회장이 그냥 되는 것이 아니란 것을 다시 한번 절실하게 느꼈다. 감히 내가 사는 세상과 다른 세상에서 온 사람처럼 느껴졌다.

잠시 현장을 돌아보고 떠난 뒤, 한참 동안 나 자신을 돌아보면서 이제까지 나는 무엇을 하고 살았는지 돌아보며 쓴웃음만 지었다.

비교하는 것 자체가 웃을 일이지만 태어날 때부터 그리고 20~30대까지 환경은 오히려 내가 더 좋은 환경에서 자랐을 것이다. 하지만 지금은 감히 주위에 다가갈 수 없을 만큼 서로가 다른 삶의 환경에서 살아가고 있으니, 난 그동안 무엇을 했는지 반성하게 됐다.

부모를 잘 만난 덕분에 삶의 여유를 너무 많이 누리고 살았다. 미래에 대해 안일함과 설마 하는 마음으로 준비하지 못했던 미래가 현실에 다가왔을 때는 이미 늦어 버린 상태였다.

그러나 40대 중반을 넘기며 현실을 직시하여 악착같이 살면서 발버둥을 쳐보았다. 하지만, 다른 사람들이 훨훨 날고 있을 때 나는 깊은 수렁에서 헤쳐 나오기 위해 발버둥을 치고 있었다.

내가 만약 가족이 없는 혈혈단신이었다면 지금쯤 나는 이승 사람이 아니었을 것이다. 이제는 가장이라는 마지막 의무를 다하기 위해 내 삶의 모두를 내려놓고, 오직 내 가족을 위해 남은 삶을 아낌없이 바치려고 한다.

그래서 힘들고, 자존심이 상하고 억울할 때도 오직 내 가족만 생각한다.

가족만 생각하면 힘들지 않고 자존심도 상하지 않고 억울한 일도 감내할 수 있기 때문이다.

가족을 생각하면 모든 것이 감사하다.

아침에 눈을 뜨면 내가 살아있기에 가족에게 무언가 작은 것이라도 할 수 있어 감사하다. 매일 아침 출근길은 내 손으로 가족의 생계를 이어 나갈 수 있어서 감사하다. 객지 생활이 외롭고 귀찮은 일도 많지만 근무할 직장이 있어 감사하고 퇴근길에는 전쟁터 같은 현장에서 밥값은 벌었으니 혼자 먹는 저녁 식사도 감사하다. 하루 일에 지쳐 쓰러져 잠자리에 누울 때도 내일의 할 일을 생각하며 잠을 청 할 수 있기에 감사하다.

한 가정에 가장으로서 떳떳하게 어깨 펴고 가족들과 따뜻하게 보낼 수 있도록 도와주신 주위 모든 사람에게 고개를 숙이며 감사드린다.

나는 내세울 것 없는 7080세대다

7080세대 70년대부터 80년대에 대학을 다닌 세대이다. 대강 짐작하면 70학번이면 지금 70세 80학번이면 60세이다. 그러니까 나이로 따지면 60~70세의 나이가 7080세대이다.

나는 7080세대이다.

6·25전쟁 이후 태어난 1953~1960년생 모두가 격변기를 산다고 느꼈겠지만, 특히 우리는 더 그랬다. 1910년부터 1945년 8월 15일까지 나라를 잃은 시대에 태어나 젊은 시절을 조국 독립을 위해 목숨을 바치고 항거한 독립투사에 비할 바는 아니다. 하지만, 7080세대도 유년 시절 굶주린 보릿고개를 겪었으며 영양실조에 걸려 피부에는 버짐이 피고 늘 콧물은 달고 살았다.

10대 말에는 10월 유신 1972년 10월 17일 박정희 대통령의 특별선언 발표와 계엄령 선포 때문에 유신체제가 시작되었다. 유신체제는 대통령 간선제, 국회의원 1/3을 대통령이 임명하고 긴급조치와 위수령으로 반대 세력 및 사회운동 세력에 대해 철저한 탄압을 자행했다.

20대에 1979년 10월 26일 중앙정보부 부장 김재규가 박정희 대통령과 경호실장 차지철을 권총으로 살해하였다. 1980년 5월 18일부터 27일까지 민주화 운동 광주의 비극과 민주화에 대한 열망이 넘쳐났던 시대, 최루탄 가스를 온몸에 맞으며 뜻을 모았던 격동의 시대였다.

허울만 민주주의였던 나라에서 국가의 억압에 맞서 나름의 사상을 피력하였다. 열정과 낭만을 불살랐던 세대와 좁은 취업 문 앞에서 책과 씨름해야 하는 일이 전부인 요즘 젊은이들과는 확연히 구별되는 세대임이 확실하다.

그리고 안정을 찾아야 하는 40대에는 1997년 12월, 대한민국이 국가부도 위기에 처해 국제통화기금 IMF로부터 자금 지원을 받아 국가부도 사태를 면했다. IMF 시기에는 대우와 한보철강 등 대기업들이 도산하고 여러 기업이 구조조정에 들어갔다. 다수의 30~40대 직장인들이 옷을 벗어야 했고, 부동산 시장의 집값은 폭락하고 빌딩은 거의 절반이 공실이었다. 현금을 가진 사람들은 부자가 되었다.

현금을 은행에 맡기면 5년 뒤에 2배를 주는 예금도 있었지만, 부동산에 투자한 사람들은 모두 5년 뒤 떼 부자가 되었다. 달러는 2,000원대 은행 금리는 24%대였으니 은행 돈으로 부동산에 투자한 사람들은 모두 망할 수밖에 없었다.

그리고 60대에는 날벼락같이, 2019년 코로나19라는 전염병으로 온 나라가 아닌 전 세계가 난리를 겪었다.

7080세대의 대부분은 유년 시절은 찢어지게 가난했다.

하루 세끼 먹기가 힘들어 어린 나이에 밥벌이하기 위해 형제자매들이 전국으로 흩어져서 배고픔을 벗어나기 위해 발버둥 쳤다. 청년 시절에는 잘살아 보자는 명분으로 정부에서 간섭하는 독재 시대에 맞서 싸웠다. 최루탄 가스에 눈물 콧물 쏟으며 인간답게 살기 위해 발악하며 살았다.

겨우 먹고살 만해지고, 결혼해서 아이를 낳고, 가족이라는 보금자리를 잡을 40대에 국가부도 위기가 찾아왔다. IMF 때 봉급생활자는 회사가 도산되어, 하루아침에 퇴직금도 못 받는 실업자가 되었다. 가족을 지키기 위해 무슨 일이든 하려고 해도 일자리가 없어 땅을 치고 통곡해야 했다. 조그마한 사업이라도 은행 돈으로 사업을 한 사람은 모두 줄도산이었다.

도산을 당했던 사람은 노숙자가 아니면 교도소로 갈 수밖에 없었다.

그렇게 힘들게 버티며 왔는데 인생 막판에 "코로나19"라는 희귀한 전염병이 전 세계에 퍼져 나라의 문을 걸어 잠그는 사상 초유의 사태가 벌어졌다. 외국 여행은 당연히 못하지만, 목욕탕도 못 가고, 모임도 못 가지며 친척과 부모와 자식 간에도 못 만나는 상황까지 갔다. 사람과 사람이 만나는 대인관계는 이제 다른 방향으로 가야 할 것 같다. 전쟁만 안 겪었지, 현대사에 굵직굵직한 사건은 모두 겪었다.

시간이 지나면 나아질 줄 모르겠지만 인간관계는 다시 회복되지 않을 것이다. 정이란 것도 사라질 것이다. 살 부대끼며 서로가 슬픔의 눈물로 위로하고 기쁨에 웃음을 같이하는 일들이 없을 것이다. 이제는 평생 겪지 못한 일들 앞에 덤덤히 받아들일 뿐이다. 이제는 정성적으로 살아가는 것보다는 정량적으로 살아가는 시대가 도래되었다. 보고 싶다고 만나자고 해도 안 되고 찾아가서도 안 되는 시대가 왔다.

부모가 자식 집에 가려면 먼저 연락해서 가도 되는지, 언제 가야 하는지 허락받아야 하는 시대이다. 자식은 부모 집 대문을 열고 들어오지만, 부모는 자식 집 대문 열쇠 번호를 알려고 하면 큰 실례고 무식한 부모가 된 지 오래되었다.

가람마을 10단지 동양엔파트 월드메르디앙 센트럴 프라임 아파트, 디에이치 퍼스티어 아이파크, 센트럴 파크 푸르지오 써밋, 동탄 시범 다은마을월드메르디앙반도유보라, 영종하늘도시 유승 한내들 스카이 스테이 등 이렇게 아파트 이름이 길어진 것은 택시를 타고 자식 집에 오는 부모가 아파트 이름을 못 외우게 하기 위해서라는 웃을 수도 울 수도 없는 농담이 있을 정도다.

7080세대는 먹을 것이 없어 굶주린 세대이고 국가의 산업화를 빌미로 노동력을 착취당하고 민주화를 위한 격동기를 겪은 세대이다. IMF 때 다니던 회사의 폐업과 구조조정으로 길바닥으로 쫓겨났다. 가정을 지키기 위해서 가족 생계를 위하여 별짓을 다 했다.

국가의 부채를 갚는다고 집에 있는 돌 반지, 결혼반지 등 금이란 금은 모두 나라에 바쳤다. 그때 금 1돈 값이 5만 원이었고, 20년이 지난 지금은 30만 원 되었다. 애국한 사람은 손해를 봤고 금과 부동산을 사 모은 사람은 지금은 부자 되었다.

이것이 7080세대이다.

부모님께서 셋방살이 집이라도 행차를 하시면 조금이라도 큰 방을 내어드리고 감히 불편함을 표시할 수 없었다. 그런데 지금은 자식 집에 가려면 며칠 전부터 자식 며느리

승낙을 받아야 한다. 혹시라도 손자들 시험 기간이면 그마저도 방문을 미루어야 한다.

예전에는 부모를 공경하지 않으면 *후레자식(호래자식)으로 취급되어 인간 취급을 받지 못했다. 하지만 지금은 자식 집 현관문 비밀번호를 알려고 하면 무식한 부모로 취급당한다.

이것이 7080세대다.

효도하지 않으면 불효막심한 놈이 되고 부모를 공경하지 않으면 후레자식(호래자식)으로 취급되어 인간 취급도 못 받았다.

효도를 바라면 무식한 꼰대 부모가 되는 것이 7080세대이다.

부모를 모시고 사는 것이 당연한 일이지만 자식과 같이 사는 것을 꿈도 꾸어서도 안 되는 것이 7080세대이다.

무선전화기도 모르는 세대를 모시고 살지만, 스마트폰으로 영상통화를 하여야 하는 세대와 동시대를 살아가야 하는 것이 7080시대이다.

안부 전화를 드려야 하는 세대와 문자로 안부를 묻는 세대와 동시대를 살아야 하는 그것이 7080세대이다.

7080세대는 노후 자금이 없어서 아프거나 제삼자의 도움이 필요할 때 가족에게 기대하는 것보다 가족의 짐이 되지 않도록 조용히 생을 마감하는 게 모두에게 도움이 되는 길이라는 걸 빨리 깨우쳐야 하는 세대가 7080세대이다.

*후레자식(호래자식) : 배운 데 없이 제풀로 막되게 자라 교양이나 버릇이 없는 사람을 낮잡아 이르는 말.

못 배운 세대의 한풀이로 태어난 캥거루족, 자라족, 리터루족, 새의'이소'로 키워라.

1950~60년생까지는 중학교에 못 간 친구들도 많았고, 절반 이상이 실업계 농·공·상고로 진학을 했다. 인문계는 대학을 준비 하는 곳이라 인문계 진학률은 높지 않았다. 사는 것은 잘살고 못 사는 것이 크게 차이가 없었다. 한 집안에 장남 한 명 정도는 대학교에 가고 나머지 형제들은 20세 이전에 자기 밥벌이를 알아서 해야 한다.

여자가 대학에 간다?

무남독녀이거나 부잣집 딸만 갈 수 있는 특수학교이다.

2021학년도 대학 진학률, 성별로 따지면 남학생 76.8%, 여학생 81.6%로, 여학생의 대학 진학률이 남학생보다 4.8% 여자가 앞선다.

초등학교 입학은 의무교육이었다.

초등학교는 입학시험이 없지만, 중학교, 고등학교 입학시험, 대학입학예비고사, 대학교 본고사를 통과해야만 대학교를 입학할 수 있었다.

내가 입학한 1975년 대학교 연간 등록금이 평균 26만 원 정도였다. 5급 공무원 (지금 8.9급) 급여가 수당 포함 4만 8천 원이었으니, 일반가정에서는 대학을 보내는 것이 거의 불가능했다.

전쟁이 끝난 시기라 한집에 아이들이 보통 5명 이상이었다. 그렇다 보니 1970년대에는 대학에 진학하는 학생들은 손에 꼽을 정도여서 집안을 일으킬 자녀 중 장남 1명 정도만 대학을 보냈다.

1975년 고졸자의 대학 진학률은 25%로 4명 중 1명꼴로 대학에 진학했다.

그래서 서울대도 입학생을 다 채우지 못한 학과도 있었고 지방사립대학은 미달학과가 아주 많았다.

대학교에 입학을 해도 유신정권을 반대하고 최루탄 맞으며 데모를 했다. 대학은 국가 경제 부흥만이 지상의 목표였고, '우리도 한번 잘살아 보세'가 모두의 꿈이었다. 그 세대를 살아가는 동안 변변한 문화도 없었지만 지독한 가난을 자식 세대에 대물림하지 말자는 각오와 강한 생활력이 있었다. 가족을 위해 자신의 모든 것을 희생하는 끈기와 가족의 안위를 위한 생존이 곧 소명이자 문화였던 시대를 살면서 국가 경제 부흥의 초석을 쌓은 7080 가장 세대이다.

하지만 요즘은 1970년대와 반대로 80% 이상이 대학에 간다.

못 배운 한풀이의 결과다.

대학을 나오지 않아 직장에서 차별 대우를 받고 많은 기회를 대졸자에게 빼앗겼다. 그렇다 보니 7080세대의 못 배운 한풀이를 내 자식에게 쏟아붓는다.

1950~1960년생의 자식들이 대략 1980년생 이후에 태어난 아이들이다.

부모들의 교육열은 대단하다.

대학은 가고 싶었지만 어쩔 수 없는 사연으로 국졸, 중졸, 고졸자로 1980년도부터 급속히 변해가는 산업화 사회생활을 하면서 많은 불이익을 받았을 것이다. 대졸이라는 이유로 고졸보다 더 많은 혜택을 받는 것을 보았고, 내 자식만은 나 같은 불이익을 받지 않게 해야겠다는 부모가 80%였으니 자식의 교육열은 대단했다.

그 결과 이제는 세상이 거꾸로 간다. 대학 진학률이 80%다.

대졸자는 취업 자리가 없고, 반대로 고졸자 취업자는 회사에서 구하기도 힘들다. 대학을 졸업하고 취업하지 못해 가업을 잇는다는 명분을 가지고 부모의 품으로 다시 돌아온다. 캥거루족이다.

사전적 정의는 "학교를 졸업해 자립할 나이가 되었는데도 부모에게 경제적으로 기대어 사는 젊은이들"이다. 유사시에는 부모라는 단단한 방어막 속으로 숨어버린다는 뜻으로 '자라족'이라고도 한다.

7080세대는 "잘 기른 딸 하나 열 아들 안 부럽다." "하나만 낳아도 삼천리 초만원"

"둘도 많다." 표어를 귀가 따갑도록 듣고 셋을 낳으면 역적이 되는 실패한 가족 계획 세대이다.

그 결과 하나둘만 낳고 키우니 얼마나 귀한 자식인가?

우리 부모 세대처럼 먹고사는 것조차 힘들어 오직 삼시세끼 자식들에게 먹이면 부모 노릇을 다한 것이다. 경제발전으로 먹고사는 문제를 해결하고 나니 오로지 자식에게 모든 것을 투자하고 몰방하는 세상이 되었다. 자식은 당연히 힘든 일은 하지 않으려고 하고 독립을 하지 못하면 부모 품에서 보호받는다.

모든 것을 몰방해서 귀하게 키웠으니 오직 내 자식밖에 모른다.남의 자식이야 죽든 말든 내 자식만 아니면 그만이다.

출가외인? 전설의 고향 드라마에서나 나오는 말이 되었다.

시댁에서 처가에서 불만 있으면 "때려치워라."라는 말을 서슴없이 한다.

부부 누구 하나가 바람이라도 피우면 부부가 해결하는 것이 아니라 상대방의 부모가 해결해 준다.

그래서 리터루족이 생겨났다.

리터루족은 '돌아간다'라는 뜻의 'RETURN'과 캥거루를 합친 합성어다.

리터루족이란?

간단히 말하자면 다시 캥거루족으로 돌아온다는 뜻이다.

결혼을 위해 독립했었던 자녀들이 부모를 모시려는 자발적인 자세가 아니라 부모의 보호 아래 시키는 대로 살아가는 나약한 자식으로 돌아오는 것이다. 경제적인 문제도 있지만 내 자식이 귀한 자식이니 무조건 받아준다.

취업 문제도 관여한다.

"중소기업은 고생하니 가지 말라"고 한다. 특히, 중소기업에서도 근무환경이나 급여가 적으면 그만두라고 한다.

어느 부모든 귀하게 키운 내 자식이 고생하는 모습을 보고 있으려면 힘들 것이다.

하지만 1960~1970년대 부모들은 20세가 넘어 독립하여 자기 밥벌이 못 하면 인간 취급, 물론 자식으로도 생각을 하지 않았다.

단, 딸 여섯 일곱에 늦게 본 7대 독자 외아들 정도는 되어야지 20살 넘어서도 부모의 그늘 안에 있을 수 있었다. 딸 여섯 일곱은 초등학교 졸업하고 방직, 봉제공장에서 몇 푼 안 되는 급여를 받아 남동생 공부 뒷바라지하는 것을 당연한 일로 받아들였다. 하나뿐인 외아들인 남동생을 위하여 모두 희생했다.

조선시대의 이야기 같지만 돌이켜보면 얼마 전이다.
수백 년 전의 일이 아니고 7080세대의 청춘 20대의 일이다.

이제는 그들의 청춘들이 부모가 되어 지난 시절을 자식들에게 한풀이한다.
나는 그렇게 살았지만 내 자식은 "그렇게 살지 말라"고 모든 것을 내어주고 퍼준다. 당연히 부모로서 해야 할 도리이고 의무지만 도가 지나쳐서는 안 된다.

동물 중에서 유일하게 사람에게만 존재하는 수천 년을 내려온 부모에 대한 효도와 부모부양의 DNA는 몇십 년 만에 완전히 사라졌다.

힘과 권력 있으며 많은 돈과 배움이 있는 부모 아래서 자란 대통령, 대기업 총수, 장관 후보자의 자식 문제로 늘 세상이 시끄럽다.
공평과 정의 그리고 진실을 아무리 외쳐도 내 자식과는 별개다.

할 수 있는 부모의 처지에서 당연한 일일 것이다. 하지만, 그렇게 못하는 부모들은 분개와 짜증 그리고 시샘이 난다. 이 세상 모든 단어를 동원하여도 표현할 수 없는 분노를 느끼는 것이다.

자식을 위해 모든 인생을 바쳤지만, 병들고 정신을 놓으면 현대판 고려장인 요양원으로 갈 뿐이다. 언제 올 줄 모르는 자식과 손자를 그리며 의식을 잃는다.

수조 원을 상속한 대기업 총수나 천하를 호령하던 권력자도 병들고 정신을 잃으면 현대판 고려장에서 쓸쓸히 사라지는 것을 수없이 보았다. 이승을 떠날 때는 만인이 평등한데 자식 때문에 상처받고 자식에게 미안해하며 이승과 이별을 고한다.

자식은 자식일 뿐이다.

자식이 사춘기를 겪는 것은 새의 '이소'와 같다.

알에서 깨어난 새끼는 어미가 물어 나르는 먹이를 먹으며 하루가 다르게 성장한다. 새끼 새는 어느 정도 성장해 나를 수 있는 깃털을 얻은 후 둥지를 떠나는데 이를 '이소'라 한다.

새의 '이소'는 새끼 새가 어미 새 둥지를 떠나 스스로 독립해서 살아갈 수 있다는 증거이다.

자식이 사춘기를 겪는다는 것은, 정신적으로는 자아의식이 높아지고 심신이 성숙기에 접어들면 부모와 이견이 생기는 것은 독립할 수 있다는 증거이다.

부모들의 과한 보호로 캥거루족, 자라온, 리터루족 생긴다.

자식을 강하게 키우려면 때가 되면 어미 새 둥지를 떠나보내는 '이소'를 인간이 배워야 한다.

언젠가는 이승에서 부모가 먼저 떠나면 자식은 홀로서기를 해야 하기 때문이다.

블랙박스 인생

사람이 무섭다..

나이도 먹을 만큼 먹었는데 아직도 사람을 잘 모르겠다.

나름대로는 인간관계가 원만하다고 생각하며 그렇게 믿고 살았는데 아직도 많이 부족하다. 앞으로 살아갈 날이 살아 온 날보다 적기 때문에 이제는 교만하지 않고, 겸손하게 흐르는 물처럼 살자고 맹세하고 다짐하며 살았지만, 아직도 부족한 것이 많다.

아무리 생각해도 모두 것을 내 탓으로 돌릴 수밖에 없을 것 같다.

많은 건설공사를 하기 위해서는 많은 사람을 상대해야만 한다.

또 다른 경험과 또 다른 아픔을 며칠간 술의 힘을 빌려 추슬러보고 내 마음을 도려내어 보여주고 싶다. 하지만, 아무 말도 하지 않고 그냥 가슴에 묻어두려고 한다.

나이 60세가 넘어서면서 세상의 많은 경험을 하고 나름대로 산전수전을 다 겪었다고 생각했는데 아직도 사람에 대한 것은 많이 경험하고 배워야 할 것이다.

나를 방어를 하기 위해 이 사람 저 사람을 끌어들이지 말자고 생각하니 다른 사람이 저지른 일에 그 사람을 빼고 나니 아무 할 말이 없다. 앞으로도 사람을 상대하기가 어렵고 겁이 난다. 아무 일도 없던 것처럼 행동하려고 노력하지만 북받치는 사람에 대한 불신이 자꾸 나를 힘들게 한다.

일요일에 너무 지쳐서 잠깐 성당에 미사를 드린 것 이외는 온종일 잠만 잤다. 하느님께 나의 마음을 토해내는 간절한 기도를 드리고 싶었지만 아무 기도도 올리지 않았다. 주일만 지키는 나일롱 신자인 내가 무슨 염치로 억울함을 풀어달라고 기도를 드리겠는가?

다만, 진짜 하느님이 존재한다면 "이번 일은 내가 다 알고 있으니 마음 아파하지 마라"라고 한마디만 해달라고 기도했다. 하지만 믿음이 부족하여 나이가 들수록 하느님을 믿는 것이 아니라 힘들 때마다 의지하게 된다.

상처는 깊었지만, 이제는 모두 다 잊고 훌훌 털어버리려고 한다. 마음을 비우면 이렇게 편한데 왜 그렇게 고통스럽게 살았는지 나도 모르겠다.

말 한마디, 행동 하나가 조심스럽다. 문서로 남기고, 사진으로 기록하고, 말을 녹음하면서 사람 상대를 해야 하는지 자꾸 의구심이 생긴다.

앞으로 공적인 일은 문서화하거나 사진으로 기록을 남겨 두어야겠다.

인간관계를 자동차 블랙박스처럼 사는 것도 달라지는 세상에 적응하는 삶이라 생각하니 괜히 서글퍼진다.

도살장을 잊고 사는 돼지

요즘은 날씨가 미쳐서 계절이 없다.

봄을 기다리면 겨울이 버티고 있다가, 봄이 오나 싶으면 여름이 밀고 들어온다.

계절이 환장했는지, 아니면 지구가 환장했는지 날씨의 사계절은 없어지고 겨울과 여름으로 갈라진다.

여름이면 어떻고 겨울이면 어떻고 봄, 가을이 없으면 어쩌랴. 한낱 인간이 계절에 맞추어 살아야지 자연을 거슬릴 수는 없지 않은가?

의미 없이 또 하루를 시작한다.

그리고 새로운 하루 30일이 모이면 열심히 일했든 농땡이를 쳤든 월급이 나오는 봉급날이다.

한 달, 한 달 봉급날만 챙기다 1년이 후딱 지나가고 1년, 1년 지나가면 인생도 점점 끝나 가는데 지금 그것을 잊고 살아간다. 너무 많은 것을 생각하는 것 같지만 잊고 살아서 편안한 것도 있는 듯하다.

자식이 대학을 입학과 졸업을 하고, 군 복무를 갔다 오면 축하하니 기쁜 일이다. 하지만 기쁨 뒤에는 아버지가 늙어가고 있다는 것을 잊고 산다.

사료를 먹는 작은 기쁨으로 도살장에 가야 하는 것을 잊고 사는 돼지처럼….

고향 그리고 고향 친구

사실 난 고향이 없고 고향 친구도 없다. 나의 고향이 사라졌기 때문이다.

"고향"의 사전적 의미는 "태어나 자라난 곳"이다.

지금 내 고향이 어디냐고 물으면 당연히 대구라고 말해야겠지만, 망한 사람은 고향이 사라진다는 것을 망하고 난 뒤에야 알았다.

이유 없는 반항에 엄마는 매일 학교에 불려왔고 집에서는 말썽을 부렸다. 엄마에게 터지고 학교에 가면 또 싸우고 따돌림당했다. 지금 생각해 보면 그 시절 아버지가 육성회장이라서 그나마 학교에서 많이 봐준 것 같다. 다 커서 이야기를 들었지만 사고치고 초·중고 때 치료비와 합의금만 해도 집 몇 채를 날렸다고 한다.

60년대부터 극장을 두 개나 했으니 요즈음으로 따지면 당시에는 재벌가다.

모두가 가난하고 못 살던 시절 극장 건물이 동네에서 제일 크고 현금을 제일 많이 들어왔다. 문화 혜택이라고는 영화뿐인 시절, 친구들이 공짜 영화를 보려고 모두가 나를 따랐다. 그렇다 보니 나는 기고만장 안하무인이었다.

집에 현금이 떨어질 날이 없으니 용돈도 풍족해서 공짜 영화 보여주고 군것질거리 사주는데 누가 나를 따르지 않겠는가?

중고등학교 때는 돌아다니며 사고를 쳐서 파출소에 잡혀가도 무조건 훈방 조치로 나오는 극장집 아들인데 무엇이 겁났겠는가?

중학 때부터는 사고를 치면 퇴학이 되어야 하는데 그나마 집이 살 만해서 정학 정도로 마무리를 했다. 초·중고 때 학교에 가면 친구들 앞에서 요즘 말로 짱인데 돌아서면 진상이었다. 그래서 나는 초·중고 때에도 친구가 없었다.

지금 생각을 해도 참으로 안타까운 행동들만 한 것 같다.

운이 좋게 대학에 갔지만 그때부터는 여학생에 빠져서 살았다.

대학에 들어가 반항하는 싸움닭이 처음 사랑이라는 것을 알았다.

부모에게 사랑받지 못하고 형제간에 우애도 없었던 내가 처음으로 사랑이라는 것을 느껴 보니 그것이 인생의 전부인 줄 알았다.

지금도 잊지 못하고 내 가슴 한구석 깊이 묻어두고 살지만 자기를 낮추고 내가 원하는 것을 다 해주는 여자였다. 키는 작지만 긴 생머리와 커다란 눈에 겁은 많으나 나에게 사랑을 알게 해준 첫사랑 여자이다. 물론 평생을 같이하고 싶은 여자였지만 엄마의 반대로 결혼을 하지는 못했다.

동갑내기여서 서른이 넘도록 끝까지 붙잡을 수가 없어서 헤어졌다.

당시에 결혼 적령기는 남자 27세, 여자 24세였는데 결혼 반대 이유는 단 한 가지, 형이 결혼하기 전에 동생이 먼저 결혼할 수가 없다는 것이다. 엄마가 여자 친구를 만나 깽판을 치고 어떻게 말했는지 결혼할 자신이 없다며 떠나갔다.

그래서 나는 어른이 되었어도 반항으로 나의 불만을 표출했다. 형이 늦게 결혼하는 바람에 결혼도 포기하고 방탕 생활을 많이 했다. 사실 결혼도 하지 않고 그냥 부모 옆에 평생 눌어붙어 부모 속이나 썩히고 살려고 했다.

남들은 먹고살 만하니 그런 반항을 한다고 하지만 돌이켜 보면 나의 인생은 없었다.

부모가 맞추어 놓은 틀 안에서 살아야만 했다. 그래서 나는 고향도, 고향 친구도 없다. 나의 어린 시절은 캄캄한 암흑이다.

부귀영화? 부잣집 아들? 있는 집 자식? 개뿔로 고향도 고향 친구도 없는데….

남들이 보면 먹고살 만하고, 배가 고파봐야 안다고 하겠지만 나는 지금도 금전에 대한 집착은 없다. 산해진미보다 죽이나 라면이라도 마음 편하게 먹어야 맛있는 것이다. 대궐 같은 집보다는 쪽방이라도 마음이 편해야 다리를 펴고 잘 수 있다고 생각한다. 그래서 나는 지금의 삶이 조금은 불편하지만 행복하다.

넓은 아파트는 아니지만 이사 걱정을 하지 않고 살 수가 있어서 좋다. 겨울에 따뜻하게 살지는 못해도 비바람을 막아주며 춥지 않게 살 수 있고, 여름에 시원한 넓은 대궐집은 아니지만 12층 창문만 열면 시원한 바람이 들어오는 집이라 편안하게 살 수 있다. 예전에 큰집에서 부족함 없이 풍족하게 살 때보다, 지금은 작은 집에서 살지만, 더욱 행복함을 느끼면 살고 있다.

이 세상 기억도 없을 오십여 년 전에 일들을 고향 친구라고 마주 앉아 말동무해주고 같이 수다 떨어 줄 고향 친구가 있으면 좋았을 것이다. 험한 세상이지만 포기하지 않고 살아온 것에 대한 작은 보상이라도 받는 것이지만 고향 친구마저 하나 없는 내 삶은 잘못 살았던 것 같다.

언제까지 살지 모르지만, 이제는 더도 말고 덜도 말고 이렇게만 살다가 내 인생을 마감하고 싶다.

이 세상에 태어나 잘난 부모 만난 한(限) 때문에 고향도 없고 고향 친구도 없는 서러움도 다 잊고, 내 곁에 있어 준 아내에게 감사한 마음뿐이다. "직설적이고 다혈질에 성질 더러운 놈 만나 맞혀주며 평생 내 곁에서 살아주어서 고맙다" 내 자식에게는"네가 태어난 그 날부터 지금까지 행복하게 살았다."

"사랑하는 아내와 아들, 내가 이 세상에 태어나 너를 만나 행복이 무엇인지 알게 해주어 감사하다. 지금까지 부모와 형제 고향 친구는 내 곁을 다 떠났지만 내 곁을 지켜주어 정말 고맙다."라는 전해주고 싶다. 이 세상과 하직하기 전 마지막으로 내가 태어난 대구시 중구 덕산동 63번지를 그려본다.

고향 친구 하나 없이 내가 자랐지만, 대구시 중구 남산동 653번지를 떠난 지 25년 만에 찾아보니 살던 집과 동네는 흔적조차 찾아볼 수 없고 주상복합 아파트로 바뀌어 있다. 하지만 인터넷 위성사진 거리뷰로 보는 내 고향이지만 혹시라도 그 자리에 상가 생맥줏집이라도 있으면 한 잔 마시고 싶다.

얼큰하게 마시고 뱉지도 못하고 혼자 흥얼거리는 나의 마음의 '희망가' 노래 한 곡으로 한 맺힌 인생 삶을 씻어 내려야겠다.

서러운 7080세대 "그래 나는 꼰대다"

돌이켜보면 7080세대는 태어나 20여 년(1950~1970) 동안 4·19, 5·16 이외에는 변한 것이 거의 없다. 30년(1971~2000) 동안 "잘살아 보세" 새마을 운동 경제발전을 이유로 노동력을 탈취당했다. 영구집권을 위한 3선 개헌과 1979년 10월 26일에 박정희 대통령 피격사건이 있었다. 5·18 광주 민주화 운동, 12·12 사태, 6월 항쟁으로 대통령 직선제 복구, 민주 노동운동으로 인한 격동의 시절을 정신없이 보냈다. 20세기 최종 피날레를 장식은 IMF 외환 금융위기로 피범벅이 되어 밀레니엄 새천년 2000년을 맞이하였다. 20~40대 젊은 청춘을 쉴 틈 없이 숨 가쁘게 뛰어왔다.

밀레니엄 시대는 디지털 시대다.

60년대 말 중학교에 다닐 때 돌 아이 별명을 가진 과학 선생님이 말씀하셨다. 당시 흑백 TV가 동네 부잣집에 한 대 정도 있을 때이다. 하지만 앞으로는 액자형으로 천연색 컬러TV를 벽에 걸어 두고 보는 세상이 올 것이다. 그리고 동네에 한 대 있는 전화를 사람마다 무선으로 들고 다니면서 전화기로 얼굴을 보면서 통화한다고 했다. 그래서 과학 선생님을 공상가이며 돌 아이 선생님이라고 놀렸다.

수백 년 전의 일도 아니고 50년 전의 일이다.

신라시대 김유신 장군은 말을 타고, 칼을 가지고 전쟁터에 나갔다. 그 후 1000년이 지난 조선의 권율 장군도 말을 타고 칼을 들고 전쟁을 치렀다.

그러나 20세기 동시대를 같이 사신 나의 아버지는 85세까지 사셨지만 고속 열차를 한번 타보지도 못하셨다. 그리고 벽걸이 평면TV, 휴대전화기, 스마트폰 사용은 물론 구경도 하지 못하고 1999년 돌아가셨다.

세월이 지나가는 속도는 같은데 변화의 속도는 너무 빨라서 적응하기 힘들다. 7080세대가 아날로그와 디지털 같이 맛보는 행복한 세대이지만 양쪽 모두 적응을 못 하는 불행한 세대인지도 모른다.

아날로그식 아버지 밑에서 자라, 디지털식으로 자식을 키워야 하는 혼란 속에서 많이 고민해야 할 것이다.

어릴 적 아침에 일어나자마자 담뱃값 거스름돈을 용돈으로 받으려고 아침 먹기 전 아버지 담배 심부름을 했다. 검정 고무신을 신고 책가방 대신 책을 보자기로 싼 책 보따리 어깨 대각선으로 짊어지고 학교에 갔다. 점심시간에는 도시락을 싸 오지 못한 애가 반 이상 되어서 미국에서 원조해준 옥수숫가루를 급식소 가마솥에서 쪄낸 옥수수빵으로 허기로 달랬다. 방과 후에는 알몸으로 시냇가에서 물장구를 치고 검정 고무신에 시냇가에서 잡은 송사리를 담아 맨발로 황톳길 걸어 집에 온다. 그리고 아버지 막걸리 심부름으로 주전자를 손에 들고 술도가(동네 막걸리 양조장)에 가서 막걸리 한 주전자를 사 오면서 살짝살짝 한 모금씩 맛보았다. 그러다가 너무 많이 먹어 막걸리 주전자에 물을 타서 아버지에게 가져 드렸다가 뒤통수를 얻어맞고, 이웃 고모 집으로 도망갔던 일들이 새록새록 기억난다.

요즈음 같으면 나의 아버지는 아동 학대죄로 구속되었을 것이다.

직장 출근부에 도장을 찍고 팔에 토시(일할 때 소매가 해지거나 더러워지지 않게 하려고 소매 위에 덧끼는 헝겊)를 끼고 여러 장이 필요할 때는 먹지를 넣어 꾹꾹 눌러 종일 글자 썼다. 기안 용지 글씨를 못 쓴다고 핀잔을 들으면, 높은 사람에게 결재를 올릴 때는 타자수(타자기를 치는 사람) 찾아가서 사정하여 타자로 친 기안서류로 결재받았다.

결재받은 서류는 분류하여 종이 흑표지에 철(묶음)하여 도표, 글씨를 잘 쓰는 동료에게 부탁하여 제목(타이틀), 소속 등을 적어 철 캐비닛에 넣어야 하나의 서류가 종료된다. 책상 위에는 진행되는 서류철로 꽉 차고, 각종 문구류로 항상 복잡했다.

요즈음 대기업은 보안상 밖으로 나갈 수 없는 노트북 이외는 책상 위에 아무것도 올려놓을 수 없다.

보관서류, 도장, 출근부, 대면 결재가 없다.

모든 것을 노트북 하나로 처리해야 한다.

심지어 복사 및 출력하려면 신분증으로 확인을 해야 복사기를 사용할 수 있다. 종이 서식 대신 모든 보고서와 서류는 대부분 Power Point와 Excel로 처리를 해야 한다. 대신해줄 사람은 어디에도 없다.

글씨를 못 쓰면 타자수가 대신 타자기를 쳐서 서류를 만들어 주었지만, 디지털 시대에는 Power Point, Excel을 할 수 없으면 회사를 그만두어야 한다. 디지털 업무능력이 없으면 직장생활은 끝이다.

자필 이력서 제출은 호랑이 담배 피우던 시절 이야기이고 요즈음 이력서에는 PC 능력, 자기소개서 등 써야 한다.

외국어 능력이 안 되어도, 한글만 잘 알면 버틸 수 있다.

'Column'을 '칼럼' 또는 기둥으로 쓰면 되고 설사 발음이 조금 안 되어도 대충 얼버무리면 된다. 그러나 PC 능력이 안 되면 무조건 그만두어야 한다.

PC 능력이 안 되어서 사무직을 포기하고 현장직으로 가는 동료들을 수없이 보아 왔다. PC 능력이 안 되면 직장생활을 할 수 없는 것이 현실이다.

요즈음 젊은이들 글씨체를 보면 내 초등학교 시절 글씨보다 더 못하다. 자판에 길들어서 글씨를 쓸 일이 없으니 당연한 일이다. 7080세대가 독수리 타법으로 자판을 두드리는 것이나, 젊은이들이 글씨를 못 쓰는 것이 똑같다. 그러나 요즈음 직장생활에서 글씨를 못 쓰는 것은 상관이 없지만, 자판 못 두드리면 직장생활을 할 수가 없다. 아날로그 세대와 디지털 세대의 차이다.

임금피크제로 60살까지 일을 했다. 정년 후 촉탁직으로 임금의 불이익을 감수하면서 버틴 직장에서 그나마 65세 이후에는 나이가 많다며 눈치를 준다. 남들은 65세까지 직장생활을 했으면 많이 했다고 한다. 하지만 IMF 때 빈손이 되어 20여 년을 앞만 보고 달려왔다. 알뜰한 아내 살림살이 덕분에 낭비 없이 살았지만, 자식 공부 다 시키고 나니 노후대책은 없다.

아내는 나보다 10년이나 젊다. 내가 먼저 이승을 떠날 때 자식이 모르는 비자금이라도 남겨주려고 하다 보니 65세가 넘어서 하는 직장생활도 힘들다. 사업은 고사하고 조그만 구멍가게라도 하려고 생각해도 용기가 나질 않는다. 겨우 쥐꼬리만큼 모아둔 종잣돈마저 날려 버릴 것 같아서 엄두가 나지 않는다.

아날로그의 마지막 세대가 디지털 시대에 눈치를 보면서 힘겹게 버티며 살아간다. 아날로그 시대에는 꼰대는 없었다. 인터넷도 없었고 스마트폰도 없었다. 배워야 하고 정보를 알려면 선생님과 어른을 찾아가서 지식을 습득했어야만 했다.

선생(先生)이 무슨 뜻인가?

먼저 先 태어날 生 즉, 먼저 태어난 사람이 선생이다.

7080세대에는 어른이나 선생님께 가르침을 받고 자랐다. 다른 곳에서는 배울 수가 없기 때문이었다. 물론 책이나 전문 서적으로 배울 수도 있지만 요즈음 젊은이들이 아버지, 선생, 늙은이를 깎아내려는 은어로 사용을 하는 꼰대에게 배웠다.

요즈음 젊은 세대는 기성세대에게 배울 것이 없다고 생각한다. 아버지의 밥상머리 교육은 밥맛 떨어지는 아버지 잔소리일 뿐이다. 학교 선생님의 교육은 대치동 SKY 출신 학원 강사나 메가스터디 1타 유명 강사를 더 신뢰한다.

어른에게도 배울 것이 없다.

상식이나 옛이야기는 어른보다 네이버 어른을 더 좋아하고 더 믿는다.

그렇다 보니 아버지, 선생님, 어른은 잔소리하는 세대 차이가 나는 꼰대로 헐뜯어버린다. 모르는 것은 선생님과 어른보다는 녹색 창 네이버에서 물어보면 아주 자세히 가르쳐주니 선생님과 어른이 필요하지 않다.

신라를 창건한 박혁거세나 1500년을 지나 조선을 창건한 이성계나 변한 것은 거의 없다. 그런데 1948년 대한민국 초대 대통령 이승만부터 현재 2022년 20대 대통령 윤석열까지 얼마나 많이 변했는지 모두 잊어버리고 산다.

1963년~1979년 대통령으로 재직한 박정희 대통령 시절은 “오직 잘살아 보세” 국가 재건사업을 추진하였다. 1968년부터 경부고속도로, 서울 지하철 기공 및 개통, 농촌의 현대화 운동이었던 새마을 운동을 하였다. 대규모 중화학 공업 건설 및 육성, 민둥산의 기적인 산림녹화 사업, 식량 자급자족 실현, 자주국방 및 군 현대화 사업 등 국가 근대화 정책을 추진하여 국가 발전의 기반을 마련하였다.

그러나 장기 집권을 위한 3선 개헌 및 유신헌법 등의 장기 집권을 반대하던 여야 및 학생운동이 일어났다. 1979년 10월 김영삼 의원 제명 파동으로 부마항쟁이 일어났고, 1979년 10월 26일 궁정동에서 중정부장 김재규에 의해 암살을 당했다.

"독재자다. 경제 부흥을 이뤄낸 훌륭한 통치자다. 조국 근대화의 아버지다"라는 다양한 평가가 있다. 하지만 6.25 전쟁 후 1960년 북한의 1인당 국민총소득은 18만 원, 남한은 12만 원 1.5배였다. 계산방식에 따라 북한의 1인당 국민총소득이 남한의 3배를 넘는다는 분석도 나왔다.

7080세대는 "독재자, 경제 부흥을 이뤄낸 훌륭한 통치자, 조국 근대화의 아버지"의 통치 아래 "잘살아 보세"라는 선동에 노동력 착취를 당하고 인권이란 용어도 모른 채, 죽도록 일만 했다. 그리하여 2021년 북한의 1인당 국민소득이 1,423,000원일 때 한국의 1인당 국민소득은 40,480,000원 약 28배 이상의 성과를 냈다.

보릿고개는 유행가 가사가 아니다.

실제로 7080세대 대부분이 겪은 일이다. 영양실조에 얼굴 버짐이 생겨나고, 푸른 콧물은 항상 달고 다녔다. 예방주사를 맞을 수 없어서 학교에서는 한 학년에 다리를 저는 소아마비 장애인이 여러 명이 되었다. 천연두 전염병에 살아남았지만, 곰보라고 얼굴이 일그러진 친구들도 있었다. 또한 척추를 다쳐 병원에 가지 못해서 평생을 곱사등이라는 업보를 안고 장애인으로 살아가면서 누구도 원망하지 못했다. 폐병이라고 결핵에 걸리면 병원비가 없어 치료도 못 받고 피를 토하고 죽었다.

이런 환경에서 버티고 살아남은 세대가 7080세대, 요즈음 꼰대다.

그래도 지금의 꼰대는, 꼰대를 단 한 번도 꼰대라고. 말하지 않고 돌아가실 때까지 모시고 장례 치르며, 매년 명절에 성묘와 기일에 제사를 모시며 살아왔다.

보건복지부에 따르면 화장(火葬)으로 장례를 치르는 비율이 1981년 10.7%였다. 하지만 2021년 82.7%를 기록했다. 40년 만에 8배로 10명의 꼰대가 죽으면 8~9명은 화장한다. 그리고 상속이라도 받은 자식은 양심에 걸려 봉안당에 뼛가루라도 넣어두지만 그렇지 않으면 산골장에 뿌린다.

7080세대는 부모님이 돌아가시고 화장을 해서 산골을 하면 *호래자식이라고 욕 얻어 먹었다. 그리하여 부모님을 화장하는 것을 큰 불효로 알았다. 하지만 자신들은 화장하지 말라 하면 꼰대가 되니 꼰대가 되기 싫어서 따끈따끈한 화장장에서 1시간 동안 온몸을 태운다. 남은 뼛가루를 분쇄기에 분골을 시켜 먼저 산골이 된 이름도 성도 모르는 이들과 육체의 뼛가루에 섞여 있는 산골장으로 뒤섞여 들어가야 한다.

요즈음 세대 아이들이 만약 이글을 보면 무릎을 치며 말할 것이다.
"역시 7080세대는 꼰대다"할 것이다.

그 꼰대는, 이렇게 대답한다.

"그래 나는 꼰대다"

"효자는 못되어도 *호래자식 안 되려고 평생 노력한 나는 꼰대다"

*호래자식[명사] 배운 데 없이 막되게 자라 교양이나 버릇이 없는 사람을 낮잡아 이르는 말.
[유의어] 개망나니, 돌놈, 후레자식

4. 목구멍이 포도청

중년 우울증 환자의 글

몇 번을 썼다가 지우고 또 썼다가 지웠다.

누군가가 나에게 관심을 두고 궁금해하는 사람이 있다는 것이 내 삶에 작은 위로가 될 것 같다. 어쩌면 모두에게 닥칠 일이 오히려 내게는 늦게 왔지만, 자만심과 자존심이 나를 슬프게 하고 나 자신을 괴롭게 한다.

돌이켜 보면 돈과 재산 문제로 복잡하게 뒤엉킨 가정사를 빼고 나면, 지금 당장 죽어도 여한이 없을 정도로 내 인생은 괜찮았다고 자평을 한다.

40대 중반까지는 겁도 없고 여한 없이 살았다. 안될 것이 없었고, 내가 최고이고 내 멋대로 살았다. 예쁘고 착한 내 색시도 만나고 천하에 제일 잘생긴 내 아들도 생겼다. 사업도 그냥 던져놔도 잘되었고 어슬렁어슬렁 해외여행이나 돌아다녔다. 아내는 착하디착해 사업한답시고 몇 달을 집에 들어가지 않아도 잔소리 한번 안 했다. 아들 녀석은 큰 문제 없이 말썽도 한번 부리지 않고 잘 자라 주었다.

그런데 그렇게 잘난 척하며 살다가 그놈의 IMF가 터지고 모든 것을 잃었다. 많은 재산과 사람, 그리고 마지막에는 부모 형제까지 모두 다 잃었다. 자수성가한 내가 아니었기에 그 충격은 어마어마했다. 몇 번을 죽으려고 자살 시도를 했다.

부정수표 단속법 위반으로 몇 달을 구치소 신세를 지고 나왔지만. 부르주아 사상이 꽉 찬 내 머리는 내 삶과 사고를 바꾸기가 어려웠다.

몇 달을 헤매다 주위를 보니 술에 쩔어 피골이 앙상한 거의 반폐인이 된 내 모습과 초등학교 갓 입학한 내 아들이 수많은 불안감으로 걱정스럽게 나만 바라보고 있었다. 말 한마디 못 하고 지쳐가는 내 아내를 보며, 내 한 몸 괴롭다고 모든 것을 포기하고 사는 나 자신이 죽이고 싶은 정도로 싫었다.

나야 이승에 대한 미련도 없고 더 살고 싶은 의미도 없었다. 하지만 나 좋다고 아무런 조건 없이 시집와서 나만 믿고 따라와 준 내 아내가 있다. 또한 나로 인하여 이 세상에 아무 이유 없이 태어난 내 자식을 생각하니 스스로가 한심스럽고 기가 찼다.

이제 남은 내 인생은 가족을 위해 살자고 맹세하고 또 마음 다져 먹으면서 여기까지 앞만 보고 달려왔다. 자존심도 버리고 부모 형제, 친척, 친구 다 버리고 오직 처자식만 생각하고 살았다.

늦게라도 철든 남편을 기특해하며 좋아하는 아내 모습을 보면서 내 삶의 의미를 찾으려니 나이란 것이 발목을 잡을 때가 되었다. 한 것도 해준 것도 없고 아직 할 일은 아주 많은데 봉급쟁이치고는 나이가 많단다. 늙은 사람보다는 젊은 친구들이 훨씬 좋지 아니한가?

빠르고 생생하고 디지털하고 봉급도 적으니 내가 회사대표라도 늙은 사람보다 젊은 사람을 선택할 수밖에 일이라고 받아들여야 한다. 하지만 그러기에는 아직은 할 일이 너무 많이 남은 것 같다.

밀리고 밀려서 전남 광양에 내려왔다. 고민을 많이 했다. 사표를 낼까? 다른 직장을 알아볼까? 결론은 회사 방침을 따르기로 하고 광양으로 귀양살이를 왔다.

포항에서 광양으로 전보 발령을 받고 처음에는 참담했다. 설마 했던 일이 현실로 나타나니 믿어지지 않았다. 돈 벌러 멕시코까지 간 친구 보기에는 국내에서 뭘 그러냐고 그럴 것이다. 하지만 외국은 돈을 많이 받고 돌아갈 기약이라도 있다. 하지만 광양으로 밀려온 나는 퇴직하기 전까지는 영영 못 돌아갈 것 같다.

직장생활 모두 다 그런 것이지만 나이가 한 살 더 들어감을 느낄 때마다 서글픔과 비참함을 더 느꼈다. 친구가 전화해서 위로도 많이 해주었지만 밀려오는 중년의 서러움을 어쩔 수는 없다. 목구멍이 포도청이라 받아들였지만 몇 달간 많은 생각과 고민을 했다. 글로 표현하는 것조차 서러워서 쓰다가 지우고 쓰다가 지우고 했다.

받아들이면 별일이 아닌데 나 혼자서 많이 고민했다. 집 떨어져 사는 것이 대수롭지 않았지만, 이제는 물러나야 한다는 고민이 나를 많이 압박했다.

무자식이 상팔자라고 자식 없이 사는 사람이 부럽다. 어차피 죽어서 3일이 지나면 다 썩어 문드러질 몸뚱어리 왜 이리 골치 아프게 발버둥 치며 사는 것인지? 자식이 뭐고 아내가 뭐고 직장이 뭔지? 그냥 편하게 살다가 편하게 죽으면 되는 것을 왜 이렇게 아등바등 살아가는 것인지, 무엇이 옳은지 그른지 많이 흔들리며 고민을 했다.

석 달여의 열병을 앓고 제정신 차려 이렇게 또 쓸데없는 긴긴 글을 적어본다. 적어놓고 다시 읽어보면 쓸데없는 글 같아 지우고는 했는데 오늘은 그냥 쓴다.

다시 읽지 않기로 하고….

얼마 전 멕시코로 돈 벌러 간 친구와 통화를 했다.

6월에 귀국하는데 4월에 휴가를 나올까 해서 비행기 삯을 돈으로 주고 그냥 있다가 6월에 나오라고 했더니 삐졌는지 요즘은 연락이 없다.

나한테는 관대하고 남들에게는 현실의 잣대를 들어대는 내가 싫다.

오늘도 정리되지 않은 글이 구질구질하게 길어졌다.

두서도 없고 말도 되지 않은 글이지만 그냥 쓴다.

아직은 마음에 정리가 다 되질 않았는데 별일 아니라고, 그냥 중년에 우울증 환자의 글이라고 생각하면 될 것 같다.

미련한 남자라는 동물적인 습성

사람의 몸이 희한한 것은 긴장이 풀리면 아프다.

매번 지방으로 발령을 받으면 처음 한 달쯤 지나서 꼭 심한 몸살감기를 앓는다. 직업상 2~3년에 한 번씩은 옮겨야 하는 직업이라 어쩔 수 없지만 한 달쯤 지나면 심한 몸살감기를 짧게는 1주일, 길게는 보름 정도 홍역을 치르듯 한다.

처음 한 달 정도는 낯선 곳에서 와서 낯선 사람과 업무 파악도 해야 하고 바뀐 환경에 적응해야 하니 힘들어도 정신없이 시간을 보낸다. 그렇다 보니 아플 겨를도 없이 한 달쯤 지나면서 업무 파악을 하고 적응할 때쯤에 긴장을 풀면 심한 몸살을 앓게 된다. 나잇살 더 먹기 전에 가족 생계를 위하여 어쩔 수 없이 조금이라도 더 모으려고 힘겨운 하루하루를 보낸다. 그러다가 가족이 반기는 가정으로 돌아오면 긴장이 확 풀리면서 몸의 면역성이 확 떨어져 몸살을 앓는 것 같다.

남자라는 동물의 습성이 그런 것 같다.

내 가족 앞에서는 힘이 있고 권위 있는 늠름한 모습을 보이고 싶지만, 사랑하는 내 가족들이 내가 왜 이렇게 힘들어하며 사는지를 알아주었으면 하는 것 같다. 돌아서서는 가족들에게 살포시 기대어 쉬고 싶으면서도 그런 모습을 숨기는 것이 자존심을 지키려는 남자의 동물적 나쁜 습성인 것 같다. 아프면 아프다고 하고 가족의 도움을 받고 가족에게 기대면 좋으련만 패잔병처럼 보이는 현실의 약한 모습이 싫어서 혼자 힘들게 홍역을 치른다.

사는 것이 별거인가?

좋으면 좋고, 싫으면 싫고, 화나면 화내고, 아프면 아프다고 하면 되지 그것을 참고 견디며 포커페이스를 유지하는 것이 남자라고 생각한다. 이러한 것이 가장의 본 모습이라고 알고 있는 남자의 동물적 습성이 수컷들의 필요 없는 허세인 것 같다.

수컷 공작의 꼬리 깃털을 화려하게 펼친 채 잘 걷지도 못하면서 푸르르 떨며 모든 깃털을 세우고 있는 수컷 공작의 모습과 다를 것이 없다. 그렇게 암컷에 구애하여 암컷의 선택을 받아야 하는 수컷이라는 동물들의 똑같은 슬픈 모습이다.

반복되는 삶의 시간 속에 찾는 가장(家長)의 행복

모든 것이 자동이다.

일과부터 알람 소리에 눈을 뜨고 일어난다.

TV에는 아침뉴스가 자동으로 켜진다.

머리맡에 물 한 컵을 마시고 담배에 꼬나물고 불을 붙인다.

뉴스 진행자가 뭐라고 한다.

관심 밖이다.

나하고는 아무 상관 없는 일이기에.

담배를 물은 채 화장실로 가서 칫솔에 치약을 묻힌다.

그제야 물고 있던 담배를 양변기에 버린다.

양치질을 어물어물하고 헝클린 머리에 대충 물을 끼얹는다.

채 머리가 다 마르기 전 옷가지 걸치고 현관을 나선다.

아무 생각 없이 차 시동을 걸면 희한하게 사무실 앞에 도착해 있다.

사무실에 들어서자마자 컴퓨터를 켠다.

컴퓨터 부팅 시간에 원두커피를 내린다. 원두커피 냄새가 코를 통하여 생각 없는 뇌 속으로 펼쳐진다. 맑은 갈색 원두커피가 워터드립(Water Drip)으로 한 방울씩 떨어져서 모인다. 원두커피는 입 안에 머금을 사이도 없이 목구멍을 타고 내려간다.

정신이 돌아온다.

받는 메일함을 연다.

정신이 돌아오자마자 전쟁이 시작된다.

사무적으로 의무적으로 기계화된 손가락이 자동으로 움직인다.

커피를 채 머금지도 못한 입에서는 혼잣말로 육두문자가 튀어나온다.

“어쩌란 말이야.”

“스으발….”

기어이 참지 못하고 유선전화기 수화기를 집어 든다.

"이렇게 처리하면 나보고 어쩌란 말이야."

"누가 책임질 건데?"

"나는 모르니 알아서 해"

던지다시피 전화기를 내려놓고 사무실 문을 나간다.

사무실 뒤편 후미진 곳에서 담배 한 개비를 꼬나문다.

한 모금의 담배 연기를 다 내 뿜기 전에 휴대전화기가 울린다.

이러쿵저러쿵 뭐라고 이야기한다.

담배 맛이 더러워질까?

담배를 다 피울 때까지 그냥 가만히 듣고 있다.

담뱃불을 끄고 사무실로 투덜거리며 다시 들어온다.

오전 전투를 치르고 나면 어느덧 점심시간이다.

밥 먹는 공장으로 간다. 식판을 들고 한 줄로 길게 서 있다. 기계적으로 식성에 상관없이 펼쳐놓은 몇 가지의 반찬과 공깃밥을 담아 맛보다는 오후 전투를 위한 배 채움을 한다.

차를 타고 왕복으로 식당에 다녀오면 오후 전투가 시작이다.

오전 전투가 온라인 전투라면 오후 전투는 오프라인 전투이다.

다들 너무 똑똑하고 미주알고주알 다 맞는 말만 한다. 이 사람 말도 옳고, 저 사람 말도 옳다. 그렇다면"모이기는 왜 모여. 회의라는 것으로 시간을 낭비하고 사람 피곤하게. 똑똑한 각자 자기 생각대로 하지."라며 속으로 지껄여본다.

가만히 들어보면 다 옳은 말인데 자기 처지에서 다 옳은 말이다.

남이야 죽든 살든, 끝없는 것에 대하여 논쟁한다. 모두 자기 관점에서만 말은 한다. 예를 들어 밥과 국이 있으면 따로 먹을 것인가 말아 먹을 것인가의 논쟁으로 몇 시간을 죽기 살기로 전투한다. 어차피 한입으로 들어가 대변이 되어 한 구멍으로 나올 것을 몇 시간씩이나 말씨름한다. 어느 한쪽이 억울하고 손해를 봐야 결론이 나는데 허탈하다.

결론도 없는 것으로 한바탕 곤욕을 치른다.

결론은 못 내고 또 내일의 전투로 미루어야 한다.

결론이 없는 회의에 진이 다 빠지고 나면 퇴근 시간이다. 갈 곳도 없고, 오라는 곳도 없지만, 퇴근한다. 차에 시동을 걸면 또 숙소 앞에 와 있다. 숙소 현관문을 들어서면 15시간의 묵언수행에 들어간다.

먹는 것조차 번거로워서 또 냄비에 물을 끓인다. TV를 켜고 대충 끓인 라면과 시어빠진 김치로 저녁을 때운다. 라면 한 그릇 먹고 나면 묵언수행이다. 하루 15시간은 묵언수행이다.

편안하게 쉴 수 있는 나만의 시간이다.

누구의 간섭도 받지 않고 오직 나만의 시간이다.

생각이 많아진다.

이 생각 저 생각에 빠져 있으면 외로움이 밀려온다.

"왜 이러고 살까?"

"이러고 사는 이유가 뭐지"

답답한 마음을 달래려 집에 전화한다.

의례적으로 받아주는 것 같아 전화 목소리가 듣기가 거북하다.

할 말이 없다.

아내 자식 다 잘 지내는 것 같다.

하기야 별일 있으면 전화로 연락했겠지. 괜히 전화해서 귀찮게 했던 것 같아서 도리어 내가 미안하다. 이렇게 사는 것이 맞는 것 같은데 자꾸 나만 외톨이가 되는 것 같은 마음이 나를 슬프게 한다.

가장이 별것인가?

내 가족이 별 일없이 잘 지내면 그게 잘하는 가장이지.

나의 외로움과 그리움에 대한 무슨 사치를 부리는가?

가장의 행복이 별것인가?

내 가족이 건강하고 걱정 없이 잘 사는 것이 가장의 행복이 아닌가?

호의호식은 못 하지만 먹고사는 데 큰 불편함 없다. 남들처럼 자식 고액 과외는 시켜본 적 없지만, 비염이니 몸살이니 감기 걸려 나에게 잔소리 듣지만, 큰 병 없이 무탈하고 자식에게 학비 걱정 안 시켰다. 아내동창회 갈 때 고가 명품 가방은 아니지만, 기 안 죽을 만한 가방 들고 나간다.

오랜만에 친구를 만나면 룸살롱 가서 거나하게 못 마셔도 생맥주를 한잔하고, 노래방에 가서 어깨동무하고 한 곡조 뽑는다. 아내의 "먹고살 것도 없는데 술 먹을 여유가 있냐?"는 잔소리 안 들으니 이것이 가장의 행복이 아니겠는가?

아내와 자식놈에게 애살맞은 전화 한 통화도 바라지말자.
무소식이 희소식이거니 하고 살자.
주말에 집에 가면 무덤덤하게 대하는 가족을 보고도 섭섭해하지 말자.
처자식 먹여 살린다고 집을 비운 사이에도 건강하게 별 일없이 잘 지내준 것에 감사하자.

이 시대를 살아가는 모든 가장이 다 홀로서기로 살아가는데 나만 유난 떨 필요가 있으랴? 당연하게 받아들이자. 외로우면 어떻고 힘겹고 고독하면 어쩌랴? 내 가족이 별 일없이 잘 살아가는데 그것이 가장의 바람이고 행복이 아니겠는가?
외로움도 가장의 사치고, 묵언수행도 가장의 사치다.
더 이상도 더 이하도 바라지말자

가장의 행복이 별것 있으랴.
이렇게 살다가 이 세상 떠날 때 차가워진 내 얼굴에 아내 자식새끼 뜨거운 눈물 몇 방울 떨구어 주면 감사하다. 너희들 덕분에 이 세상 잘 살다 간다고 감사하며 떠나면 그만인데….

삶이 모두 다 그런 것 아닌가?

큰 태풍이 온다고 했는데 아침에 바람 한 점 없이 비만 내리는 것이 폭풍전야라고 하는 것이 실감 난다.

삶이 모두 그런 것이 아니겠는가?
모든 것이 내 뜻대로만 된다면 무슨 맛으로 살아가겠는가.

쓴 것을 먹어보아야 단맛을 더 알게 되듯이 인생살이도 마찬가지다.
지금 행복한 것도, 많은 고통과 불행을 맛보았기에 이렇게 작은 행복에 만족하며 사는 것이 아니겠는가?

내 꿈과 자존심을 모두 내려놓은 것은 내 가족을 지키기 위해서 나의 전부를 내려놓고 사는 것이다. 어느 가정사나 속속들이 들여다보면 천 가지, 만 가지 걱정 없는 가정 없다고 하겠는가?

가족 생계를 책임져야 할 만큼 힘들게 내 가정과 내 가족을 지키기 위해 아픔과 고통을 느끼면 당연히 겪어야 할 일이다.
선택의 여지가 없기에 죽지 못해서 하는 일이지만, 모든 것이 이렇게 힘들어도 죽지는 못한다.

봉급이 있기에 매월 적은 돈이지만 또 한 달의 생계를 유지 할 수 있다. 속이 타고, 하고 싶은 말 하지 않고, 웃으면서 미친놈 취급을 받으면서 아침에 출근하는 것이다. 어떤 때에는 내 가슴의 심장을 파내고 쪼개어 그 속을 보여주고 싶은 정도로 억울할 때도 있다.

또한 남자로 태어나 목숨처럼 지키고 싶은 자존심을 상대방 발밑에 넣어주고 돌아서서는 내 몸속의 창자에 들어있는 모든 것을 토해내고 싶을 때도 있다.
그런데 어쩌랴?

그렇게 하지 않으면 내 가족의 생계는 누가 책임지랴?

나만 쳐다보고 사는 내 가족들을 생각하면 엎어버리고 싶은 심정을 하루에도 몇 번씩 가라앉히며 살아간다. 그것이 한 가정을 책임지는 가장의 직장생활인 것 같다.

내가 힘들고 병들어 움직이지 못해 내 가족의 생계를 책임지지 못 할 때는 다가오지만 아내에게는 전업주부로서 알뜰하게 살라고 한다.

그냥 나 혼자 고생하는 것이 나을 것 같아서….

35년에 다시 치른 국가기술자격 시험

얼마 전 국가기술자격 시험 보았다.
그리고 합격했다.

1977년 대학 다닐 때 건축기사 시험을 본 후 35년 만이다.
그래도 국가시험을 공부한다고 머리에 잘 들어가지도 않는 책을 들고 싸움하니 힘들었다.

어차피 시작한 것은 끝장을 봐야 하지 않겠나 싶어서 사무실에서 공부할 것 같았다. 하지만 바쁜 업무와 찾는 사람이 많아 숙소에서 조금씩 늦게까지 공부를 하고 낮에 틈틈이 잠을 비축했다.
근무 시간에는 눈치도 보이지만 배 째라 하고 낮잠으로 밤잠을 대신하였다. 어떤 때는 졸다가 회의에도 못 들어가서 창피를 당했다.

공부한다고 팀장이 많은 배려 해주어서 근무 시간 잘 넘겼다.
아직 공부한다고 하면 조금은 관대한 분위기라 모두에게 고마움을 느꼈다.

시험 당일까지도 자신이 없어 고민을 많이 했는데 생각 외로 시험이 쉬워서 시험을 잘 보았다. 모두가 하느님의 은혜와 축복인 것 같다.

사실 건설안전기사 시험이라는 것이 공부하면 할수록 양이 너무 많아 하느님의 뜻이 아니면 불가능한 일인 것 같았다. 하지만 시험이 웃기는 것이 공부는 많이 하지 않았는데 아는 문제가 많이 나와서 합격을 했다.

건축기사 자격증 하나로 평생 직업을 유지했다.
그런데 건설안전기사 자격증도 취득하란다.
회사의 상사께서 건축 감리보다는 안전관리가 체질과 적성에 맞는다고 보직을 건축에서 안전으로 변경시켰다. 안전관리 자격증이 없다고 하니 말하니 자격증을 취득하라고 한다.

나이 57세에 기가 차다.

그런데 이것이 직장생활이다.

본업이 건축이지만 안전을 하라는데 어필을 할 수가 없다.

싫으면 퇴사하든지, 부서 이동을 하든지, 지시한 리더와 갈라서든지 선택의 여지가 없었다. 쉬운 일은 아니지만, 5개월 만에 죽기 살기로 공부해서 자격시험을 겨우 합격했다.

1차 2차 3차 가운데 어디 하나 떨어지면 최소 4~5개월이 또 필요하다.

직장생활을 하면서 쉬운 일은 아니었다. 학교 다닐 때도 쉬운 일이 아닌데 술과 담배에 찌들어 57년을 사용한 노쇠한 뇌가 감당하기에는 힘든 일이었다.

가끔 회식도 해야 한다.

3일 공부하고 하루 만취하면 3일 공부한 것이 물 건너간다.

몇 개월간 눈치 술 먹고 주말에 쉬지 않고 나름대로 열심히 했다.

앞으로 이 자격증이 내 미래에 또 어떤 변화를 줄지 모르겠지만 혼자 칭찬하고 축하하며 자축한다.

남들은 별것 아닐지라도 나에게는 큰일이었다.

다시는 국가기술자격 시험에는 절대 도전하지 않으리라 맹세한다.

나 이러고 삽니다.

울 아내 제일 좋아하는 말
"성과급 통장에 입금됐다."
제일 싫어하는 말
"접대해야 하는데, 카드 좀 써야 하는데"

울 아들 제일 좋아하는 말
"건강이 최고다 공부 너무 많이 하지 마라"
제일 싫어하는 말
"공부 안 하고 나중에 뭐 될래"

내가 제일 좋아는 말
"여보 사랑해요."
"아빠 존경합니다."

내가 제일 싫어하는 말
"여보 이번에 성과급 얼마 나와요."
"아빠 컴퓨터 바꿔야 하는데요"

삶이 힘듭니다.
가장하기 힘듭니다.
나 이러고 삽니다.

대단한 친구

브라질에서 휴가 나온 친구를 만났다.
멀리서 온 친구라 만사를 제쳐 두고 한걸음에 달려갔다.

예전보다 더욱 건강한 얼굴이라 새삼 반갑고 즐거웠다.
국내 건설경기가 거의 바닥이다. 물론 멀리 가서 지내지만, 우리 나이에 그래도 일할 수 있다는 것에 마음을 달래고 위로를 한다.

나이 60세에 가까운 중국과 동남아도 아니고 브라질 건설 현장에서 벌써 5년째 근무를 하고 있다. 딸 둘을 서울 명문대학교 졸업시켰고, 크게 돈에 구애받지 않고 살 나이인데 50 중반에 브라질로 가서 벌써 5년째다.

정말 대단한 친구다.
나도 객지 생활하지만, 마음만 먹으면 항상 집에 올 수 있다. 그렇지만 이 친구는 대기업이라 넉 달에 15일간 휴가를 주어 넉 달에 한 번씩 집으로 와서 나와 만나곤 한다.
브라질로 가기 전에는, 우리 나이에 뭐 하러 브라질까지 가서 돈을 벌려가느냐며 핀잔을 많이 주었다. 자식도 모두 성장하여 스스로 밥벌이를 하고 빚이 있는 것도 아니고 먹고 살 만큼 벌어 놓았을 텐데 기어이 브라질로 떠났다.

모르는 집안 사정이 있을 수 있지만, 너무 멀리 있는 타국이다. 비행시간만 20시간이 넘어 브라질 현장에서 집까지 오는 데 이틀이 걸린다고 한다. 15일 휴가에 4일은 길바닥에서 개고생해야 한다. 그런 고생을 알기에 휴가를 오면 바로 달려가서 위로하고 썩은 농담으로 회포를 풀어준다.

편한 친구를 만나니 긴장하지 않고 마음 편하게 먹는 술이라 그런지 취기가 많이 올랐다.
나이 60세에 아내들 눈치 안 보고 오랜만에 긴 수다를 떨었다.
넉 달 뒤를 다시 기약하고 헤어지는 마음은 아쉬움이 남는다. 요즘은 헤어지면 다시 못 볼 친구들도 많다. 하지만 우리는 넉 달 뒤에 또 만남을 기약할 수 있다는 자신감으로 이별의 아쉬움을 달랬다.

전날 친구와 먹은 술이 과하여 종일 잠을 잤다.
술을 마시니 나이가 들어감을 느낀다.
나이가 들수록 몸도 다 되었는지 술이 깨질 않는다.

아내는 "나가면 돈 쓰고 눈 뜨면 담배를 피우니 경제적으로나 건강 보존을 위해 자는 것이 제일 잘사는 것이다."라고 말한다. 그렇다 보니 잠잘 때는 절대 깨우지를 않으니 종일 잠만 잤다.

내가 자는 와중에 그 친구는 브라질로 돌아간다며 문자가 왔다.
서울 본사에 들러 업무를 보고 브라질로 간다고 하루를 일찍 떠났다.

대단한 친구다.
정말 대단한 친구다.
나는 아직 술이 덜 깨어서 자고 있는데….

환갑에 브라질까지 돈 벌러 간 친구

친구야! (편지글)

일주일 전에 너의 글을 보고 바로 답장을 줬어야 했는데 이번 주에도 이리저리 바쁜 것도 없었는데 답장 늦었다.

그동안 별일은 없었나?

골프를 원 없이 치고, 맛난 것도 많이 먹고 잘 지내겠지만 고국 같겠나?

집 떠나면 개고생이라고 나도 출퇴근이 귀찮아서 회사 숙소에 머물고 있다. 그렇지만 지칠 때는 잠시 집에 가서 자식 놈보고 아내에게 투정하고 새로운 힘을 얻어 또 아침에 출근한다. 하지만 너는 먼 이국땅에서 힘들고 외로움에 퇴근해도 선 머슴아들만 있는 숙소에 들어가면 마음이 편하겠나? 맛있는 것과 골프가 무슨 소용이 있겠나?

네 앞에서는 아내 곁을 떠나 외국에 가는 것이 속 편하고 자유롭게 몇 달 보내는 것이 좋다고 했지만 그 말이 진심이겠느냐? 이미 떠나있는 것이니 편하게 있으라고 속에 없는 말을 하는 것이다.

올해는 유난히 더워서 더위를 많이 타는 나의 체질은 거의 초주검이다. 거의 두 달을 하도급사 문제로 땡땡이치다가 막판에 죽을 둥 살 둥 한다.

며칠 전에는 장비 들어오는 데 지장 없도록 건축을 대충 마무리를 하고, 북부 해수욕장에 생새우를 먹으러 갔다.

바닷가에 살지만, 공사 기간에 쫓겨 이 무더운 여름날에도 바다 구경을 한 번도 못 했다. 친한 사람 몇 명이 어울려 북부 해수욕장에서 조개구이와 먹고 생새우를 먹고 오랜만에 가요주점에서 못하는 노래도 몇 곡 질러보았다. 고기를 먹어본 놈이 먹는다고 요즘 노래방에 안 갔더니 노래도 되지 않았다. 더구나 젊은 애들 노래는 알아듣지도 못하겠다. 하지만 다들 수고했는데 어쩌려 이젠 뒷방 늙은이 안되려고 아는 척 기분 맞혀야 할 것 같아서 술만 진탕 먹었다.

이제는 술도 한계가 왔는지 젊은이들에게는 안 되겠다. 그래도 술은 안 빠진다고 생각했는데 그날은 혼이 났다. 숙소에서 잤는데 일어나지 못해서 많이 힘들었다. 겨우 몸을 추슬러 출근했는데 종일 냉커피만 먹었다.

그날 북부 해수욕장에서는 술을 너무 많이 먹었다.
하필 너의 집 부근이라 문득 네 생각이 났다. 화려한 피서객 사이에 어울리지 않게 동떨어진 나의 모습이 자꾸 나를 작게 만들었다.

수천억짜리 공사를 하는 자긍심과 자존감 같은 것은 없다. 다만 화려한 피서객과 어울리지 않는 공사 기간에 쫓기는 내 모습이 투영되어 나 자신이 매우 초라해 느껴졌다.
이제는 여름 바다의 활기차고 화려함이 나 자신과 어울리지 않고 조용한 바닷가에서 며칠을 푹 쉬는것이 나하고 더 잘 어울리는 것 같았다.

한때는 자긍심을 갖고 열심히 일했었는데….
하늘 높은 줄 모르고
"내 말이 곧 법이다."
"모든 것은 내가 책임진다."
"지시하면 지시하는 대로 해라"
이 세 마디면 모든 것이 다 해결되었었다. 하지만 이제는 자긍심과 자존감도 없고 두려워서 책임을 질 수도 없다. 내 등 뒤에 짊어진 내 가족들의 생계를 위해서라면 자존심을 내려놓고 타협하는 힘없고 초라한 한 가정의 가장일 뿐이다. 그래서 그냥 좋은것이 좋다고 큰 문제 없으면 맡겨두는 편이다.

현장에서 안전사고가 나지 않게 주의하고, 문책당하지 않으려고 공사 기간을 맞추도록 변해가는 나를 볼 때마다 이제 은퇴해야겠다고 생각을 한다. 하지만 막상 퇴직하려면 내 가족 먹여 살리는 이유로 마땅히 할 것이 없어 이렇게 산다.

배운 것이 도둑질이라고 나이를 잊고 살려고 노력한다. 하지만, 사회 한쪽으로 밀려드는 느낌을 갖지 않으려고 해도 자꾸 그런 느낌을 받는다.

내 마음은 아직 한창 뛸 수 있는 의욕도 있고 지금보다도 더 잘할 수 있는 자신감도 있다.

하지만 밀리는 느낌을 자꾸 받고 멀리 지구 반대쪽 타국에서 일하는 너를 생각하며 마음을 추스르지만, 자꾸 작아지는 자신감은 나를 힘들게 한다.

아직은 좀 더 힘을 내야 하는데 나도 나를 잘 모르겠다.

브라질에서 휴가 나온 친구와 술자리

브라질에서 휴가를 나온 친구를 만났다.

나이 60줄에 브라질까지 돈 벌러 간다고 타박도 많이 했었는데, 오랜만에 휴가를 나왔다. 아내가 4년 동안 성경 대학을 다니고 포항 죽도 성당에서 졸업식을 하여 아들과 처제, 그리고 휴가 나온 친구 부부가 같이 축하해 주었다.

성당 성경 대학 졸업식이 대단한 것은 없다. 하지만 4년 동안 결석을 한 번도 하지 않고 개근을 했다. 독한 아내라고 했지만 내가 하지 못한 것이라 격려를 해주려고 연차를 사용하여 마음먹고 아내 성경 대학 졸업식에 참석했다.

일부러 친구와 만나는 시간을 아내 졸업식 시간에 맞추어 만났다.

친구도 워낙 신앙심이 깊은 바른 남자라 흔쾌히 그날 시간을 같이하자고 하여 친구 부부와 함께 시간을 보냈다.

졸업은 아내가 했는데 축하연은 친구와 내가 진하게 했다. 밤늦도록 1차, 2차를 하면서 모든 것을 다 잊어버리고 죽도록 마셨다. 친구와의 술자리가 좋은 것은 편하게 술을 많이 마신다. 친구도 술을 많이 마시지는 못하고 나 역시 맥주 몇 병이면 만취한다. 집사람들은 술을 전혀 하지 못하지만 우리는 술이 술술 넘어갔다.

남자들의 술자리는 접대하는 술, 접대받는 술로 구분이 된다. 하지만 친구와 먹는 술은 접대하는 것도 받는 것도 아닌 마음이 편한 술이라 오랜만에 긴장도 없고 허리끈을 풀고 많이 마셨다.

밤이 새도록 마시고 싶었지만, 친구가 포항 집으로 돌아가야 했기에 2차에서 끝냈다.

친구를 만나면 아내가 있든 없든 술값을 누가 내든 말든 상관없이 마음 터놓고 먹을 수 있어 좋았다. 내일 아침에 기억나든 말든 들어주는 친구가 있고 공감해주는 친구가 있어 더없이 편한 술자리다.

그래서 친구들과 술자리가 좋은 것 같다.

헤어질 때는 항상 아쉬웠다.
친구는 브라질로, 나는 광양으로 간다. 친구는 올해 말까지 브라질에 있을 것 같고 나는 기약 없이 광양으로 각자 가족의 생계를 위해 생업 전선의 한가운데로 돌아가야 해서 더욱더 아쉬웠다.

처자식이 알리오, 남들이 알리오, 그냥 그렇게 술에 취해서 정신은 흐리멍덩하지만 풀린 눈빛만으로 생업 전선을 향하여 간다. 각자 타국으로 타향으로 가야 하는 것을 서로가 알기에 아쉽지만 헤어졌다.

언젠가는 다시 건강한 모습으로 또다시 만나 오늘보다 더 진하게 더 열정적으로 한 잔 주고받자며 기약만 한 채 헤어졌다.

봉급쟁이의 비애

아침에 출근하여 원두커피를 내리고 그 향에 취하면서 커피 한잔하는 즐거움은 박봉 월급쟁이의 고유권한인 것 같다.

정말 기가 막힌 이 맛에 출근한다.

나는 성격은 다혈질인데 행동은 곰이다.

잠자는 것이 좋아서 아침에 일어나는 것을 싫어한다.

오너 일 때는 늘 10시 이후에 출근해서 잠시 회사에 있다가 점심 약속에 나갔다. 그렇지 않고 전날 술 먹은 날이면 사우나에 가서 있다가 점심을 먹고 회사에 들어가곤 했다. 하지만 월급쟁이는 출근 시간보다 30분은 일찍 출근해야 한다. 이제 누구 눈치 볼 직위도 아니지만 그래도 정시에 출근하면 눈치가 보인다.

어제는 봉급날이지만 즐겁지 않다.

의료보험 폭탄을 맞았다.

봉급쟁인가 봉이라서 봉급쟁이인가? 죽인다.

만만한 것이 봉급쟁이 봉급이다.

의료보험이 적자 나면 의료보험에서 더 떼 가면 되고, 거두어들일 세금이 없으면 봉급쟁이 소득세를 더 떼어 가면 된다. 실업자가 많이 생기면 고용보험을 더 떼어 가면 되고 한마디로 봉급자가 봉이다.

그런데도 난 월급날 돈 구경을 못 한다. 봉급 통장을 하늘 같은 아내가 관리하니 돈 구경은 아예 하지도 못한다. 봉급 명세서 달랑 그것도 보든지 말든지 메일로 날아온다. 그것이 한 달 동안 일한 대가요, 거기에 찍힌 숫자가 내 능력이다. 하늘 같은 아내님의 긴 한숨 소리와 초등학교 어린애 용돈 주듯이 한 달 용돈 준다. 카드값 조금 오버 되면 아내님께 잔소리 듣고 용돈에서 삭감하고 준다.

잔소리하려면 용돈을 삭감하지나 말든지 내가 벌어 내 돈 주고 용돈 삭감되고 잔소리를 듣는다.

내 사업할 때는 목돈은 궁해도 푼돈은 궁하지 않았는데 봉급쟁이는 푼돈에 목숨을 건다.

요즘 같은 시대에는 비자금은 꿈도 꾸질 못한다.

부정을 저지르지 않고는 비자금을 만들 수가 없다. 그러나 이렇게 맑은 세상 윤리경영이 철저한 회사에서 만약 약간의 돈이라도 받는 날엔 바로 잘린다. 비리에 연루되어 잘리면 퇴직금도 안 준다. 퇴직금이 볼모다.

하지만 뉴스에서는 높은 분들이 수억 수십억을 주고받는다.

우리는 3만 원 이상을 접대받으면 바로 회사에서 바로 잘린다.

요즘 봉급은 숫자놀음이다.

한 달 뼈 빠지게 일하면 월급통장에 숫자 몇 자리 찍어주면 전화비 아파트관리비 보험료 카드비 모두 숫자로 빠져나간다.

연말에는 연말정산 숫자놀음을 해야 한다.

이제는 신용카드를 사용하지 말고 현금카드를 많이 사용하란다. 그래야 조금 더 환급해준단다. 무슨 개소리인지 행여나 연말에 숫자 몇 자 더 돌려준다는 기대감에 식당가서 눈치를 보며 만원, 이만 원도 현금카드로 결재를 한다.

가게주인의 언짢은 표정을 보면서 계산하고 나오면 소화가 안 된다.

가게주인은 나름대로 울상이다. 카드수수료에 부가세 소득세 주고 나면 남는 것이 없단다. 장사해주고 미안해서 단골집에 가면 현금으로 낸다.

그러면 서비스로 보답을 받는다. 누구를 위해서 이러고 사는지 참 어렵다.

“나 더럽고, 치사해서 월급쟁이 안 해”할 수도 없다.

한 달에 숫자 몇 자리 안 찍히면 그나마 능력 없는 아버지, 쫀쫀한 남편 구실도 못 한다.

봉급쟁이들은 회사에서 교육받으면 “위로만 보지 말고 아래를 보아라.”“행복은 돈이 아니라 마음에 있다.”“지금이 제일 행복하다고 생각해라”“나 자신을 먼저 사랑하고 나를 가장 아끼고 소중하게 생각해라”“회사에 대하여 주인 의식을 갖고 내가 경영인이라고 생각해라" 웃기는 소리를 하고 있다.

그래도 봉급쟁이는 자명종 시계처럼 아침에 눈을 뜨고 아침 5분. 10분을 다투며 달린다. 아침 시간을 아끼려고 아침밥은 생략하고 눈썹을 휘날리며 신발이 타는 냄새 나도록 달린다. 만약 신호위반이라도 하는 날에는 오늘 일당은 복지국가를 추구하는 대한민국 정부 세금으로 헌납해야 한다. 그러면 오늘 하루는 말짱 도로 아미타불이다.

헥헥 거리며 사무실 문을 열면 직원들이 먼저 출근해 있다.

지각도 아닌데 미안한 마음이 든다.

컴퓨터를 켜면 결제할 것, 검토할 것 등 받는 메일함이 꽉 차 있다.

너는 울어라, 나는 커피를 내리러 간다.

아침에 출근하여 원두커피를 내리고 그 향에 취하면서 커피 한잔하는 이 즐거움은 박봉의 월급쟁이 고유권한인 것 같다.

정말 기차고 이 맛에 출근한다.

머그잔에 원두커피 한 잔 가득 부어 커피 맛을 음미하면서 받은 결재 메일함은 아무래도 오후에나 열어야 할 것 같다.

독수리 타법으로 이런저런 하소연에 손가락도 아프고 어깨도 결린다.

주말이면 반겨줄 사람 없어도 집에 가면 좋다.

식당 밥 안 먹고 집에 가서 밥상 받는데, 의료보험 폭탄 때문에 어째 아내하고 찡한 안 좋은 기분이 든다.

그래도 집이 좋다.

현실에 충실하여 애교 없고 재미없는 아내와 토닥거려도 내 집이 좋다. 사춘기가 늦은지 아비와 같이 맥주 한잔하자고 하면 귀찮아하는 내 새끼와 맥주 한잔하자며 또 신경전을 벌여야 하지만 그래도 나는 내 집이 좋다.

책임만 있고 권한도 없는 봉급쟁이지만 한 주간 쌓인 스트레스 긴장을 풀 수 있다. 팬티 바람에 편히 누워 음식솜씨 없어 맛없는 반찬일지라도 서방님이라고 정성스럽게 차린 밥상 받아 밥 먹고 나면 기분이 좋다.

원두커피는 아니지만 커다랗고 멋진 유리잔에 냉커피 한잔 들이킨다. 깔깔한 침대 커버 깔린 침대에 누워 담배 한 모금 들어 마시면 아내는 온 집안 창문 다 열면서 "요즘 집에서 담배 피우는 사람 어디 있냐?"라고 잔소리 퍼붓는다. 그래도 어쩌랴.

내 집이 천국이고, 마음 놓고 쉴 수 있는 쉼터인데 모든 시름 걱정 긴장 잠시 묻어두고 편안하게 잠 한숨 잔다. 저녁에 성당에 나가 아내와 자식 눈치를 보며 지난번에 가요주점에 가서 앗싸 가오리 한 것 고해성사한다.

우리 아들놈에게 통닭에 생맥주 한잔하자고 꼬셔서 생맥주 몇 잔을 들이켜고 오른팔에 애교 없는 아내 팔짱을 끼고 왼팔에 숫기 없는 아들 팔짱을 끼고 집으로 들어가면 무엇이 부럽겠냐?

내 곁에 천군만마가 있는 우리 집에서 "내가 황제인데" 하며 콧노래를 부른다.

나는 행복합니다.
나는 행복합니다.
정말 정말 행복합니다.

시외버스

이번 주에는 집에 갔다 왔다.

특별히 할 일도 없지만 그렇다고 광양에 있어도 할 일이 없어서 버스를 타고 집에 갔다 왔다. 왕복 4만 원이면 되는데 차를 가져가면 통행료와 기름값을 포함해서 약 15만 원 정도가 된다. 혼자 가는 것이라 절약하려고 버스를 탔는데 절약이 그냥 절약이 아니다. 휴가철이라 남해고속도로는 완전 주차장이었다.

서울 사람들은 늘 막히는 도로에 적응이 되었지만, 촌놈들은 5분만 막혀도 확 돌아버린다. 휴가철? 가족 휴가? 잊고 산 지 10년쯤 된다.

아들 초등학교 때는 방학 숙제 때문에 체험 학습하느라 3박 4일쯤 다녔다. 하지만, 중학교에 가면서 가족 여행이라는 것을 잊고 산 지 오래다.

오랜만에 탄 시외버스라서 그런지 모두가 새롭게 느껴졌다.

젊은 커플들은 뭐가 그리 좋은지 더운데 붙어 앉아서 스마트폰 하나를 가지고 오는 내내 희희낙락거린다. 어린아이와 아기 등, 두서너 가족처럼 되어 보이는데 아기는 울고 아이는 투정을 한다. 저 정도 가족이면 봉고차 하나 빌려 타고 갔으면 좋으련만 무슨 사연인지 버스 여행을 한다. 버스는 고속도로 요금소부터 밀리기 시작하여 3시간 거리를 5시간 만에 도착했다. 5시간 내내 아이들 북새통에 정신없이 도착했다.

자식이 커가면서 여행이라는 것을 잊고 산다.

생계를 핑계로 여유가 없이 산다.

자식 놈이 다 크고 나니 나름대로 자기 시간이 필요하고 커가는 자식 놈 뒷바라지에 여행은 엄두조차 못 낸다. 가족 여행을 가도 출발 후 몇 시간 지나지 않아 식사 메뉴, 잠자리 등으로 의견이 맞지 않아 분위기를 망칠 것이 뻔해서 가족 여행을 시도조차 하지 않는다.

알뜰한 아내가 이것저것 아끼려고 하면 아무 곳도 갈 곳이 없다. 아들은 자기 애인이랑 카톡 한다고 종일 스마트폰을 들고 있는 꼬락서니 못 볼 것 같다. 또한 차가 막히면 나는 나대로 짜증 낼 것 뻔하여 이래저래 가족 여행은 포기한다.

안 가져 보면 가진 자를 부러워한다고 아들 낳고 세상에 부러울 필요가 없었다. 아들 없는 친구들을 딸딸이 아빠라고 많이 놀렸다.

이제는 딸딸이 아빠를 부러워할 때가 많다.

꿈도 꾸지 못하는 일이지만 예쁜 딸과 팔짱 끼고 쇼핑 다니는 아버지를 보면 그렇게 부러웠다. 아들놈이 자기도 한다고 하지만 어디 애살맞은 딸만큼 하겠나?

세상사 모두 내 입에 맞출 수는 없다. 하지만 알뜰한 내 아내 착한 내 아들이 모두 내 눈치를 본다고 하지만 내 마음 한구석에 허전한 것은 지울 수가 없다.

집을 나서기 전 “오늘은 광양에 가기 싫다"라고 한마디 내뱉었다.

아내가 놀라서 쳐다보더니 아들하고 버스터미널까지 배웅을 나와 주었다. 시외 터미널에 도착하여 아내가 아무 말을 하지 않고 광양 가는 승차권 사서 내 손에 쥐여 주었다.

당연히 가야 할 것을 왜 갑자기 그런 말을 했는지 후회스러웠다.

피서객으로 북적이는 터미널에서 아들과 아내에게 아무 말도 하지 못했다.

꽉 막힌 고속도로에서 버스는 가는 둥 마는 둥, 우는 아이 달래려 소리치는 엄마 목소리가 들린다. 뭐가 그리 좋은지 꼭 붙어 앉아 마냥 좋아 스마트폰 하나로 시간 가는 줄 모르는 젊은 커플들과 한 공간에 앉아 있는 내 마음은 그냥 답답하기만 했다.

꽉 막힌 도로에 서 있는 정신없이 시끄러운 시외버스 안이라서 그랬을 것이다.

이제는 교통비를 아낀다고 시외버스는 타지 않을 것 같다.

새벽 비가 잠을 깨우더니

출근길 차창에 떨어지는 빗방울들을 보면서 빗방울을 닦아내는 윈도 브러시처럼 괜히 내 마음도 왔다 갔다 한다. 핸들을 돌려 7번 국도를 타고 동해안 도로를 달려볼까 하는 생각이 잠시 내 뇌리를 스쳐 갔지만 어느새 차는 회사 정문을 통과하였다.

바람이 동반되지 않고 주룩주룩 내리는 비를 보고 있노라면 마음 한편으로는 속이 시원하다.

하늘에 구멍이 뚫어진 것 같아서 막혔던 내 마음도 뚫린 것 같다.

사춘기에 들어서면서부터 비를 좋아했다.

왠지 모르지만 좋았다.

바람과 함께 휘몰아치는 비보다는 오늘같이 그냥 하염없이 내리는 비가 좋다.

좋아하는 노래도 대부분 비에 연관되는 노래를 좋아한다.

술 한잔하고 취기가 오르면 분위기를 깨는 노래만 한다.

'금과 은의 빗속을 둘이서', '송골매의 빗물', '최헌의 가을비 우산 속에', '둘 다섯의 긴 머리 소녀'를 한 곡 뽑아야 직성이 풀린다.

'이은하의 봄비'도 좋아하지만, 음정이 맞지 않아 못 부르고 '김태우의 사랑의 비'는 그냥 들어도 마냥 좋다.

40대에는 이렇게 비가 오면 차 안에서 좋아하는 노래를 크게 틀고 그냥 차 가는 데로 다녔는데 이제는 그런 용기도, 자신도 없다. 늙었나 보다. 아내는 비를 싫어해서 비 오는 날에는 번번한 데이트를 한 번 못 해보았다.

차에서 음악을 크게 듣는 것도 싫어해서 어지간하면 차에서 데이트하지 않는다.

성격은 서로 극과 극이지만 여태껏 잘 사는 것을 보면 신기하다.

이혼 사유가 성격 차이가 제일 크다고 하는데 우리 부부는 성격 차이로 이혼했다면 신혼여행에서 이혼했을 것이다.

그래서 오늘같이 비가 오는 날이면 혼자서 즐긴다.

한적한 곳에 차를 세워 놓고 카 오디오 볼륨 제일 세게 올려놓고 좋아하는 음악 실컷 듣는다. 단골 술집에 들러 술 한 잔 거나하게 걸치고 술에 취해 비에 흠뻑 젖어 집에 들어간다.

그리하면 철없는 아내는 "또 시작이다. 몽유병 환자처럼 비만 오면 왜 저러는지 이유를 모르겠다."라며 한마디를 한다.

샤워하고 옷이나 갈아입으라고 타박하면 혼잣말로"두 뺨에 흐르는 뜨거운 눈물을 차갑게 내리는 빗물에 섞어 숨겨보지 않은 네가 삶에 지친 하늘 같은 서방님의 깊은 마음을 어떻게 알겠냐?"라며 젖은 옷을 입은 채 침대에 쓰러진다.

내일 아침이면 아내 잔소리에 쪽팔릴 것은 분명하지만….

봉급쟁이의 희비

월급쟁이는 출퇴근 전 1시간이 가장 바쁘다.

아침에는 출근 시간 맞추려고 허겁지겁, 퇴근 시간 되면 집에 가도 별로 할 일이 없으면서 직장에서 빨리 탈출하려고 바쁘다.

정해진 시간 다람쥐 쳇바퀴 돌 듯이 하루를 보낸다.

큰일이 나서도 안 되고 바쁜 일이 나서도 안 된다.

그래서 늘 봉급쟁이는 발전이 없고 현재 시각에 안주하는 것 같다.

봉급쟁이와 경영자 간에 생각 차이는 절대 좁힐 수 없는 것 같다.

주는 사람은 많고 받는 사람은 부족하고 일하는 사람은 월급 이상 일하는데 경영하는 사람이 볼 때 봉급에 반도 일하지 않고 평생을 풀어야 하는 노사의 갈등인 것 같다.

금요일 퇴근이 좋고 월요일 출근이 싫다.

저녁 잠자리에 누울 때 내일 아침이 오지 않기를 바란 적도 있다.

그러나 지나고 나면 오늘이 있어 행복하다.

오늘이 죽을 만큼 힘들어도 오늘은 또 거침없이 지나간다.

힘들 때는 오늘만 생각한다.

오늘이 지나가고 또 돌아보면 행복한 날이었다고 지나고 보면 알 것 같다.

위로받는 그것보다 위로해 줄 때가 행복하고, 도움을 받는 것보다 베풀어 줄 때가 행복하다. 누군가에게 사랑받는 것보다 누군가를 사랑할 때가 행복하다.

행복은 멀리 있는 것이 아니고 가까운 곳에 있다.

다만 내가 못 찾고, 못 느껴서 불행할 따름이다.

행복은 남들이 만들어 주는 것이 아니고 내가 만들어야 한다.

월급쟁이에게 행복하냐고 물으면 몇 명이 행복하다고 할까 궁금하다.

휴일 근무

"더 벌 수 있을 때 벌어라."

출근하면서 이 생각만 했다.

일요일 날 휴일수당 때문에 기어이 출근했다.

여름휴가도 포기하면 얼마의 돈으로 환산하여 봉급날 통장에 숫자 몇 자 더 찍어 준다. 삶이 맞는다고는 생각하지 않지만, 통장에 숫자 몇 자 더 찍어주면 가족들은 친구들과 휴가 가는데 더 편하게 가리라 생각한다.

휴일 근무? 어찌 서글퍼진다.

이렇게 사는 것이 맞는 건지 서글퍼도 봉급날 봉급 통장에 숫자를 보고 환하게 웃음 짓는 아내의 모습과 친구들과 캠핑 간다고 마음 설레고 있는 아들 모습을 생각하며 잠시 휴일 근무의 서글픔을 잊는다.

오늘 현장에 나온 모든 아버지 모두가 내 마음같이 출근했으리라 생각하니 오전에 현장에서 잔소리한 것이 괜한 후회가 된다.

오후에는 냉커피라도 타서 현장에 가서 한잔 권하고 담배라도 한 대 같이 피워야 하겠다.

과부가 홀아비 마음을 안다 고 나처럼 휴일 근무하는 마음이야 다들 똑같지 않겠는가?

누가 일하고 싶겠는가. 그러나 가족을 생각하면 나 하나 힘들면 휴일 외식이라도 편하게 먹을 수 있는데 나오라고 할 때 군말 말고 감사하게 출근해야 한다.

서글퍼진다 이렇게 사는 것이 맞는 건지는 잘 모르겠지만….

일요일 출근

일 년여 만에 일요일 출근 했다.

일요일도 일한다고 해서 휴일 없이 야간에도 일한다. 포항에서 휴일 근무, 야간근무가 지긋지긋하게 했었다. 그때는 휴일근무수당도 많이 받고 나중에는 돈도 싫어질 정도였다. 하지만 서너 달을 휴일 근무에 야간근무까지 봉급날 봉급 명세서를 보는 재미에 참 미친 듯이 일을 했다.

몇 달을 그렇게 일을 하면서 한동안은 "내가 왜 이렇게 살지"하고 의구심도 들었지만 일 년여 만에 일요일에 출근하니 기분이 이상하다.

아내의 출근 준비 배웅도 받지 못하고, 아침에 일어나 담배 한 개비로 잠 깨운다. 생수 한 컵을 들이켜며 아침밥을 대신하고 옷 갈아입기가 귀찮아서 근무복 그대로 입고 썰렁한 숙소를 나섰다.

집에 있을 때는 휴일에 돈 벌러 가는 남편에게 미안한 마음이 있다. 그래서 아내가 갈아주는 과일주스와 전복죽을 "먹기 싫은데 뭐 하려고 자꾸 주노" 하면서 아침 출근 투정을 하기도 했다.

지하 주차장까지 아내와 아들을 따라 내려와 출근 배웅받으면 무슨 십자군 전쟁 나가는 장군처럼 아침에 출근하는 재미도 있었다. 하지만 이곳에서는 눈을 뜨면 휑한 숙소에서 혼자서 출근 준비를 하며 괜히 서글퍼지는 마음이 생긴다.

요즘 이곳 광양은 매화꽃 축제로 인산인해다.

주탑(270M)이 세계에서 제일 높은 이순신대교가 개통되어 주말이면 상춘객으로 온통 북새통이다. 바로 옆에 있지만, 이순신대교를 한 번도 건너간 적이 없고 쌍계사와 화계장터도 가보지를 못했다.

쉬는 주말에 한번 가볼 수도 있으나 귀찮았다. 또한 연인이나 부부, 가족들이 여행하러 오는 사이에 나 혼자 다니는 것도 서글플 것 같아서 꼼짝하지 않고 집에 있다.

서울 사람 중 63빌딩, 남산타워에 안 가본 사람이 많듯이 나도 수많은 명승지 옆에 살아도 별 관심을 못 느끼고 산다.

사는 것이 뭔지?

목구멍이 포도청

얼마 전 우리 회사 창립기념일에 우수 임직원 표창받았다.

회사 창립을 기념하여 처음 주는 표창이다. 본사에서 한 명과 현장에서서는 포항과 광양에서 각각 한 명씩 받았는데 포항 현장에는 내가 수상자로 선정되었다.

돌이 켜 보면 회사에서 한 것도 없고 그냥 내가 맡은 현장 큰 탈 없이 감독에게 지적받지 않고 무난하게 끝내는 것밖에 없는데 내가 수상자가 되었으니 대부분 직원은 기회주의자이고 윗사람 비위를 잘 맞추는 아부 하는 놈이 받았다고 나를 욕했으리라 생각된다.

사실은 나도 그런 욕을 얻어먹어도 마땅할 것 같다.

가진 것 없고 모아 놓은 것 없는 놈이 처자식 생계유지하려니 어쩌겠는가. 아니꼬워도 참고, 더러워도 표시 내지 않고 자존심이라는 건 벌써 변기통에 버린 지 오래되어 어느 똥물 속에 섞여 있는지도 모른다. 이 바닥이 모두 그런 것 아닌가?

한 직장에서 한 우물만 판 사람들이 자기 분야에서 최고라는 긍지와 자존심으로 살아가는 사람들에게 내 존재감이 보이겠는가?

그 사람들 앞에 서는 것이 태풍 앞에 촛불이 서 있는 것 같고 내가 그 사람들에게 반박하는 것은 달걀로 바위 치는 격이 아니겠는가?

강물이 흐르듯 순리대로 따라가고 그 속에서 내 처·자식이 잘 먹고 살면 나는 만족한다.

이제 내 나이에 또 무엇을 바라겠는가?

나 하나 희생해서 처·자식 하고 싶은 것 하고 먹고사는 것 지장 없으면 나는 만족한다. 그런 재미로 오늘도 이렇게 직장에 와서 요령껏 산다. 그러나 나도 이 바닥에 와서 내 나름대로는 열심히 살고 있다.

남들이 뭐라고 하든 내 처·자식욕만 하지 않으면 대충 다 걸러서 들으며 참고 산다. 이

것이 내가 우리 가족에게 해줄 수 있는 마지막 봉사이고 희생이라고 생각하며 하루하루를 열심히 살아간다.

내 나이에 이렇게 사는 것이 모든 것이 아니겠는가?

여기서 삶의 행복을 찾으면 금상첨화이다.

내가 왜 이러고 사는가 하는 의구심이 들 때 나를 생각하고 위로하고 마음을 다져 먹는다.

왜 목구멍이 포도청인가?

굶거나 배고픔으로 인하여 먹고 살기 위해 포도청에 끌려갈 수 있는 짓도 한다는 뜻이다.

그런데 포도청에 끌려가지 않고 내 가족 배불리 먹이지 못하지만 굶기지 않으려면 무슨 짓을 못 하겠는가?

생활전선에서 포도청에 가지 않고 내 가족 생계를 책임진다는 것이 가장이 어떠한 일이라도 해야 하는 의무고 책임이기 때문이다

직장에 충성을 다 하는 것이 아니라 가족 생계를 위하여 한 달 급여에 목숨을 거는 것이다. 남들이 뭐라고 하던지 나는 내 길로 간다.

여름휴가

이번 여름은 유난히도 불볕더위에 길게 느껴졌다. 봉급쟁이를 다시 시작하고 십여 년이 훌쩍 지났지만, 여름휴가 같은 여행을 한 번도 하지를 못했다

직업상 여름은 바쁘다.

얼음 장사도, 에어컨 장사도 아니지만, 월급쟁이가 감히 휴가를 낼 수 없는 직업이다.

근로자들을 땡볕에 준공일을 맞추라고 내몰면서 내가 휴가를 가면 누가 나를 믿고 따라오겠는가? 그래서 여름휴가는 늘 그렇듯이 몇 푼의 금전과 교환하고 반납을 한다.

올해도 어김없이 휴가철이다.

7월 초 휴가 계획서를 제출하라는데 "반납"이라고 적었다.

다들 현장 걱정하지 말고 휴가를 다녀오라고 하지만 용기가 나질 않는다. 직업치고는 더러운 직업이다.

땡볕에는 비가 안 오니 일을 해야 하고 장마가 오면 작업에 손실을 볼까? 하는 마음으로 현장을 지킨다. 이렇게 여름에는 현장을 비울 수가 없기에 여름휴가라는 말을 꺼낼 수 없다.

그럼 가을에는 휴가를 갈 수 있을까?

준공 준비에 시간을 못 내고 겨울에는 입주를 대비하여 설비시험 운전이니 시간을 낼 수가 없다. 봄에는 또 다음 공사 준비해야 하니 시간 없고 그래서 휴가라는 것을 잊고 산 지 오래되었다.

웃기는 일인지, 슬픈 일인지 모르겠다.

연말에 연차 휴가비를 정산할 때는 연차를 하루도 사용하지 않아 고스란히 현금으로 환산되어 봉급 통장으로 들어온다. 동료들이 월급을 13달 받는다고 놀린다. 또 어떤 동료들은 나보고 지독하다고 한다.

어떻게 연차를 하루도 안 쓸 수 있냐고?

"노세 노세 젊어서 노세 늙어지면 못 노나니" 노래 가사처럼 조금이라도 젊음이 남아 있을 때 여유를 가지고 싶다. 건설경기 좋을 때는 시간이 없어 여유가 없고 건설경기 이렇게 바닥을 칠 때면 회사에 눈치가 보여 여유를 가질 수가 없다.

어느 때는 훌훌 털고 떠나고 싶을 때가 있다.
나만 바라보며 사는 처자식을 보면 떠날 수도 없다. 가장이란 것이 참 어렵다. 나는 포기할 수 있는데 가족은 포기할 수 없다. 그래서 지친 육신을 이끌고 이 어려운 세상을 사는가 보다. 나는 힘들어서 모든 것을 내려놓고 싶은데 처자식이 내 빈 뇌에 차오르면 나도 모르게 어느덧 회사 책상 앞에 앉아 있다.

떠나고 싶다.
훌훌 털고 떠나고 싶다.
아무 걱정 아무 책임 없는 곳으로 떠나고 싶다

아마 그곳은 이승을 떠나 하느님이 계시는 저승뿐인 걸 알면서도 떠나고 싶다.

건설 근로자

정말 덥고 버티기 힘든 한주였다.

그러나 덥다는 소리를 할 수가 없다.

몸무게가 100kg 가까이 나가서 내 한 몸 버티기도 힘들지만 아무 소리도 하지 못하고 혼자 낑낑거리며 눈치껏 버틴다.

40도에 육박하는 날씨에 50m 이상 높은 곳에서 쇠뭉치 철골 작업을 한다. 쇠 뭉텅이는 땡볕에 달아올라 달걀이 익을 정도의 철골에서 그늘은 하나도 없고 하루에 수백 톤씩 철골 조립을 한다.

누가 이 날씨 덥다고 하겠는가?

그래서 나는 덥다는 소리를 할 수가 없다.

그리고 현장에서는 불문율처럼 덥다는 소리를 하지 않는다.

이런 날씨는 인간의 한계를 시험한다.

그냥 그분들이 존경스러울 따름이다.

지금 우리가 사는 집, 차로 달리고 있는 고속도로, 철도, 발전소, 다리 등 생활에 필요한 모든 것이 건설 근로자에 의하여 만들어졌다.

그중 건설 근로자 90% 이상이 일용근로자의 피와 땀으로 만들어졌다.

수많은 근로자가 건설 현장에서 피와 땀을 죽음의 대가로 KTX 철도, 거가대교, 인천공항이 만들었다. 우리는 그 혜택을 받으면 아늑한 보금자리에서 살 수가 있는 것이다.

일용근로자란?

급료를 월급으로 받지 않고 일한 날짜만큼 돈을 받는 근로자이다. 단순한 일을 하는 근로자도 있지만 일당을 15만 원 이상 받는 기술자도 많다. 옛날에는 노가다라고 했지만, 지금은 어림도 없는 말이다. 요즘은 단순근로자, 목공, 철근공, 타일공, 석공, 배관공 등 직종에 따라 부른다.

데모도 , 쇼코닝, 오야지 라고 불렸지만, 요즘은 기공, 조공, 반장 등 직책도 같이 부른다.
한 달에 일이 많을 때는 700만 원 이상 받아 가는 근로자도 있다.
일당은 15~20만 원이지만 하루 8시간 이외에 더하는 일은 급여에 두 배를 계산하여 준다.

주 5일 이상 근무하면 하루는 유급휴가를 줘야 한다. 일요일은 일당 받고 쉬는 것이다. 4대 보험 모두 넣어주고 1년 중 240일 이상을 일하면 퇴직금도 받는다.
일용직이라고 무시하면 안 되는 것이다.
퇴직금은 회사에서 일한 날만큼 퇴직금을 적립시켜주면 어느 회사에서 일하던 1년 240일만 하면 일을 그만둘 때 지급을 한다. 관리공단에서 1년 후에는 언제든지 일을 마친 후 받을 수 있다.
그렇지만 근무조건이 좋아도 휴일에 일하라고 하면 요즘은 하지 않는다.
돈도 싫다고 한다.

휴일에 출근하라 하면 집에 무슨 바쁜 일이 그리들 많은지 거절을 한다.
현장 근로자들을 이해는 하지만 살기가 좋아서 그런 것인지 대부분 그렇다. 열심히 일하는 사람은 단순근로자에서 조공, 기공, 반장으로 진급하여 일당도 많이 받지만 그렇지 않은 사람도 많다. 일용직이니 일당 안 받고 안 나가면 그만이지 하는 생각을 많이 한다.

모든 근로자가 그런 것은 아니지만 휴일에는 일당을 2배를 준다고 해도 마음대로다. 책임감도 없고 누가 죽어도 내가 하기 싫으면 그만이다. 그것이 일용직의 나쁜 습성이다. 오죽하면 일당을 2배로 준다고 해도 하지 않을까?

휴일에 일하면 건설회사는 손실이다.
그러나 공사 기간이 정해져 있어서 건설회사는 울며 겨자 먹기로 일을 해야 한다.

오늘 회의 때 내가 화를 내며 관리자들을 몰아쳤다. 일용직 근로자들의 습성은 그렇다 하더라도 현장 관리자들이 “작업자들이 일하러 나오지를 않는데 어떡하겠습니까?” 하는 말에 화를 참지 못했다. 현장 관리자들은 그런 습성을 가진 작업자들을 관리하는 것이 업무이고 의무이다. 그런데 안 나오니 나 몰라라 하는 식의 무책임한 언행에 화가 나서 많은 질타를 했다.

세상이 많이 변했다.

다양한 부분에서 피부로 느끼는 것은 돈의 빈부격차도 문제지만 일의 빈부격차도 많이 난다. 지금은 건설 현장이 얼음처럼 굳어 100대 건설사 중 50개 이상 건설사가 구조조정에 들어가 있다. 부도가 나는 건설사가 많지만 일이 있어도 하지 않고 저러고 있으니 기가 차다.

지금도 건설 현장에 일이 없어서 어려움을 겪고 있지만 앞으로 몇 년 후에는 일이 없어 모두가 죽을 지경이 될 것 같다. 오늘 현장에 나온 사람 중에 단순근로자인 65세가 넘은 할머니와 73세 된 할아버지가 일하러 나왔다. 연세가 있는 분들도 일하러 나왔는데 젊은 근로자들은 모두 나오지를 않았다. 약속이나 한 듯 비가 와서 이틀 놀고 나니 나오기가 싫었을 것이다. 토요일인데 가족과 놀러 갔으면 다행인데, 오늘 안 벌면 내일 벌면 될 것이라는 사고방식 때문일 것이다.

앞으로는 일이 없어서 일하고 싶어도 하지 못할 것이다.

오늘은 일을 중단하려다가 일을 하라고 지시했다. 건설 일은 혼자서 하는 것이 아니고 손발을 맞혀 작업하는 일이 많다.

요즘은 장비를 동원하는 일이 많지만, 장비 효율이 떨어져서 근로자의 손발이 맞지 않으면 일을 중지하는 것이 맞다. 하지만 새벽밥을 먹고 일하러 나온 근로자들을 어떻게 돌려보내겠는가?

일이 뜻대로는 잘 안 되겠지만 진행 시켰다.

건설사에서 반발도 있었지만 출근한 근로자와 출근하지 않은 근로자를 구분하여 이익과 불이익을 줄 마음이었다.

오늘 작업은 오후 2시에 마칠 생각이다.

점심 식사하고 1시간만 일을 해도 하루 임금을 지급한다.

오전 일만 하면 일당의 반을 주기 때문에 2시까지 작업을 하고 하루 일당을 받을 조건이 되면 일을 마칠까 한다. 그렇게 하면 출근한 사람들은 이익이 될 것이고 결근한 작업자는 배가 많이 아플 것이다.

건설사에서 손해를 많이 보겠지만 수백억대 공사를 하면서 이 정도는 감수할 것으로 생각한다. 나의 판단에 대하여 건설사에서 욕을 한다고 하여도 얻어먹을 작정이다. 그러나 부지런한 사람과 게으른 사람과의 차등을 주지 않으면 단순하고 힘든 건설 현장 근로자들을 이끌고 나가기가 힘들기 때문이다. 또한 열심히 살려고 하는 사람들에게 어떤 방식으로라도 대가를 해주어야 한다는 것이 나의 확고한 생각이다.

건설 근로자가 있었기에 고속도로의 차가 주행하고 인천공항의 비행기가 이착륙하고 섬의 다리를 연결하여 섬이 육지가 된다. 이로 인하여 삶의 질을 향상 하는데 건설 근로자의 몫이 크다는 것을 인식하지 못하는 것이 현실이다. 이 모든 것을 건설 근로자들이 어렵지만 해내고 있다.

지금은 많이 좋아졌다고는 하지만 노가다 단순 작업 인력으로 생각하는 사고가 아직 남아 있다. 또한 건설 근로자들이 많이 줄어들고 있으며 그 빈자리를 외국인 노동자들이 차지하고 있다.

안전사고 사망률이 높은 위험작업도 많다. 장비 작업으로 힘쓸 일이 많이 줄었지만 그래도 육체적 노동자이다. 여름에는 덥고, 겨울에는 추워서 힘들고 고달프다.

근무환경이 열악할 수밖에 없다.

단순노동자라는 인식에서 장인 정신으로 깨우쳤으면 한다.

장인(匠人)은 숙련된 기술자를 가리키는 단어이다. 예술가를 두루 일컫는 의미로도 사용된다.

사전적인 의미는 손으로 물건을 만드는 일을 직업으로 하는 사람으로서 한옥은 대목. 도편수를 한옥 장인이라고 부른다. 소금을 뿌려 생선을 절이는 간잡이, 대장간 대장장이,

장독을 만드는 도공도 장인이라 부른다.

건설공사도 그렇게 하면 된다.

수십 년간 한 일만을 한 숙련된 기술자를 장인이라고 부르면 된다.

거푸집 조립장인, 철근 조립장인, 철골 조립장인, 콘크리트 타설 장인, 방수 장인, 벽돌장인, 미장 장인. 타일 장인, 유리 장인, 도장 장인, 도배장인, 내장 목수 장인, 싱크대 장인, 기계설비 장인, 전기장인, 손으로 만드는 일을 수십 년 하고 숙련된 보통 사람들이 따라 할 수 없는 기술을 가진 사람을 장인이라고 하는 것이다.

자랑스러운 건축장이

숨이 턱 아래까지 차 올라오는 이 불볕더위에 힘들어하는 작업자들을 몰아붙여서 가슴이 아프다. plant 공사는 건축공사가 몰아붙이면 다 되는 것으로 알고 있어서 건축하는 처지에서는 아주 속상하다.

건축기술자는 plant 공사를 하지 않는 것이 맞는 것 같다.

현장 감독이 전기담당이라 변압기 납품 기일을 맞추어 수배전반 건물을 완공하라고 하여 만나보고 현장 사정 이야기를 하고 당장 설치하고 사용하는 것이 아니니 며칠만이라도 납기 날짜를 연기해달라고 설득하고 싶었지만 접었다. 전기담당 감독은 전기공사 이외에는 도저히 설득할 수 없기 때문이다.

완제품을 만들어 현장에서 조립하는 것과 현장에서 무에서 유를 만드는 것 하고 이해를 못 한다.

자존심이랄 것까지는 없지만 전기 기술자에게 사정하고 설득하려고 하니 왠지 서글퍼지는 것 같아 무리수를 던지면서 납품 날짜를 맞추어 주었다.

공은 감독에게, 문책은 감리가 지는 것이 대기업의 생리인 것 같다.

위험하고 어려운 일도 많지만 해서는 안 될 일을 하면서 기어이 일을 끝마쳤다. 이번 공사를 하면서 무리수를 가지고 공사 기간을 맞추기 위하여 주말에도 수많은 근로자가 일하는 모습을 보면서 많은 것을 느끼게 한다.

현장에서도 얼음, 아이스바 등 시원한 것을 최대한 공급을 했다. 하지만 현장 먼지 더미 속에서 일하면서 안전모 밑으로 흘러내리는 구슬땀과 온몸이 땀으로 범벅된 모습으로 작업을 하는 근로자분들이 존경스러울 따름이다. 현장을 한 바퀴 돌고 나면 나 역시 땀으로 범벅되어 죽을 지경이지만 종일 불볕더위에 일하는 근로자를 보고 있노라면 덥다고 말할 수가 없다.

그분들이 저렇게 더위와 사투를 하는 것은 그분들의 등에 짊어진 가족들을 위한 가장이라는 책임감 하나뿐 일 것이다.

그분들께 진심으로 경의를 표한다. 그래서 오늘은 덥다는 말은 남기지 않겠다.

나 역시 40년 가까이 건설 현장에서 일하며 한 공사를 마칠 때마다 긍지와 자부심 하나로 버티어 왔다. 하지만, plant 공사는 건축기술자로서 긍지와 자부심을 느낄 수 없기에 허무할 따름이다.

젊은 시절, 작품성 있는 공공건물을 건축할 때는 감독관과 많은 의견 대립이 있었다. 그때는 큰소리도 많이 쳤다. 공사비 추가로 인하여 설계 의도와 벗어날 때 감독관과 많이 다투었다. 내가 생긴 것이 무식하게 생기고 목소리가 커서 10전 9승 1패 정도는 했으니 잘한 것이다. (건설 현장과 교통사고는 목소리 큰 사람이 이긴다. 요즈음은 교통사고는 블랙박스가 있어 안 통한다)

지금 생각하면 정말 좋은 추억이다. 수십 년이 지난 지금도 그 건물 앞을 지나칠 때면 공사할 때의 일들이 주마등처럼 스쳐 지나간다. 내가 자랑스럽고 너무 멋있는 직업과 자부심에 옆에 사람만 있으면 "저 건물 내가 지었다"라고 자랑을 한다.

초등학교 1학년 때 처음으로 받아쓰기 100점 받아서 엄마에게 자랑하는 것처럼….

이제는 우리 아내가 먼저 선수 친다.

"어 저 건물 당신이 지은 건물이네"

"저 건물 지을 때 당신은 외박도 많이 하고 술도 많이 마셨는데…." 같은 건물을 바라보지만 나와 아내와는 전혀 다른 관점으로 바라본다.

이제는 plant 공사에서 내 직업을 마무리해야 할 것 같다.

가족의 생계를 책임진 가장으로서 자긍심은 접어야 할 때가 된 것 같다. 젊은 시절에 돈도 안 되는 일에 목숨 걸고 대들다가 상사들에게 밉상도 많이 받았지만, 건축장이라는 직업은 정말 매력 있는 직업이다. 자식에게 대물림은 하지 않았지만 한평생 건축장이로 살아온 것이 자랑스럽다.

내가 땀 흘려 지은 건축물은 나보다 먼저 가지 않고 항상 그 자리에서 묵묵히 나를 기다려준다. 내가 이 세상을 떠난다고 해도 그 건축물들은 남아 있을 것이다.

늘 똑같은 일을 하는 것 같지만 완성하고 나면 똑같은 것은 하나도 없다.
목숨을 건 위험한 순간과 기능공들을 설득해야만 했다. 또한 수백 가지 재료와 수만 명의 작은 손길이 필요했다. 계절의 변화와 많은 시간을 통해 지하에서 지상으로 우뚝 솟아오른 완공된 장엄한 모습을 보면서 그 희열 때문에 한눈팔지 않고 여기까지 왔다.

정성을 다해 지은 건물들은 언제 보아도 가슴이 뿌듯하다. 하지만 공사비와 공사 기간 등으로 정성을 다하지 못한 건물을 볼 때는 여러 가지 이유로 타협한 나 자신이 부끄러울 때도 있다.

그러나 평생을 건축장이로 살아 온 것에 대한 눈곱만큼의 후회도 없고 나의 직업이 늘 자랑스럽다.

건축장이는 진짜 멋진 직업이다.

살아있으니 불행중 다행

안전사고로 병상에 있는 친구에게 (편지글)

주중에는 컴퓨터로 하는 업무는 너무나도 싫다. 그리하여 주말에는 컴퓨터 부근에도 가지 않는다.

하지만 월요일 아침에는 블로그에 친구들이 주말에 어떻게 보냈고 또 무슨 재미난 일 미주알고주알 수다 떨어 놓았을까 궁금하다. 주말에 못 떠는 수다를 떨려고 월요일 출근하면 만사 제쳐 놓고 컴퓨터에서 친구들 블로그를 본다.

오늘 아침에 깜짝 놀랐다. 친구가 병원에 입원했다는 소식을 접하고 많이 놀랐다. 다행히 친구의 글을 자세히 읽고 댓글을 보니 조금은 안심이 되었다. 작업 중 안전사고가 났는데 불행 중 다행이라고 생명에는 지장 없는 것 같아서 다행이다.

다친 사람이야 오죽하겠냐마는 제삼자로서 그만한 것이 천만다행이라고 생각한다. "내 손톱 밑에 가시 찔린 것이 남 손가락 잘린 것보다 더 아프다."라는 옛말이 있지만 내가 할 수 있는 위로의 말은 이것밖에 없다. 잠시 쉬었다가 가라는 하늘에 뜻이라고 생각하고 모든 것이 "나만 왜 이래"라고 생각하면 나만 상처받고 불행해진다.

하느님을 믿는 사람이 교통사고 나서 눈이 한쪽 안 보였는데도 "하느님 감사합니다. 한쪽 눈으로 볼 수 있게 해주셔서" 그러다 치료하다 잘못되어 두 눈 다 볼 수 없게 되자 "하느님 감사합니다. 눈으로 볼 수는 없지만, 목숨만은 살려주셔서" 그러나 두 눈을 잃고도 모자라 죽게 되었을 때"하느님 감사합니다. 이제 하느님 곁으로 갈 수 있게 하느님이 저 같은 죄인을 불러주셔서" 이렇게 한다고 한다.

지어낸 이야기 같지만 내가 지금 친구에게 할 말은 이것밖에 없다.

내가 친구처럼 다쳤다면 화가 나서 길길이 뛰고 난리가 났겠지만, 제삼자가 된 처지에서는 초연해진다. 더 편하게 생각하면 자식 대신 다쳤다고 생각하며 더 편해질 것 같다.

살다 보니 고비가 많다.

우리 나이가 되면 죽을 고비도 몇 번 넘기게 된다.

자의든 타의든 몇 번의 죽을 고비를 넘기고 억척스럽게 이 나이까지 살아왔다. 또 앞으로 몇 번 더 죽을 고비를 넘겨야 할지, 아니면 못 넘기고 저승으로 갈지 그것은 아무도 모를 일이다.

나 역시 내가 싫어서 자신을 스스로 포기하고 싶을 때가 있었다.

지난 일이지만 모든 것을 포기하고, 정리하려고 생각을 했었다. 마지막으로 넓은 세상을 구경하고 떠나려고, 얼마 남지 않은 재산을 정리해서 1년 동안 돈이 떨어질 때까지 세계 여러 나라를 여기저기 정처 없이 떠돌아다녔다.

정처 없이 돌아다니며 많은 것을 깨우치고 눈물을 머금고 한국에 돌아와서 이렇게 오늘까지 버티며 살고 있다.

한국을 떠나 돈 떨어지면 국제 미아가 된다는 것을 마지막 여행지 중국에서 처음 알았다. 중국에 투자했다가 거지 된 사람, 한국에서 부도내고 중국으로 도피한 사람, 마카오에서 노름하다 패가망신한 사람, 물가 싼 중국이라고 하지만 하루 세끼를 다 챙겨 먹지 못하고 떠도는 사람이 수두룩했다. 나중에 돈이 없어서 여권까지 팔아버려 국제 거지가 아닌 국제 미아로 사는 사람이 한둘이 아니었다.

한국의 노숙자보다 더 비참한 생활을 하는 그 사람들과 사귀어보니 삶이 아무것도 아니라는 걸 깨우쳤다. 그 사람들은 한국에 돌아오고 싶어도 돌아올 수가 없다.

여권을 재신청하려면 행불자 조치 및 법적으로 풀어야 할 문제들이 시간과 돈이 엄청 필요하다. 하지만 혼자서는 해결할 수도 없고 대사관이나 영사관의 도움을 받으면 되지 않나 생각했지만, 절차가 매우 까다롭고 한국에서 가족들이 적극적으로 도와줘야 하는데 외국에서는 가족 찾기도 힘들다고 한다. 실제로 몇몇 사람 가족을 찾아 달라고 해서 한국에 들어와 부탁받은 가족을 찾아보았지만, 모두가 허탕이었다.

숨겨진 사회문제이기도 하지만 중국에서 만난 한국 사람들의 아픔과 외로움 그리고 고국의 가족들을 향한 그리움을 보면서 내가 겪는 아픔은 아무것도 아니라는 것을 몸으로 느꼈다. 지금은 한국에 돌아와 이렇게 늦깎이 행복을 느끼며 살아간다.

다쳐서 누워있는 친구에게 엉뚱한 이야기 한다고 생각할지 모르겠지만, 현대화된 이 시대를 살아가고 있는 우리는 아침에 눈을 뜨고 차에 올라타 시동을 걸 때부터 내 목숨을 담보로 살아간다. 퇴근해서 내 집 문을 열 때까지 안심할 수가 없다.

"하루아침에 졸지에"라는 말이 생기게 된 것도 현대 산업화한 곳에 살기에 그런 말이 생기게 된 것 같다.

원시시대나 조선시대에 살았다면 친구처럼 입원할 일이 없는데 기계화된 현대사를 살면서 편리한 만큼 대가도 치러야 한다.

조심은 했겠지만 조금은 전동기를 안일하게 대처한 것 같다.

안전 장갑이라도 착용했으면 입원할 만큼은 다치지 않았을 텐데 그나마 다행이라고 생각해라. 모든 것이 생각하기 나름이다.

너무 재수가 없다고 생각하고 낙담하지 말고 조금 쉬었다가 가라는 하늘의 뜻으로 받아들이고 병원에 입원해 있는 동안 너무 갑갑하게 생각 말기를 바란다. 또한 그동안 바빠서 못 챙긴 것들을 두루두루 챙기시고 가족들에게 소홀한 것 있으면 이번 일을 계기로 가족들과 따뜻한 시간 가져라.

인물이 잘생겨 친구 아내가 친구를 보고만 있어도 좋아하겠지만 그래도 부부 사이에 좋은 시간을 함께 같이하면 결코 입원한 시간도 헛된 시간이 아니고 알찬 시간이 되리라 생각한다.

빠른 쾌유 바라며 가까운 곳에 계시면 이 계기로 병문안과 인사라도 나누었으면 좋으련만 세상사 모든 것이 뜻대로 되지 않는다는 것을 뻔히 알면서 그나마 인사차 한번 전해본다.

언제쯤 될지 모르지만 만날 때 건강한 모습으로 만나자.

친구의 빠른 쾌유를 위해 하느님께 진심으로 기도드릴게.

5. 대수롭지 않은 잡다한 이야기 잡설

나는 야한 팬티가 좋다.

얼마 전 아내가 내 팬티를 사 왔다.

그런데 색상이 어째 우중충하니 마음에 들지 않았다.

"팬티 색상이 이게 뭐냐?"

"아들 팬티는 예쁜 것 사주고 내 팬티는 왜 이런 것만 사주냐?"라며 짜증을 내니 "이 양반이 바람났나? 생전 하지 않은 팬티 투정이냐?"

"아들 팬티는 여러 가지가 있는데 당신이 입는 빅사이즈는 색상이나 디자인이 몇 가지 없으니 예쁜 팬티 입고 싶으면 살이나 빼라."라며 잔소리하여 아내와 말다툼이 있었다. 난 허리둘레가 40인치, 팬티는 물론 옷을 사 입는 데 많이 불편하다.

기성복은 크기가 잘 없어 색상이나 디자인 선택의 여지가 없고 사이즈만 맞으면 감사한 마음으로 사 입는다. 서울에 한번 갈 때마다 이태원 옷 가게에 들러 보고 마음에 드는 것을 사고 와이셔츠는 이태원 단골집에서 맞춰 입는다. 팬티 역시 사이즈가 120이라 그냥 크기만 있으면 사 입는다.

얼마 전부터 내 팬티가 촌스럽고 빈티 난다는 느낌이 들었다.

특히 목욕탕에 가면 내 팬티가 딴 사람이 입은 팬티보다 촌스럽고 노인 티가 나 창피했다. 별로 속옷에는 신경을 쓰지 않는 편인데 나이가 들어가면서 예쁜 속옷이 눈에 들어오고 입고 싶어졌다. 아내 말처럼 어디 보여 줄 곳도 없는데….

끝내 아내가 사 온 내 팬티는 치수가 없어서 반품했다.

그리고 나보고 속옷 사 입으라고 하여 내가 사 입겠다고 했는데 남자들이 일부러 속옷 사러 갈 일이 없어 아직 미루고 있다.

얼마 후 주말에 집에 가니 아내가 바느질하길래 힐긋 쳐다보니 아내 속옷을 꿰매고 있었다.

괜히 신경질이 났다. 속옷을 꿰매는 것이 궁색하게 보여 짜증을 냈다.

"궁상떨지 말고 팬티 사 입어라."

"아낄 걸 아끼라고 팬티 한 벌 얼마 한다고 그렇게 궁상을 떨고 있냐?"라고 말하자 아내는 "누가 볼 것도 아니고 별거 아닌 것 가지고 왜 신경질이냐?"라고 말대꾸하여 부부싸움을 한바탕했다.

별거 아닌 것 가지고 싸운다고 하겠지만 내 눈에는 보기 싫었다.

내 박봉에 알뜰하게 살림 살아주는 것은 고맙지만, 아내가 속옷 꿰매는 모습에 스스로 자괴감이 들어 괜히 내가 찔렸다.

철마다는 아니지만 젊을 때는 아내 속옷을 생일이나 기념일 때 한 번씩 사주었다. 선물도 자주 해주었는데 살다 보니 언제부터인지 모르지만, 많이 소홀해지는 것 같다.

살면서 바쁘고 피곤하다는 핑계로 아내와 단둘이서 여행은 고사하고 외식 한번 했던 기억조차 가물가물하다. 모든 것이 자식 위주로 변해가고 서로에게 신경을 쓸 틈이 없었다.

자식에게는 모든 것을 쏟아붓지만 우리 부부에게는 틈이나 여유가 없다.

자식 키우면서 아내와 여행 가는 것조차도 사치인 것 같고 여유도 없다.

오늘은 아내 속옷이라도 한 벌 사서 집에 들어가야겠다.

커플 팬티를 사면 좋겠는데 내 치수가 안 되니 포기하고 레이스가 달린 조금 야한 것으로 골라 봐야겠다.

아내가 "이게 뭐냐고 바꾸어 오라"고 할 것은 뻔하지만 오늘만큼은 자신이 있게 말해야지

"나는 야한 팬티가 좋다."

그리고 "밖에 비도 오는데…."

나의 인생곡
Gladys Knight & The Pips/Help Me Make It Through The Night

요즘에는 나의 인생 드라마, 인생 사진 등 나의 인생이라는 타이틀을 많이 붙여 사용한다. 그래서 나의 인생 노래한 곡을 이야기해본다.

원래 이 노래는 'Kris Kristofferson' 이 작사, 작곡한 곡으로 1971년에 빌보드 팝챠트 8위에 진입하였고 컨트리 팝챠트에는 1위에 올랐던 곡이다.

그 후 1973년에는 'Gladys Knight and the Pips'(글래디스 나이트와 핍스) 에 의해서 다시 챠트에 33위로 진입하게 되었던 곡이다.

또한 1971년에는 그래미상 'Best Song' 후보로 오르기도 했던 곡이다. 이 곡은 원래 처음에는 'Kris Kristofferson'작사, 작곡하여 'Sammi Smith'가 불렀고 'Kris Kristofferson' 직접 부르고 그 후로도 올리비아 뉴튼존 등 수많은 아티스트가 리바이블한 팝의 고전이라고 할 수 있는 명곡이다.

그중에서도 'Gladys Knight and the Pips'가 73년 발표앨범 'Help Me Make It Through The Night'의 동명 타이틀곡으로 부른 이 곡은 특히 마음이 울적할 때 들으면 더욱 마음에 와닿는 곡으로 그 당시 국내에서도 'Kris Kristofferson'의 인기 못지않은 인기를 얻었던 곡이다.

이 곡을 처음 알았을 때는 1975년 대학을 입학하고 나서 철없고 겁 없이 놀 때다. DJ를 한다고 그렇게 싫어하던 영어 공부 처음 하게 되었다.

얄팍한 영어 실력으로 사전을 찾아가며 말도 안 되는 발음으로 팝송을 소개하며 우쭐거렸다.

당시 'Kris Kristofferson' 의 'Help Me Make It Through The Night'가 한창 히트할 때 하루에 수십 번 틀어 줄 때 이름도 모르는 흑인 여가수의 'Help Me Make It Through The Night'를 라디오를 통해 듣고 엄청난 충격을 받았다.

나의 심금을 울려주는 것을 더해 나의 가슴을 도려내는 것 같은 충격이었다. 그 곡을 다시 듣기 위해서는 여러 통로를 통해야 찾아낼 수가 있었다.

곡은 아는 곡이었으나 부른 가수를 찾기 위해 한참을 헤매다 "글래디스 나이트와 핍스"라는 그룹의 여가수라는 것을 알아냈다. 레코드판(LP 디스크)을 사려고 엄마에게 책 산다고 거짓말하여 몇천 원을 받아서 기어이 판을 구했다.

하루에 수십 번을 틀고 들었다.

그리고 친구들에게 말했다.

"내가 만약 죽으면 이 판(LP 디스크)을 내 가슴에 얹어서 내 관속에 나와 함께 넣어서 묻어 달라"고 했다.

또한 "내가 죽으면 이 곡이 나의 장송곡이니 내가 무덤에 들어가기 전에 이 곡을 틀어 놓고 나의 관을 묻고 흙을 덮어라."라고 친구들에게 유언처럼 농담처럼 이야기했다.

이제 이런 낭만은 없다.

같이 묻어달라는 LP 디스크는 사라진 지 오래고 노래를 담은 USB를 같이 묻어 달라고 하기에는 무엇인가 낭만이 없지 않은가?

그래도 40여 년이 지난 지금도 이 노래를 들으면 가슴이 설렌다.

예전 차에서 카세트테이프가 늘어지도록 들었지만 지금 차에는 USB 1번으로 하여 이 노래를 듣고 싶을 때 듣는다. 마음이 울적하거나 일로 인하여 스트레스를 받고 회사 일로 마음이 허할 때 차 안에서 크게 틀어놓고 듣는다.

특히 비가 오는 날이면….

남들은 나이가 60세가 넘어가니 팝송도 듣지 않고 낭만도 없다고 생각한다. 하지만 나는 지금도 이 노래를 들으면 가슴설레며 아련히 멀어져가는 나의 20대를 추억한다.

난 40년이 언제 이렇게 지나갔는지 모르겠다.

나에게 환갑이 지나갈지 꿈에도 생각하지 못했다.

한 번씩 거울에 비친 내 모습을 보면 백발의 머리와 주름진 피부, 처진 몰골을 바라보며 지나버린 나의 청춘을 한탄해 본다.

아무것도 해놓은 것이 없는 나를 우두커니 바라보는 내 아들과 아직은 젊은 내 아내의 짐이 내 어깨를 짓누른다.

내가 이 세상을 떠났을 때라도 만약 이 노래가 들렸을 때, 아버지가 좋아했던 노래라고 끝까지 들어주며 나를 기억해준다면 나는 이 세상에서 잘 살았다고 생각할 것 같다.

행여 나의 관을 묻을 때 이 노래를 틀어주면 정녕 이 세상을 미련과 후회 없이 행복하게 잘 떠날 것 같다.

Gladys Knight &The Pips의 Help Me Make It Through The Night 노래와 가사는 저작권 문제로 옮겨 적지 못해 아쉽다. 요즈음 유튜브에 검색하면 동영상으로 멋지게 잘 나오니 한번 들어보기 권한다.

나를 울린 불후의 명곡 소냐가 부른 파초

4주 동안 집에 가지를 못했다.

건설안전기사 시험이 3차이다.

2차 시험을 망쳐서 다음에 볼까 하다가 수험료가 아깝고, 3차 시험에 만점을 기대하며 이번 주말에 집에가지 않았다. 그렇다고 공부하려고 가지 않은 것은 아니고 포기하는 것보다 참석이나 하지 싶어서 집에 가는 것을 포기했다. 그렇다고 맨땅에 헤딩할 수도 없으니 금요일 저녁부터 책을 잡았다.

술과 담배에 찌든 나의 뇌에 공식 용어들이 들어오기 만무하지만, 장에 가는데 빈 지게로는 가기가 그렇고 거름이라도 지고 가려고 술과 담배에 찌든 돌머리에 억지로 밀어 넣었다. 밀어 넣어 보았자 돌아서면 또 멍청이가 된다. 내가 봐도 한심한 놈이다. 1차 시험 성적이 너무 잘 나와 시험을 너무 쉽게 보고 교만했던 것이 이렇게 나를 힘들게 한다. 깔끔하게 끝냈어야 했는데 두 달쯤 던져 놓으니 완전 멍청이가 되어 처음부터 공부를 새로 하려니 미치겠다.

확실히 느껴진다. 나이 들어 뇌세포가 망가지고 있다는 것을, 돌아서면 잊어버린다고 꼭 외워야 하는 공식 하나 외우는데 아예 벽에 붙여 놓고 외웠다. 그런데 공식을 다 외웠는데 이번에는 평균 환산 재해율이 나와 5점짜리를 날렸다. 공부하긴 했는데 생각나는 것은 환산도, 수율 환산 강도율만 생각나 죽을 쒔다. 도수율과 강도율을 계산해서 루트만 적용하면 됐는데 공부는 했지만, 생각이 나질 않는다.

안전 관리비 비율 적용을 잘못해서 또 날렸다. 1.81%인데 1.88%를 적용해서 깔끔하게 5점짜리를 또 날렸다. 2점짜리 같으면 성질 죽이는데 5점짜리라 약이 오른다. 2차 시험을 망쳐 3차 시험을 보지 않으려다 100점 만점에 2차 60점, 3차 40점, 3차 시험을 만점 가까이 받으면 합격점수 60점은 받을 것 같아서 3차 시험을 준비하며 숙소에 있다.

설사 이번에 불합격을 해도 다음 시험 준비도 하고 이미 낸 수험료도 있어서 4주 동안 집에 가지 못하고 회사 숙소에 있다. 공부를 하는 둥 마는 둥 저녁 먹을 시간에 라면을 끓여 먹으면서 TV를 틀었는데 노래 한 곡을 들으며 한참 울었다.

매주 토요일 KBS 2TV에서 불후의 명곡이라고 요즘 젊은이들이 지난 노래를 부르는 프로그램이다. "소냐"라는 여가수가 파초를 부르는데 라면을 먹다가 목이 메어 라면을 목구멍으로 넘기지 못하고 한동안 멍하니 쳐다보았다. 갑자기 가슴이 먹먹해지더니 노래 간주의 해금 소리에 주체할 수 없을 정도로 눈물이 나왔다.

옛날 형제 가수 수와 진이 부른 노래인데, 그날은 왜 그리 가슴이 먹먹하고 눈물이 났다. 토요일 팬티 바람에 냄비라면 하나 끓여 시어 빠진 김치에 밥상도 없이 공부하던 꼬락서니가 왜 그리 서글프고 저작권 문제로 옮겨적지는 못하지만 노래 가사가 구구절절 내 가슴을 두드리더니 끝내 노래 중간 해금 간주가 나의 애를 쥐어짜면서 나를 울리고 말았다.

하염없이 흐르는 눈물을 닦지도 못하고 노래를 다 듣고 나니 공부고 뭐고 먹던 라면 냄비를 확 엎어버리고 싶었다.

내 나이 57세가 적은 나이는 아니다.

무엇을 바라면서 국가자격 건설안전기사 시험을 본다고 이러고 있는 것인지 건축 수석 감리사, 건축 특급기술자 이것으로도 부족한 것인가?

힘들다!

나이도 힘들고 머리도 힘들고, 직장도 버티기 힘들고, 아버지도 힘들고 가장으로써는 더 많이 힘이 든다.

대학에 입학한 아들 4년을 더 뒷바라지해주어야 하는 올해는 더 암담하다.

나이 57살에 건설안전기사 시험이 쉽지만은 않다. 자식 놈 같은 아이들과 시험을 같이 보니 나를 희귀종 같이 쳐다보는 시선들이 더 나를 움츠리게 한다.

하지만 어쩌랴, 건설안전기사라도 하나 더 가지고 있으면 다음 현장 배치를 받는 데 유리하지 않겠는가?

안전을 중시하는 대기업이라는 특수성을 가진 현장에서 밀리지 않으려면 어쩌겠는가? 또 해야지!

이번에 합격하지 못하면 3개월 후에 또 시험이다.

한 번 더 긴장해야겠는데 상사 비위 맞추고, 시공사 달래주며 저녁 회식을 쫓아다니며 하려니 시간도 없고 공부에 집중이 되질 않는다.

포기하자니 불안하고, 끝장을 보자니 내 나이에 한계를 느낀다. 늙어가는 이놈의 몸뚱어리 또 달래고 추슬러 보아야겠다.

아직 자식새끼는 아비의 손길이 필요하고 경제력이 깡통인 철없는 내 아내 내 눈만 쳐다보는데 아직 주저앉을 수는 없다.

세월이 빨리 지나갔으면 좋겠다.

내 손으로 아들놈 대학 졸업을 시키고 나면 이 세상에 태어나 내 소임은 최소한 다하는 것 같은데, 아비의 속 타는 마음을 자식 놈은 아는지 모르는지 저리도 느긋하다.

이제는 머리도 썩었다. 몇 시간에 걸쳐 외운 공식 하나가 3일만 지나면 휑하다.

머리카락만 백발로 변하는 것이 아니라, 안에 들어있는 뇌도 서서히 똥으로 변해간다. 아직은 싱싱하다고 생각했는데, 막상 시험이라는 것을 치러보니 내 몸뚱어리가 노화되어가는 것을 뼈저리게 느끼게 된다.

마음은 아직 20대 청춘인데….

파초의 꽃말이 〈기다림〉이란다. 그래서 또 성질을 죽인다.

기다려야지.

자식도 기다리고 아내도 기다리고

하늘이 나를 부르실 때까지….

밥상머리 교육

남편 식사 습관에 관한 아내의 심층 고찰

*집에서 한 끼도 안 먹는 남편 - 영식님

*집에서 한 끼 먹는 남편 - 일식 씨

*집에서 두 끼 먹는 남편 - 두식 군

*집에서 세끼 먹는 남편 - 삼시세끼

*세 끼 먹고 간식 먹는 남편 - 간나쉐끼

*세 끼에 간식 야식까지 먹는 남편 - 종간나쉐끼

*시도 때도 없이 먹는 남편 - 십쉐끼

*세 끼 먹고 간식 먹고 야식 먹고 아내는 쳐다도 안 보는 남편 - 쌍노무쉐끼

요즘 유행하는 유머이다.

이제 집에서 밥 한 끼 얻어먹기도 힘든 세상이다.

물론 백수건달로 아내 등쳐먹고 사는 놈이라면 얼마든지 감수해야 할 유머지만 이런 유머가 나를 가슴 아프게 한다.

웃고 넘기기에는 현실과 너무 비슷하다.

어릴 때 항상 아버지 밥그릇은 뚜껑 있는 신주(구리) 밥그릇이나 사기 밥그릇이었다.

이유는 보온밥통이 없던 시절 항상 구들 아랫목 이불 속에 아버지 밥그릇을 묻어 놓고 아버지가 들어오실 때까지 아버지 밥그릇을 쏟을까 봐 아랫목에는 얼씬도 못했다. 아버지가 늦게 오시면 오시는 대로, 어느 어머니가 감히 늦게 들어오시는 아버지 밥상을 차리는데 불평불만이 있었겠는가?

아침 식사도 항상 아버지보다 먼저 밥상에 앉아 기다리다 아버지가 오셔서 숟가락을 들어야지 아침 식사를 할 수 있었다.

밥상에 앉아 밥을 먹으면서 "집에는 별일 없느냐" "공부는 잘하느냐"

"머리가 길다." "옷차림이 그게 뭐냐" 등등 밥상머리 교육이 시작한다.

아버지께서 식사가 끝나기 전 식구 중 아무도 밥상을 떠날 수 없다.

식사가 끝난 후에야 비로써 필요한 것을 이야기한다.

소소한 것부터 공납금까지 지금 생각하면 몇 푼 안 되는 돈이지만 공납금이나 책값을 제날짜에 받아 간 적이 없다. 미루고 미루어서 겨우 받아 갔다.

돈 받을 때는 또 한 소리를 듣는다.

그런 식으로 공부하려면 때려치우고 일자리 구하라고, 고등학교 보내주는 것이 부모로서 의무를 다한 것처럼 이야기했다. 그러나 우리가 크면서 감히 불평불만은 없었고 늘 송구스럽고 죄스러웠다.

조선시대의 이야기도 아니고 30~40년 전 보편적 가정의 모습이다.

그런데 요즘은 너무 많이 달라졌다.

저녁 식사 시간이 지나면 당연히 밥을 사 먹고 들어가야 한다.

10시 넘어 들어가 밥 달라고 하면 당장"이 시간까지 밥 안 먹고 뭐 하고 다녔나"라고 어부인 마님의 호통이다.

밥상머리 교육?

밥상은 자식 위주의 메뉴로 바뀌었는지 오래전 일이다. 식사 시간도 자식에 맞추고 그 시간에 맞추지 못하면, 나중에 한 번 더 밥상 차리라는 말을 하느니 밥 먹기 싫다고 식사는 포기해야 한다.

행여 같이 식사할 때도 밥상에서 내가 하고 싶은 이야기를 했다가는 그날은 부부싸움을 각오해야 한다.

나는 직업상 집을 떠나서 있을 때가 많다.

더 중요한 것은 어머니가 가정을 지키고 있어야 자식이 어머니의 관심과 사랑을 받고 바르게 자랄 수 있다는 고지식한 나의 신념 때문에 아내가 가정을 지키기 위해서 맞벌이를 하지 않는다.

물론 아내는 돈 버는 기술도 없고 벌 줄도 모른다.

금요일 퇴근 시간이 되면 전화가 온다.

저녁밥을 먹고 오는지를 알기위해 전화를 하는데, 먹고 들어오라는 것 인지 아니면 내 입맛이 너무 까탈스러워 미리 저녁 준비를 하려고 하는지 모르겠지만 왠지 섭섭하게 들린다.

그래서 가족들과 만나는 주말이면 집밥도 먹고 싶지만, 외식한다. 조금은 부담스럽지만, 처자식이 좋아하고 먹고 싶은 것 먹으러 간다. 그런 것이 습관화된 것인지 아버지는 밖에서 늘 고급 요리만 먹는 줄 안다.

직업상 한 달에 한두 번은 회식이 있어 내 주머니에서 돈이 안 나갈 때 과분한 음식을 먹을 때가 있다. 하지만 대부분은 게을러서 아침은 거르고 점심은 회사 식당에서 먹고 저녁은 김밥에 라면으로 때운다.

가족을 떠나 객지에 있다 보면 저녁 시간이 제일 괴롭다.
혼자 밥 먹기가 서글퍼서 김밥 두 줄 사서 숙소에서 라면을 끓여 먹고 만다. 며칠을 김밥과 라면으로 끼니를 때우면 삶의 의문이 생긴다.
"내가 왜 이러고 살까?"

굶지 않고 끼니를 때울 수 있어 행복한 비명이라고 할 수 있겠지만 요즘 가장의 권위는 금전으로 결정된다.
직업과 직위, 연봉, 아파트 평수, 차 종류 등 보통 이상이 되지 않으면 열심히 일하면서도 가족들에게 미안해하고 집에 들어가면 눈치를 보며 살아야 한다.

부모에게 물려받은 것 없고 좋은 직업이 없으면 보통 이상으로 살기가 쉽지 않다. 아무리 발버둥 치고 발악해도 수입보다 지출이 더 많다.

나의 아버지가 가장일 때 없던 항목이 내가 가장일 때에는 지출해야 하는 항목이 많아졌다. 아파트 융자금, 관리비, 자식 과외비, 인터넷 및 휴대폰 비용, 자동차 할부금, 세금, 보험, 유류비 등과 때가 되면 바꾸어야 할 전자제품 등등
아버지의 가장 시절에는 밥상에 쌀밥과 고깃국이 올라가면 가장의 어깨 힘이 들어가

고 쌀밥에 고깃국을 먹게 해주어서 감사하고 존경스러웠다. 하지만 요즘은 쌀밥에 고깃국은 고사하고 절약하자고 스마트폰 안 바꿔 주고 김치냉장고 안 사주면 아마 능력 없는 가장이 될 것이다.

주말 저녁 외식을 한번은 자제하고 가족들과 집에서 저녁을 먹으려고 노력한다.

밥상머리 교육 때문이다. 자식도 아내도 불편해한다.

그러나 굳이 고집하는 이유는 밥상머리 교육은 내 세대에서 끝날 것 같고 가장이 밖에서 가족들의 생계를 유지하기 위해 얼마나 힘들게 생존경쟁을 하는지 조금이라도 알려주기 위해서이다.

아버지와 남편으로서 존경심은 받지 못하여도 최소한 가족들에게 감사한 마음은 받고 싶다. 그렇지 않으면 힘 빠진다.

"내가 왜 이러고 살까"라는 의구심을 갖고 싶지 않기 때문이다.

조금은 불편하고 고지식한 내 생각과 행동 때문에 주위에 놀림도 당하기도 한다. 하지만 나름대로 내 가정에서 내 자리를 지키려고 노력하고 있지만, 세대를 역행하는 것 같아 나도 고민하게 된다.

괜한 걱정을 하는 것 같지만 내 능력에 한계가 오고 누구에게 의지하고 살아야 할 때가 온다면 과연 "너희가 이렇게 나를 보살피는 것을 귀찮아하거나 짐이 된다고 생각하지 말라. 나도 너희를 보살필 때 죽어라 일하고 마지막 남은 간 쓸개마저 빼놓고 너희들을 키웠다."라고 소리 없이 외칠 수 있을지 의문이 든다.

요즘 세상을 살아가면서….

개새끼 (강아지)와 남편의 공통점

유머라고 하지만 남편을 영식이 일식이 세끼 찾아 먹는 남편 하더니
이제 "강아지와 남편의 공통점?"
기어이 남편과 개새끼와 비교되는 세상이 왔다.
웃자는 유머지만 해도 너무하다.

개새끼와 남편의 공통점
1. 끼니를 챙겨줘야 한다.
2. 가끔 데리고 놀아줘야 한다.
3. 복잡한 말은 알아듣지 못한다.
4. 초장에 버릇을 잘못 들이면 내내 고생한다.

남편이 개새끼보다 편리한 점
1. 돈을 벌어온다.
2. 간단한 심부름은 시킬 수 있다.
3. 훈련을 안 시켜도 대소변은 가린다.
4. 집에 두고 여행을 갈 수 있다.
5. 같이 외출할 때 출입 제한 구역이 적다.

그런데도 개새끼가 더 좋은 까닭은
1. 신경질이 날 때 발로 뻥 찰 수 있다.
2. 한 집안에 두 마리를 함께 길러도 뒤탈이 없다.
3. 강아지의 부모 형제로부터 간섭받을 필요가 없다.
4. 데리고 살다가 싫증이 나서 내다 버릴 때 변호사가 필요 없다.

요즘 아내는 아주 바쁘다.

버는 남편 보다 써는 아내가 더 바쁜 것이 요즘 현실인데 난들 별수 있겠는가. 눈치를 보고 살아야지? 괜히 어부인 마님 큰일 하시는데 옆에서 긁적거리다 걸리면 좋은 일이 없을 것이다.

세상이 바뀌었는데 나만 독립군처럼 사는 것 같고 나만 겁 없는 남편이 되었는지도 오래고 아내 집에서 떠나 독립한 지도 오래되었다.

세상이 변했다고 하지만 어디까지 이해하고 양보해야 하는지 그것을 모르겠다.

맞벌이 주부와 전업주부 차이를 모르는 것인지 아니면 맞벌이 부부 남편이 집안일 도와주는 것을 그대로 해달라고 요구한다.

전업주부님이 경제력을 가지고 생계 현장으로 나가고, 남편이 집에서 전업 남편으로 살면서, 아내가 퇴근하면 전업 남편이 힘들다고 청소하고 빨래하고 아이보고 설거지하겠느냐고 되묻고 싶다.

유머라고 하지만 개새끼 (강아지)와 아내의 공통점이라고 몇 가지 글을 남기면 여성단체에서 아마 난리가 날 것이다.

그러나 이런 개새끼와 비교하는 유머에 민감하게 대응하면 속이 좁은 남자 쫀쫀한 남자로 치부할 것이다.

요즘이 이런 세상이다.

감동 주는 부부란?

요즘 날씨가 갑자기 추워져서 아침에 출근하기 귀찮다.

집안에서 가정주부가 하는 일이 많은지 나도 알지만, 때로는 출근하기 싫을 때 출근하지 않고 평생 전업주부로 사는 아내가 한 번씩 부러울 때가 있다.

너무 상대방에게 바라는 마음만 가지고 사는 것이 아닌지 반성해 본다.

피할 수 없으면 즐기고 웃으면서 하라고 말을 해야 했는데 시간과 긴장 속에서 근무하다 보면 퇴근 시간에는 파김치가 되기 일쑤라서 따뜻한 말 한마디 해주지 못했다.

억지 출근하여 인터넷 검색 중 아내와 남편을 감동을 주는 말이 서른 가지 이상 되어 그중에서 3가지만으로도 아내가 감동할 것 같은데 평소에 도저히 할 수 없는 말로만 나열해 놓았다.

무엇이 문제일까?

영원히 함께 할 사람에게 아래 말 중 몇 가지 골라 한번 행동으로 옮겨 볼까 하지만 아무리 고르고 골라도 쉽게 실행에 옮길 3가지 문구를 찾을 수가 없다.

아내를 감동하게 하는 말

1. 당신 갈수록 더 멋있어.
2. 당신 음식솜씨는 일품이야.
3. 역시 나는 처복이 많아.
4. 당신, 왜 이리 예뻐졌어?
5. 역시 장모님밖에 없어.
6. 여보 사랑해요.
7. 다 당신 기도 덕분이야.
8. 당신 옆모습은 마치 그림 같아.
9. 당신은 애들 키우는 데 타고난 소질이 있나 봐.

10. 언제 이런 것까지 배웠어? 대단하네.
11. 당신을 보고 있으면 감탄사가 저절로 나와.
12. 눈에 넣어도 아프지 않아.
13. 당신은 못 하는 것이 없네.
14. 당신은 멀리서도 한눈에 띄어.
15. 당신은 뭘 입어도 멋있다니까.
16. 처녀 때나 지금이나 변함이 없어.
17. 갈수록 더 예뻐지는 것 같아.
18. 당신 웃을 때 보면 사춘기 여고생 같아.
19. 어? 당신 보조개도 들어가?
20. 내가 당신 안 만났으면 어떻게 되었을까?
21. 내가 당신 때문에 눈만 높아졌지 뭐야.
22. 다른 사람은 다 시시해 보이는 거 있지.
23. 당신 장모님 닮아 그렇게 이해심이 넓은 거 맞지?
24. 학교 때 당신 때문에 마음 졸인 놈 한둘 아니었겠다.
25. 난 아직도 연애할 때 생각하면 마음이 막 떨려.
26. 모델 뺨치겠는데?
27. 당신 잠든 모습 보면 천사 같아.
28. 아마 당신 같은 사람 찾아내는 거 쉽지 않을걸.
29. 당신 마음 씀씀이를 보면 내가 부끄러워질 정도야.
30. 당신 기억력 보통이 아니야?
31. I love you. (당신은 나한테 너무 과분해)
32. 당신 그럴 땐 너무 예뻐. 당신은 안 꾸며도.

남편을 감동하게 하는 말

1. 여보 사랑해요.
2. 여보, 아이가 당신 닮아서 저렇게 똑똑하나 봐요.
3. 내가 시집 하나는 잘 왔지.
4. 내가 복 받은 여자지.
5. 당신이라면 할 수 있어요.
6. 여보, 내가 당신 얼마나 존경하는지 모르지요?
7. 역시 당신밖에 없어요.
8. 내가 시어머니 복은 있나 봐요.
9. 여보, 작전 타임 아시지요?
10. 당신이라면 뭐든지 할 수 있어요.
11. 다리 쭉 뻗고 낮잠이라도 푹 주무세요.
12. 이제는 쉴 때도 되었어요.
13. 당신 덕분에 이렇게 잘살게 되었잖아요.
14. 여보, 당신 곁에 사랑하는 가족들 있는 거 아시지요?
15. 이제, 제가 나서볼게요.
16. 여보, 여기 보약을 한 재 지어 두었어요.
17. 당신만 믿어요.
18. 건강도 생각하세요.
19. 당신 없이 난 하루도 못 살 거야.
20. 여보, 고마워요.
21. 당신은 언제 봐도 멋있어요.
22. 세상에 당신 같은 사람이 또 있을까요?
23. 당신이니까 내가 이렇게 살지.
24. 당신은 다른 남자들과는 질적으로 달라요.
25. 역시 수준 있네요.
26. 어떻게 그런 생각을 다 했어요?
27. 당신은 하느님 다음이에요.

28. 다시 태어나도 당신밖에 없어요.
29. 당신 위해 이렇게 꾸몄는데 나 예쁘죠?
30. 당신 품에 있을 때가 제일 편안해요.
31. 당신이니까 나를 데리고 살지, 다른 사람은 어림도 없었을 거야.
32. 여보 나보다 먼저 가면 안 돼요.
33. 당신은 타고난 인격자예요.
34. 당신을 보고 있으면 마음이 따뜻해져요.
35. 당신이랑 있으면 시간 가는 줄 몰라요.
36. 여보, 내가 당신 극성팬인 것 모르지요?
37. 당신이 원하는 것은 뭐든지 다 해주고 싶어요.
38. 당신은 남달라요.

부부 사이에 말 한마디 한마디가 얼마나 중요한지 모른다.
"사랑해."
"고마워."
"미안해."
"잘했어."
"넌 항상 믿음직해."
"넌 잘될 거야!"
"네가 곁에 있어서 참 좋아."
최소한 이런 말이라도 하면 되는데 늘 속으로 말하면서 입 밖으로 내뱉지 못한다.

늘 금전 문제, 자식 문제만 나오면 서로가 예민해지는 것 같다.

남자는 슈퍼맨이 아니다.

요즘 세상은 여자가 살기 좋은 세상이다.

남자가 여자에게 말 한마디 잘못하여 성희롱으로 고소되면 사회에서 매장되는 세상이고 여자는 야한 말을 하면 센스와 유머가 넘치고 섹시하게 생각한다.

그동안 먹고살기 힘들 때 노동력을 가진 남자로 인하여 여자들이 차별받은 것은 사실이다. 이혼하고 싶어도 먹고 살기 어려워서 참고 남자 곁에 붙어살았다.

그러나 요즘은 여자가 대세다.

모든 것이 여자 위주이고 전자제품, 화장품, 옷 하물며 생필품까지 여자의 마음을 움직이지 않으면 생존하기 힘들다.

이제는 역차별이다.

그동안 차별받았던 것에 보상이기도 하지만 너무 심한 것 같다.

젊은 친구들을 보며 절실히 느끼고 내 아들을 보면 불쌍한 마음마저 든다.

남자는 이것저것 모든 것을 다 할 수 있는 슈퍼맨이 되어야 한다.

그것을 못 하면 남자구실을 할 수가 없다. 돈을 잘 벌고, 자식을 잘 돌보고, 집안일을 잘하며 처가 식구 잘 모시고, 아내가 시키는 것을 다 잘해야 한다.

그래서 같은 직장에 있는 젊은 친구들이 불쌍하게 보인다.

물론 맞벌이를 한다면 부부가 공평하게 자녀 돌보기와 집안일을 해야겠지만 전업주부를 하면서도 맞벌이 부부가 해야 하는 것을 요구한다.

물론 집안일이 힘들지만 남의 돈을 버는 직장 일만 하겠는가?

케케묵은 조선 말기에나 하는 사고라고 말하겠지만 남자도 쉬고 싶다.

그리고 사랑받고 싶다.

남자는 슈퍼맨이 아니다.

아내가 집안 일로 힘들다면 남편은 직장생활에 죽을 지경이다.

아내도 하루하루 가슴 졸이며 살아가는 남편의 초라한 마음을 쓰다듬어 주면 좋겠다.

남자 앉아서 소변보다

수수께끼 아침에는 네 발로 걷고, 낮에는 두 발, 저녁에는 세 발로 걷는 동물은?

답: 인간!

여기서 아침은 태어나서 기어 다니는 유년 시절이고, 낮은 두 발로 걷는 젊은 시기, 저녁은 지팡이를 짚고 다니는 노년 시기이다,

수수께끼이지만 인간의 삶의 과정을 표현한 것이다.

남자는 소변으로 인간의 삶의 과정을 표현할 수 있다,

태어나서 소변을 못 가릴 때는 기저귀를 채워 엄마가 소변을 처리해주다가, 소변을 가릴 즈음 앉혀서 소변보다, 두 발로 걷기 시작하고 소변을 가릴 때면 서서 소변을 본다.

엄마들은 아들 녀석이 서서 오줌을 눌 때면 병이나 그릇을 들고 아들놈 고추 앞에 대어주고 "오구 내 새끼 시원하지? 잘한다."라고 하며 함박웃음을 지으며 소변을 처리해준다.

그렇게 서서 소변을 보다 나이가 들어 다리에 힘을 사용하지 못하면 다시 앉아서, 누워서 소변을 보다 소변 가리지 못하고 기저귀 차고 엄마 손길이 아닌 간병인이나 누군가의 손에 소변을 처리하다가 삶을 마감한다.

아들을 키우면서 소변을 가릴 때가 되면 뛰어다니며 안방 할아버지 방이나 어디에도 서서 소변을 보면 누구를 가릴 것 없이 소변보는 곳에 병이나 그릇 또는 걸레라도 갖다 대령하였다.

그것이 남자의 고유권한이었고 아들의 상징이었다.

이제는 가정에서 남자의 고유권한과 아들의 상징이 없어졌다.

가정 밖에서는 소변기가 따로 설치되어 그럴 일이 없지만, 집안에서는 언제부터인지 앉아서 소변을 보라고 한다. 이유는 단 한 가지, 양변기에 소변이 튄다는 이유이다.

별것 아닌 것을 가지고 많은 부부싸움이 있다.

"앉아서 소변봐라." "왜 앉아서 소변봐야 하냐?,"

"변기에 소변이 튄다.." "튀지 않는다."

"그러면 변기 커버를 올리고 소변을 봐라."

"당신이 볼일 보고 변기 커버를 올려놓아라."

"변기 커버 올려놓아도 양변기에 소변이 묻어 지저분하고 냄새가 난다."

"그럼 치우면 되지." "일일이 물청소하기 쉬우나?"

"그럼 당신이 치워라." 그렇게 부부싸움이 격양되면 개 이야기가 나온다.

"수놈 개새끼 다리 들지 말고 오줌을 누라고 해라."

"어디 비교할 때가 없어 개새끼에게 비교하느냐?"

"뭐라고 개새끼?"

"당신이 먼저 개새끼라고 이야기했잖아?"

말끝을 물고, 물고 부부싸움은 점점 커진다.

이 정도 되면 남자는 현관문을 박차고 나가는 수밖에 없다.

그래야 사소하고 지저분한 부부싸움을 끝낼 수 있기 때문이다.

여자들 관점에서 생각해 보면, 앉아서 소변을 보면 다 해결되는 것을 왜 앉아서 소변을 보지 못하느냐고 하겠지만, 남자가 서서 소변을 보는 것은 수컷의 본능이다.

여자들 보고 서서 소변을 보라고 하면 아마 난리가 날 것이다.

그럴 일은 없겠지만 대통령이 이 말을 했다가는 탄핵감일 것이다.

여자가 앉아서 소변을 보는 것이 고유권한이면 남자도 서서 소변을 보는 것이 고유권한이다.

언제부터 부부가 소변 문제를 가지고 부부싸움을 했을까?

문제는 양변기에 소변이 튄다는 것이 문제이니, 양변기가 없을 때는 남자에게 앉아서 소변을 보라고 한 적이 없다.

문제의 양변기는 언제부터 생겼을까?

주택문화가 바뀌면서 생겨난 것이다.

아파트 문화가 시작된 약 50년 전에는 화장실과 살림채와 구분된 집 밖 구석 뒷간에 있었다.

소위 말하는 '뒷간, 통시'라고 했고, '통시' 밑에는 사람 똥을 먹여 키우는 똥 돼지를 키웠다.

어른들 방에는 오줌을 누는 그릇. 놋쇠나 양은, 사기로 만든 작은 단지처럼 생긴 요강이 있었다. 하지만 애들 방에는 그나마 그것마저 없어 살림채에 붙어 있지 않고 뒷마당에 별채 형태로 따로 떨어져 만든 화장실이 있었다. 겁이 많은 여동생이나 누나가 밤에 뒷간에 갈 때는 오빠나 남동생이 같이 갔다. 아니면 엄마 아빠가 화장실 앞을 지켜주고 화장실 안에서는 여동생이나 누나는 밖에 엄마 아빠가 지키고 서 있는지 확인을 했다.

어머니는 아침에 일어나서 제일 먼저 하는 일은 할아버지 할머니 방, 아버지 어머니 방의 요강을 비우는 일부터 시작했다. 수채에 소변을 비우고 맨손으로 지푸라기를 사용하여 요강을 씻어 뒤집어 보관하고 일과를 시작하였다.

그나마 이 정도는 내 집이 있는 화장실 문화이고 가난한 판자촌 사람들은 동네 하나뿐인 재래식 공동화장실을 사용하였다.

재래식 공동화장실은 언제나 외부로 변이 개방되어 있으므로 날이 따뜻해지면 파리들이 들끓는다. 당연히 파리가 알을 까게 되고 그게 부화하면 수천 마리의 구더기가 오물 위에서 바글대고, 일부는 화장실 바닥까지 기어 나온다. 당연히 날이 추워지면 화장실을 사용 시 추위를 견뎌야 하고 더울 때는 올라오는 악취를 견뎌야 한다. 이런 화장실 문이 고장이 나거나 문고리가 있더라도 수리를 잘 안 해서 허술하다는 문제가 있다면 사람이 볼일을 보는 중 느닷없이 문이 열려서 당황하게 하는 일이 생길 수도 있다.

그리고 물청소, 소변 등으로 겨울철에는 바닥이 어는데, 이 때문에 실족이나 심한 경우엔 넘어지면서 똥통으로 빠지는 일도 있었다.

똥통에 빠지면 빠진 사람의 나쁜 액을 막기 위해 떡을 만들어 이웃과 나누어 먹는 행위로 똥 떡을 해 먹기도 했다.

조선시대의 이야기가 아니고 얼마 전 우리들의 이야기이다.

엄연히 살림채와 구분되었던 정주간 부뚜막과 뒷간이 살림채에 들어오면서 싱크대가 생기고 양변기가 생기게 된 것이다.

요즘 아무리 여성시대, 모계사회로 가는 중이지만 남성성마저 유린당해야 하는 것인지 유별나고 지나친 가정에서 남자 소변 문제에 대한 간섭이 가슴을 아프게 한다.

남녀를 구분해서 호불호를 따지자는 것도 아니다.

모든 남녀가 구분 없이 평등해야 한다는 것에 이의도 없다.

직장생활에서도 남녀 구분을 할 수 없다.

그러나 평생 직장생활을 하면서 여직원이 생수통을 냉온수기에 교체하는 것을 한 번도 보지 못했다.

그러나 여직원에게 커피 한잔 달라고 했다가는 직장 내 괴롭힘에 신고당하여 직장을 그만두어야 한다. 이런 것으로 따지면 남자가 쫀쫀하고 이해성이 없다고 하겠지만, 생리학적이나 생식 구조적으로 엄연하게 차이가 난다.

상형문자를 기초로 한 한자에서도 남녀를 분명히 구분해 놓았다.

남(男)은 밭전(田) 힘력(力)으로 밭에서 힘을 다하는 사람이고 여(女)는 아이를 안고 젖을 주는 사람으로 표현한 상형문자다.

생수통을 교체할 때는 남자 직원이 한다. 교체 후 수고했다면 시원한 물 한잔이나 음료수 한 잔을 책상에 갖다주며 '수고했다'라는 말 한마디면 모든 것이 동등해진다.

생수통을 함께 교체하자고 하면 쫀쫀한 직장동료이고, 커피 한잔 달라고 하면 "손이 없느냐? 커피 타 주려고 직장 출근하는 것 아니다."라고 한다. 그럼 남자는 생수통 교체하려고 출근하나?

생식적으로 다른 몸을 가지고 있기에 나와 다를 수가 있다는 이해를 하면 안 되나?

이솝 우화의 여우와 두루미처럼 서로 '존중과 배려'가 없었기 때문에 자기중심으로 상대방을 판단한다. "내가 좋아하는 것이니까 상대방도 좋아할 거야"라는 일방적인 생각만 한 것이다.

모두가 자기중심적으로 판단한 것이다.

남자가 서서 소변을 볼 때 남자이고 소변이 튀어야 남자다.

어릴 적 누구 소변이 멀리 가나 남자 친구들끼리 자랑했으며 소변이 멀리 가지 못한 친구는 기가 죽었다.

여자들이 모르는 공중화장실 남자 소변기 비밀이 소변기 정중앙에 파리 그림이 떡하니 있다. 파리 그림은 따뜻한 소변에 맞으면 온도 차에 의해 사라진다. 남자들은 무의식중에 소변을 그 파리 그림에 조준한다.

놀랍게도 파리 그림 하나만으로 소변기 밖으로 튀는 오줌을 80% 이상 줄일 수 있었다고 한다.

멍청하고 어리석은 말 같지만, 남자 오줌 줄기의 세기가 남자의 자존심이다.

생식적으로는 남자는 보통 서서 소변을 보고 잔뇨를 털어서 마무리한다. 앉아서 소변을 보게 되면 잔뇨를 털어내는 행동이 불편하고 깔끔하게 되지 않아 요도 속에 남아 있는 소변이 속옷에 묻기도 하는 불편함이 있다.

남자가 앉아서 소변을 본다는 것은 남자구실이 끝났다는 것과 마찬가지이다. 언젠가는 앉아서 소변을 보고, 누워서도 소변을 보다가 기저귀를 차면 남자 일생이 끝이 난다. 남자가 서서 소변을 보는 것은 남자로서 살아 있다는 증거다.

본능적인 남성성마저 양변기에 소변이 튄다는 이유로 제재하지 않았으면 좋겠다. 양변기에 소변이 튈 때가 남자로서 최고 절정기라는 것을 아내들이 알았으면 좋겠다.

춥고 배고픔을 모르고 풍요롭게 자라는 요즘 아이들

요즘 아이들은 참 풍요롭게 자란다.

돌이켜 보면 몇십 년전만 해도 상상하지 못 한 일이다.

추수한 쌀이 바닥나고 아직 보리가 제대로 여물지 않아 수확할 수 없어 먹거리 없는 5~6월을 "보릿고개"라고 했다.

이때에는 소나무 껍질을 벗겨 수액을 빨아 먹고 연한 속껍질을 벗겨 삶거나 찧어서 부드럽게 만들어 먹지만 변비에 걸렸다. 보릿고개 때 심한 변비로 항문이 찢어지던 것을'똥구멍이 찢어지게 가난하다.'라는 말로 유래가 되었다.

어린아이들은 먹을 것이 없어서 산과 들로 돌아다니며 봄에는 진달래꽃을 따 먹었다. 여름과 가을에는 메뚜기를 잡아먹고 배추 뿌리, 칡뿌리를 캐 먹고 겨울에는 동면하는 개구리를 잡아 구워 먹었다. 이런 이야기를 하면 요즘 아이들은 전설의 고향이나 조선시대 때 이야기로 생각한다.

하지만 7080세대가 다 겪은 얼마 전에 일이다.

돈이 없어서 동네에서 대학가는 아이들은 손에 꼽을 정도로 적었다. 한집에 여러 아이가 있으면 맏이 그것도 남자아이만 대학을 가고 나머지 아이들은 꿈도 꿀 수 없었다.

대학을 가면 입학금을 내려고 논 팔고 등록금 낼 때는 소를 팔아 등록금을 냈다. 팔 논이나 소가 있어야 대학 갈 꿈이라도 꾼다.

공부는 잘했지만 가난 때문에 남자아이는 공고로, 여자아이는 여상에 진학했다. 그것마저 곤란한 아이들은 야간고등학교를 다녔다.

낮에는 직장에서 '급사'라는 호칭을 달고 학비를 벌어 밤에 공부하러 다녔다. 때로는 중학교를 졸업한 여학생을 고등학교를 보내준다고 데려다 낮에는 일을 시키고 밤에는 고등학교 과정을 몇 시간 가르쳐 주고, 어린 여학생은 3년 동안 고등학교를 졸업장을 받기 위해 노동력을 착취당했다.

지금은 없어진 한일합섬 마산공장에 부설된 최초의 산업체 부설 학교인 한일여자실업고등학교이다.

그런데 요즘 아이들은 대학을 가지 말라고 하면 능력 없는 부모를 잘못 만나서 그렇다고 짐 싸 들고 나갈 것이다.

예나 지금이나 대학 하나 보내려면 맞벌이는 필수코스이다.

어지간한 봉급쟁이 수입의 반은 들어간다.

두 살 터울 자식을 대학 졸업 시키고 나면 살림 거덜 난다는 말은 과장된 것은 아닌 것 같다. 요즘은 대학 가지 않는 자식이 효자고, 유학 가는 자식이 불효막심한 놈이라고 한다.

그런데 부모는 죽기 살기로 대학을 보내려고 한다. 가난으로 인하여 못 배운 서러움을 몸소 느끼며 살았기에 더더욱 보내려고 한다. 나는 불편하고 어려운 삶을 살았지만, 자식은 내가 겪은 서러움을 당하지 않기 위해 지극 정성으로 키운다.

미국 대통령도 우리나라 교육을 자주 언급하는 것을 보면 우리나라 학부모들의 교육열이 대단하다.

우리나라 아이들은 고등학교에 진학하면 집안에서 제일 어른으로 모신다. 밥상부터 집안 모든 일정은 자식 위주다. 자식이 공부할 때, TV 물론이고 발뒤꿈치를 들고 다녀야 한다. 우리 세대가 아버지 앞에서 조심스러워했던 행동을 이제는 수험생 자식 앞에서 해야 한다.

그렇게 해서 자식을 대학에 보낸다.

학자금은 추후 문제이다.

대학 졸업만 시키면 모든 것이 끝날 것 같지만 그렇지 않다.

직장 문제로 또 한바탕 홍역을 치른다는 고학력자들의 실업 문제가 사회 문제화되는 실정이다. 졸업생은 많은데 신규 채용을 하지 않으니 요즘 대학 보내는 것보다 취업시키는 것이 더 힘들다고 한다.

내 직장과 관련 있는 대기업에 신입사원이 인사하러 왔다.

신입사원 교육을 마치고 내가 있는 현장에 첫 발령지를 받아서 왔다. 긴장해서 어리바리한 모습이 우습기도 하지만 내 첫인사가 "너 어떻게 입사했어?"였다. 그런데 대답이 걸작이다.

"네 저도 잘 모르겠는데 운이 좋았습니다."

속으로 혼자 중얼거렸다.

"네가 운 좋은 놈이 아니고 네 부모님이 운 좋은 부모다. 네 부모가 부럽다."

돌아가는 뒷모습이 대견스럽고 기특해 보였다 남의 자식이지만….

넘치면 부족한 것보다 못하다.

나는 모든 닉네임을 '박통'으로 쓰고 있다.

친한 사람과 술자리에서 절대 말해서는 안 되는 불문율 2가지가 있는데

첫째는 종교 이야기, 두 번째는 정치 이야기다.

좋은 술자리 망치려면 정치, 종교 이야기를 하라는 말도 있다.

1시간 안에 술자리가 쑥대밭이 될 수 있다.

그래서 나도 정치, 종교 이야기는 술자리에서 끄집어내지도 않고 그런 이야기가 나오면 술자리를 피한다.

나는 박정희 대통령을 존경한다.

그리고 나의 우상이다

그래서 내 닉네임이 '박통'이다.

한 번도 뵌 적이 없고 학연·지연 혈연 아무것도 걸리는 것이 없지만 나는 그를 존경한다. 얼굴도 모르는 이순신 장군, 세종대왕 등 여러 위인이 있지만 내가 존경하는 사람은 오직 한 사람, 박정희 대통령이다. 어쩌면 유신 반대하면서 대학을 다닐 때 데모하다가 피해도 받았지만 그래도 나는 그를 존경한다.

존경하는 이유는 간단하다.

거창하게 국가관보다는 우리를 가난에서 구해내고 배고픔을 없애고 지금 부족한 것 없이 살아갈 수 있게 한 분이 박정희 대통령이라고 생각하기 때문이다.

민주화?

과연 배고픈 민주화가 맞는 것일까?

아니 우리가 6~70년대를 살면서 민주화가 없기 때문에 굶거나 불편한 것이 있었는가를 되묻고 싶다.

그러나 배고팠던 보릿고개 때에 우리는 어떻게 지냈는가?

우리 부모님들이 우리를 굶기지 않으려고 어떤 고생을 했는지 우리는 잘 알고 있지 않은가?

민주화도 중요하지만 먹고 살 만하고 배가 불러야 민주화가 의미가 있다.

그것은 굶어 죽지 않았을 때 민주화다.

우리는 잊고 있다.

영양실조에 걸려 머리에 버짐이 나고 푸른 콧물 흘리던 시절, 우리 어릴 때 콧물 안 흘린 사람이 있나? 그 콧물은 감기 콧물이 아니라 영양실조에 걸린 애들의 콧물이다.

지금 아프리카 빈곤국의 많은 애들이 굶어서 죽어가는 모습을 보라. 그들에게 민주화가 과연 필요한가? 나는 되묻고 싶다.

물에 빠진 사람 구해 놓으면 내 보따리 내놓으라고 말하는 것과 무엇이 다른가. 이제 먹고 살 만하니 독재자 운운한다.

너무 많이 먹어서 비만 환자가 넘치는 지금의 현실에서 우리는 잊고 사는 것이 너무 많다.

60~70년대 사진을 한 번 펼쳐보라.

비만한 자가 있는가.

지금 우리는 아무리 불경기라도 먹고 남아서 넘쳐흐른다.

"넘치면 부족한 것보다 못하다."

SBS 파일럿 프로그램 '송포유'

TV 프로그램을 우연히 보다가 SBS 합창 프로그램을 보고 많이 울었다.

오늘 방송된 SBS 맛보기 프로그램 '송포유' 3부에서는 서울도시과학기술고등학교(과기고)와 성지고등학교(성지고)가 국제합창대회에 출전하기 위해 고군분투하는 모습이 그려졌다.

별것도 아닌데 그렇게 눈물이 났다.

그런데 나는 그 아이들의 마음을 알기에 그 아이들과 같이 울었다.

처음에는 모두 안 된다고 했다.

그렇지만 해냈다.

나도 처음에는 안 될 줄 알았다.

그런데 이렇게 열심히 살고 있다.

그래서 같이 울었다.

원도 없이 한도 없이….

얼마나 먼 길을 방황을 했는지 내 마음대로 되는 것 없이 여기까지 오는데 수많은 시간을 돌아서 이곳에 왔다.

누구에게나 과거가 있다.

그러나 모두 아름다운 과거만 있는 것은 아니다.

상처투성이 과거로 인하여, 복잡하고 냉정한 이 현실에 적응하는데 얼마나 큰 노력이 필요한 것인지는 상처를 받아 본 자만이 알 수 있다.

100일 동안 합창 연습을 해서 세계대회에 출전하여 은상을 수상한 것보다, 아무도 알아주지 않는 소외감과 무엇을 해도 관심 없는 박탈감을 이겨내는 것이 죽을 만큼 힘든 것이다.

남들 보기에는 별 볼일이 없고, 쉬운 것들일 것이다. 하지만 넘어진 자에게는 남들이 다 하는 것, 하나를 이루기 위해 마지막 남은 자존심과 자신을 포기해야 일어날 수 있다는 것이 죽도록 힘이 드는 것이다.

남들은 인생을 마라톤과 비유하지만 나는 인생을 110m 허들 경기로 비유하고 싶다. 잠시 아차 하여 허들 하나에 걸려 넘어지면 남들은 벌써 결승점에 들어간다. 10개의 허들 중 첫째 허들에 걸려 넘어진 사람도 있고 마지막 허들에 넘어진 사람도 있다.

성지고 아이들은 두세 번째 허들에 걸려 넘어졌고, 나는 대여섯 번째 허들에 걸려 넘어졌을 뿐이다.

포기할까? 아니면 늦었지만 한번 해볼까?

고민하다가 일어나 다시 허들을 넘으려면 온갖 야유와 함께 끝났으니 별 볼일이 없다고 한다. 기죽어 고개 숙이고 자존심은 상할 때로 상해서 다시 일어나 죽을힘을 다해 뛰지만, 결승점은 너무나 멀리만 하다.

결승점에 안착한 다른 사람들은 헹가래를 치며 축하하고 축제를 즐긴다. 하지만 떨어지지 않는 발걸음이지만 죽을힘을 다하여 한 발자국씩 허들을 향해 달려가 보지만, 경기와 축제는 끝났다. 야유하던 사람들도 모두 떠난 아무도 없는 적막한 결승점에서 누구의 관심이나 도움도 없이 외로움을 달랜다. 혼자 힘으로는 어쩔 수 없기에, 다음 허들을 넘어설 때의 울분과 서러움은 넘어지지 않은 사람은 모를 것이다.

성지고 아이들에게 결승점에서 기다리는 것은 하면 '할 수 있다는 희망'과 '하면 된다는 용기'가 기다리고 있다. 나의 결승점에서 기다리는 것은 '아버지라는 책임감'과 '가족을 지켜야 하는 가장의 의무감'이 기다리고 있기에 아무도 없는 결승점을 향해 또 다른 허들을 넘어 달려가는 것이다.

비록 결승점에 들어가도 아무도 기다려 줄 사람이 없고, 축하해 줄 사람도 없을 것이다. 하지만 포기하지 않고, 넘어져도 다시 일어나 다음 허들 넘을 때 자신이 혼자 받은 야유와 비난 그리고 서러움을 이겨내야 하는 가슴에 북받친 눈물이라고 생각한다.

그래서 같이 울었다.

성지고 아이들의 야유와 비난과 서러움을 나도 알기에….

슬픈 스승의 날

얼마 전 매스컴에서 촌지 문제로 경기도 성남시 분당의 한 학교가 발칵 뒤집혔다는 소식을 접하고 마음이 착잡했다.

경기도 성남시 분당의 학교 교사는 최근 교실에서 당황스러운 일을 겪어야 했다. 방과 후 교실로 찾아온 학부모가 케이크를 내려놓고 가자 갑자기 낯선 사람들이 들어와서 내용물을 일일이 확인하는 것이었다.

상자를 열어보니 케이크 하나가 있었다고 한다. 그래서 3만 원이라는 가격을 확인받아가고, 또 다른 교사는 학부모로부터 사과 한 상자를 선물 받고 퇴근길에 자동차 트렁크를 검색당했다.

불시 단속에 나선 사람들은 교사와 학부모 간의 촌지 수수 감찰에 나선 국민권익위원회 조사관들이었다. 선생님과 학부모의 불신이 국민권익위원회 조사관까지 나서서 암행감찰을 하는 교육 현실이 가슴을 아프게 했다.

스승의 날, 학원 제자들은 학원에 찾아오는데 학교에는 찾아오는 제자가 없다는 슬픈 뉴스를 보고 세상이 변해도 너무 변해간다는 것을 새삼 느끼게 한다.

선생님의 체벌에 학생들은 동영상을 찍어서 인터넷에 올리고 경찰에 신고한다. 학교 내부 일이라고 돌리기에는 선생님이라는 직업을 가진 분들의 치유 될 수 없는 아픈 마음과 배신감을 대신할 수 없기에 가슴 아플 뿐이다.

할 수만 있다면 가슴을 열어 가슴 깊은 속까지 보여주고 싶은 선생님들이 얼마나 많을까? '유언비어가 사람 죽인다'라는 말이 새삼 떠오른다. 모든 것이 선생님과 학부모 사이에 일어나는 오해와 불신으로 인하여 가슴 아픈 일이 벌어지는 것 같다.

나는 선생님을 존경한다.

열악한 환경과 고된 업무에도 불구하고 열정으로 교단을 지키시는 선생님들이 계셔서 자식에 대한 걱정과 시름을 놓고 있다.

감사의 마음을 글자 몇 자로 다 전할 수는 없지만 스승의 날을 맞이하여 "모든 선생님께 고개 숙여 감사드립니다."

인간의 욕심은 어디가 한계이고 분노의 끝은 어디인지? 건설부 장관 김재규

광양 근무지에서 경주 집으로 갈 때는 빨리 가고 싶어서 섬진강 휴게소를 지나친다. 역으로 집에서 광양으로 갈 때는 피곤해서 그냥 지나쳤는데 어제는 광양으로 오면서 시간 여유를 가지고 섬진강 휴게소에 잠시 들렸다.

휴게소 뒤편에 조형물이 있어 잠시 살펴보니 화합을 상징하는 조형물이었다. 부부 두 쌍이 하나가 되기 위하여 역동하는 형상이라는데 부부 두 쌍이 하나가 되면 어떻게 해? 라는 의구심으로 보니 동서 화합을 이루는 형상이란다. 경상도와 전라도를 가로지르는 섬진강에 동서 화합 뭐 이런 화합 상징물 뒤로 탑이 있어 올라가 보았다. 남해고속도로 준공 탑이 있었다.

박정희 대통령 친필 준공 탑 휘호가 새겨져 있었다.

그런데 아이러니하게 당시 건설부 장관이던 김재규가 이 탑을 세웠는데 이때는 박정희 대통령께 충성을 다한 1974년이었고 그 후 5년이 지나 박정희 대통령을 김재규가 총으로 쏘아 살해했다.

“이 고속도로는 박정희 대통령 각하의 영도 아래 전국이 뭉쳐.”

영도? (사전적 의미 : 앞장서서 지도하고 이끎, 지도받고 이끌어지다)

현대사회에서는 북한 김일성에게나 쓸 극존칭을 썼는데 5년 뒤에는 탕탕…. 그리고 “민주화를 위하여 야수의 심정으로 유신의 심장을 쏘았다.”라고 했다.

권력이 무엇인지 명예가 무엇인지 한참을 생각하고 또한 인간의 간사함을 한참 생각하게 되었다. 권력과 명예가 무엇인지, 우연히 들린 섬진강 휴게소에서 인간의 간사함과 배신을 많이 느끼고 생각한 곳이었다. 권력과 재물 그리고 명예를 다 쥐고 있으면서도 무엇이 부족하고 또 무엇 때문에 하늘과 같이 모시던 사람을 죽이고 자기도 형장의 이슬로 사라졌을까?

인간의 욕심은 어디가 한계이고 분노의 끝은 어디인지….

양귀비 술

출근은 했지만 거의 초주검이 되어 숨어서 겨우 숨쉬기만 했다.
이제는 술도 한계가 온다.
원래 소주도 잘 못 마시는데 양귀비 씨로 담갔다는 담금주를 마셨다.

양귀비 술을 마시면 모든 여자가 양귀비로 보인다고 했다. 술이 순해서 마셨는데 여자는 양귀비로 보이지 않고 48시간을 거의 초주검 상태로 식물인간이 되었다.

이틀 동안 몸은 이승에 있었지만, 정신은 저승을 다녀왔다. 양귀비 술을 조심해야 한다. 여자도 양귀비로 안 보이고 술은 이틀 동안 깨지도 않았다.

내가 하는 일은 그때그때 일을 처리해주어야 하는 직업이다.
자재 검수를 해주어야 자재를 받을 수 있고, 검측해 주어야 다음 일을 진행 할 수가 있다. 잘난 놈은 아니지만 내가 없으면 현장에 불편과 손해가 발생하기 때문에 여름휴가도 제대로 갈 수가 없다. 물론 다른 사람이 대신해줄 수도 있지만, 무엇이 잘못되었을 때 책임 문제로 인하여 내 손을 거쳐야 할 일이 많다.

그래서 살아있는 이상 현장에 나와서 자리를 지켜야 한다.
아니면 사표를 쓰든지 해야 한다. 하물며 교통사고가 나도 입원은 안 된다. 무조건 통원 치료를 받아야 한다. 입원하려면 사표를 써야 하는 참 어려운 직업이다.

좋은 직업인지 나쁜 직업인지 아직은 모르겠지만 언젠가 내 자식에게는 양귀비 주 먹고 이틀 동안 휴가도 못 내고 비몽사몽으로 근무했다고 아버지 직업에 대해서 자랑스럽게 이야기할 수 있을지 모르겠다.

네 손가락만으로 피아노 연주하는 이희아 양

지난 일요일에 같이 근무하는 동료가 다니는 교회에 피아니스트 이희아 양과 어머니가 간증을 온다고 초청하여 광양중앙교회에 갔다.

나는 가톨릭 신도이지만 평소 매스컴을 통해 잘 알고 있는 이희아 양보다 어머니의 모습이 보고 싶어서 종교를 떠나 교회에 갔다. 희아도 희아지만 그런 딸을 훌륭한 피아니스트로 키운 어머니 모습이 더 궁금했다.

많은 사람이 교회에 모였다.

부모들의 권유에서인지 모르겠지만 청소년들도 많이 왔다. 담임 목사의 소개로 희아 양이 단상에 올라왔다. 물론 매니저가 안아서 단상에 올려주었다. 희아 양의 실제 모습은 생각보다는 매우 작았다.

내가 주목한 두 개의 손가락으로 마이크를 잡았다.

밝은 모습이었다.

희아는 1급 척추장애인 아버지와 간호사인 어머니 사이에서 선천적 기형을 가지고 태어났다. 양손에 손가락이 두 개뿐이고, 다리 장애가 심해서 무릎 아래로 절단 수술을 받았다.

지능 발달이 늦어 아직도 산수는 어렵고 돈 계산도 못 한다고 한다.

그러나 이희아는 장애를 극복하고, 네 손가락으로 피아노를 연주해 많은 사람에게 감동을 주고 있는 세계적인 장애 피아니스트이기도 하다.

희아 양의 어머니는 상이군인으로 후천적 장애를 가지신 희아 양의 아버지와 결혼했다. 주위 사람들은 하반신 척수장애인 남편을 간호하기도 힘들 테니 아이를 낳지 말라고 하였다고 한다. 하지만 희아 양의 어머니는 생명의 소중함과 아기를 낳고 싶었던 마음이 있으셔서 희아 양을 낳았다고 한다.

희아 양은 피아노 의자에 혼자 올라가서 찬송가 한 곡을 연주하고 쇼팽의 즉흥 환상곡을 연주하였다. 나는 쇼팽과 즉흥 환상곡은 알지도 못하고 관심도 없는 곡이다. 하지만 처음 듣는 곡이지만 손가락을 빨리 움직여야 하는 곡은 분명했다. 나중에 들은 이야기지만 열 손가락으로 피아노 10년을 연주한 사람도 힘들어하는 곡이라고 했다.

연주가 끝나고 희아 어머니가 단상에 올라와서 여러 가지 이야기를 해주었다.

"희야가 이 곡을 연습하는데 고생을 많이 했다."

"희야의 잘못이 아니라 쇼팽이 작곡을 너무 어렵게 했으니 쇼팽의 잘못이다."라고 하여 모두가 웃었다.

하루에 18시간씩 연습했다고 한다.

어머니가 때리기도 하셨다고 한다.

사랑하는 장애인 딸을 때리면서까지 연습을 시켜 마음이 매우 아팠다고 한다. 열 손가락으로도 연주하기 어려운 곡을 네 손가락으로 연주하려니 얼마나 힘들었을까?

희아 어머니는 "자기 딸이 불치의 병에 걸려 오래 살지 못할 것 같다."라고 말하여 사람들을 긴장시켰다. 하지만 희아의 병이 "공주병"이라고 하여 안도하고 또 한참을 웃었다.

그러면서 어머니는 희아 양이 음치라고 소개를 했다.

하지만 노래하는 것을 좋아하니 조금 듣기 거북해도 이해해달라고 했다.

"공주병은 치료가 안 된다."라고 하면서 희아 양이 노래하기 전에 물 한 모금을 마셨다.

"성악가 조수미 씨와 협연했는데 조수미 씨는 노래하기 전에 꼭 물 한 모금을 마셨다."

"그때부터 나도 노래하기 전에 물 한 모금을 마신다"라고 하여 웃음을 자아내게 했다.

희아 양이 "어메이징 그레이스"를 불렀다.

성악가가 아니라서 큰 기대는 하지 않았지만, 저작권 문제로 가사를 옮겨 적지 못하지만 어메이징 그레이스를 듣고 있는 순간 가슴이 먹먹해져 왔다.

학창 시절 나나무스꾸리 노래나 빽 파이프 연주로 많이 들었던 노래이다. 그때는 종교적인 것을 떠나 이 노래를 들으면 마음이 숙연해지고 가라앉는 묘한 곡이었는데, 선천적 장애를 갖고 태어난 희아 양이 부르는 Amazing grace는 영혼을 울린다는 나나무스꾸리 노래 보다 더 가슴에 와닿고 마음을 울렸다.

그렇게 희아 양의 연주회를 끝내고 기념사진을 찍으며 사인회를 한다고 많은 사람이 단상에 몰려가 사진을 찍었다. 나도 희아 양과 사진 한창 찍어 간직하고 싶었다. 어려운 환경과 참담한 신체적 장애를 이겨낸 천사 같은 희아 양 곁에 내가 다가간다는 용기가 나질 않았다. 세속에 찌들고 욕망과 욕심으로 가득 찬 내 육신은 희아 양의 CD 한 장을 사서 가슴에 품고 교회를 나섰다.

돌아오는 길에 경주 쪽 하늘을 바라보며 내 아들에게 사과하며 감사했다.
"고맙다. 내 아들아! 평범하게 잘 성장해줘서…."
"미안하다. 내 아들아! 많은 것을 못 해주어서…."

"내가 희야 엄마라면 난 너를 희아처럼 키우지 못했을 텐데 평범하게 태어나 주어서 고맙고 평범하게 잘 자라 주어서 고맙다."라는 말만 되씹었다.

서울 강남 출장 비즈니스호텔

서울 강남에 도착했을 때 비가 내리기 시작했다.
보름 일정의 촌놈 강남 입성식치고는 하늘이 내가 좋아하는 비로 환영해주는 것 같았다.

서울 한복판 강남 한국과학기술회관에서 건축 수석 감리사 교육이 있어 강남역 주위에 비싼 비즈니스호텔을 보름 동안 숙소로 사용하게 되었다. 별다른 것은 없지만 촌놈이 강남 한복판의 호텔에서 보름 동안 숙식하는 일은 쉽지 않은 경험이다. 물론 회사에서 숙박비를 정산해 주기 때문에 가능한 일이다.

조식 포함이라 매일 우유와 달걀부침과 샐러드를 먹었다. 점심에는 된장, 김치찌개도 생각이 났지만, 점심 식대도 포함되어 교육원에서 주는 식권으로 지정된 식당에서 식사했다. 그렇다 보니 강남 한복판의 호텔에서 보름 동안 숙식했지만 늘 허기가 들었다.

저녁 식사는 허기를 채우려고 여기저기 식당을 돌아다녔지만 혼자 식사하기가 쉽지 않았다. 혼자 한 끼에 만 원 이상을 주면서도 식사는 쉽지 않았다. 그래서 편의점에서 도시락과 군것질거리를 사 와서 숙소에서 먹었다. 밖에서 먹고 들어오려다 이것마저 귀찮아서 편의점의 도시락 군것질거리를 사 와 호텔 방 안에서 도시락 까먹었다.

하얀색 시트에 칼 맞춤으로 깔끔하게 정리된 곳에서 편의점 도시락을 까먹는 것이 어울리지 않았다.
혼자서 격식에 맞고 안 맞고를 떠나 입에 들어가서 하루가 지나면 몸 밖으로 배출될 때 냄새나고 더러운 것은 모두가 똑같다. 내 똥, 내 손에 묻어서 짜증이 나는데 먹을 때는 가격에 따라 고민하지만, 배설 시에는 모두 동일하다. 그런데 잘 먹으려 왜 그렇게 발버둥 치는지 옛날에 한 끼 해결하면 행복했는데 이제는 무엇을 먹느냐 따라 행복과 불행이 갈라지는 세상에 산다.

한우갈비 식당이나 5성급 호텔 뷔페에서 외식하면 훌륭한 아버지이고 남편답고 분식집에서 어묵에 김밥, 중국집의 탕수육 없는 짜장면은 왜 찝찝한 외식으로 느껴지는 것은 나만의 생각인지 궁금하다.

비즈니스호텔 방에서 편의점의 도시락과 컵라면을 먹고 행여 방에 냄새가 밸까 봐 창문 열어놓고 있는 내 꼬락서니가 아이러니하게 느껴진다. 내가 먹은 편의점 도시락과 컵라면이 하루가 지나면 내 항문으로 나올 똥과 같아 강남 한복판 비즈니스호텔의 삶도 그리 즐거운 경험은 아닌 것 같다.

촌놈 서울 방문기 서울 여자랑 데이트

보름 동안 서울에 있었다.

물론 기술교육 때문이지만 그래도 서울 가운데 강남이라는 곳에서 보름 동안 숙식하면서 촌놈이 서울 맛을 보고 왔다.

덕분에 서울에 있는 친구들도 만났다.

초등학교 여자 친구지만 서울 여자랑 비싼 장어를 먹으며 데이트도 했다.

친구라는 것이 좋았다. 개인적으로는 친척도 있고 사회에서 사귄 친구들도 있지만 부담될까 봐 아무에게도 연락하지 않았다.

서울의 비싼 물가와 불경기로 인해 시골서 왔다고 부담을 주고 싶지 않았다. 넓고 바쁜 서울에서 그래도 챙겨주려면 시간과 비용이 보통 일은 아닌 것 같았다.

서울 올라갈 때의 마음은 시간도 많으니 그동안 못 만난 사람들을 두루두루 만나보아야겠다고 생각했다. 하지만, 내가 소심해서 그런지 막상 서울에서 숙소를 구하고 짐을 풀고 나니 그런 생각이 모두 사라졌다.

다들 바쁘고, 물가는 왜 그리 비싸고 또한 왜 그리 따지고 복잡한지 부담을 줄까 소심해진다. 괜히 나 하나 때문에 금전과 시간을 빼앗을까 연락할 용기가 나지 않았다.

그렇지만 고추 친구에게 연락해서 친구 한 명 더 동행하여 좋은 장어구이 식당에서 직원이 구워주는 장어구이에 맥주로 수다를 떨면서 실컷 먹었다.

친구에게 부담을 주는 것 같았지만 다음에 서울에서 경주에 내려오면 그때 신세를 갚을 요량으로 2차까지 신나게 놀았다. 수십 년을 미루어 놓았던 각자 살아 온 이야기에 시간 가는 줄 모르고 놀았다.

여자 친구는 미혼이라 왜 결혼하지 않았는지 궁금했다. 농담으로 주위에 좋은 남자 많은데 중신할까 하며 웃으면서 농담을 했더니 “이제 이 나이에 뭘” 하면서 손사래를 치며 맞받아쳤지만 그렇게 사는 것도 괜찮게 보여 부러웠다.

공수래공수거(空手來 空手去) 빈손으로(태어나) 와서 빈손으로(죽는다) 간다. 살아가면서 결혼을 잘하고 재산 많아 잘 살고 처자식 잘해주고 잘 키워도 나 저승 갈 때 나 따라올 사람 없는 모두 부질없는 것이다. 너무 아등바등 욕심부리며 살 필요가 없다.

결혼해서 처자식 먹여 살리려고 악착같이 사는 나 같은 놈이나, 평생 시집 안 가고 혼자 사는 여자 친구나, 죽을 때는 어차피 혼자 죽는 데 집이 뭐 필요하고 처자식이 뭐가 필요하겠나?

여자 친구를 만난다고 촌놈 표시 내지 않으려고 나름대로 옷도 챙겨 입고 머리에 무스도 좀 바르고 했다. 하지만 자연스럽지 못한 촌놈의 언행들이 같은 초등학교를 나왔지만, 서울에서 오래 생활한 서울 사람들과 여러 가지로 많은 것이 다르다는 것을 피부로 느꼈다.

헤어지면서 약간의 취기 오른 촌놈 말로 "결혼하지 않은 니가 부럽데이." 했더니 "오늘 술 많이 먹었니?" 하며 끝이 올라가는 서울말의 여운이 오래 남았다.

진짜 부러워서 했던 말인데 오해는 하지 않았으면 좋겠다.

6. 오! 하느님

제 탓이요 제 탓이요 저의 큰 탓입니다 .

믿음이 깊지 못하여 주일이면 성당에 왔다 갔다 하는 신자를 소위 금방 피었다가 지는 벚꽃의 일본 말 사꾸라에 빗대어 '사꾸라 신자' 가짜의 일본 말에 빗대 '가라 신자'라고 한다.

4대째 내려오는 카톨릭 집안이지만 믿음도 깊지 못하고 아내가 워낙 신앙심이 깊어서 아내에게 누가 되지 않으려고 주일만 지키며 가톨릭 신자로 명맥만 겨우 유지하고 있다.

늦게 배운 도둑질에 시간 가는지 모른다고 아내가 개신교에서 나와 결혼 후에 가톨릭으로 개종을 했는데 열심히 한다. 거의 매일 성당에 가다시피 하고 봉사활동도 많이 한다. 조모님과 부모님 모두 신앙심이 깊으셨고 돌아가신 후에도 카톨릭 묘원에 모셨지만 내가 사꾸라 신자라 아내가 다 알아서 잘 모셔서 그저 감사할 뿐이다.

그래서 나는 아내 마리아를 볼 면목도 없어서 주일은 꼭 지키려고 다짐하고 그것 하나만큼은 내가 생각해도 신기하리만큼 잘 지키고 있다.

어제도 의무적으로 성당에 갔다.

'삼위일체 대축일'이라고 했다.

보통 외국 축구 선수들이 페널티킥 찰 때 오른손으로 머리와 가슴, 양어깨를 짚으며 십자를 그리는 것을 많이 한다.

그것을 성호경이라고 하는데 머리 짚으며"성부와" 가슴을 짚으며 "성자와" 양어깨를 짚으며 "성령에 이름으로" 그리고 두 손을 합장하며 "아멘" 한다.

"성부와 성자와 성령은 하나다." 하는 것이 삼위일체다.

"삼위일체 대축일" 미사 신부님 강론 시간에 시 한 편을 읽어 주셨다.

박노해 시인의 다 다르다.

내용은 저작권 문제로 옮겨 적지 못 하지만 초등학교 1학년 산수 시간에 선생님이 일 더 하기 일은 무엇이냐고 물었는데 하나라고 답하여 선생님에게 많이 맞았는데 이해를 못 하겠다는 내용이다. 물방울이 두 개가 하나가되고 누나가 시집가서 세 명이 집에 왔는데 일 더 하기 일은 하나도 되고 셋도 된다는 내용이다.

물론 "삼위일체"를 쉽게 설명하기 위해 낭독하신 박노해 시인의 시 한 편이지만 성당을 나서면서 담배 한 개비 입에 물고 혼자 걸으며 생각했다.

삼위일체? 삼위일체? 삼위일체?

하느님 삼위일체도 삼위일체지만 남남이 만나 서로 몸 섞고 사는 내 아내, 내 몸에서 나가 엄마 몸속에서 자라 세상에 나온 내 자식과 나는 삼위일체가 되는 걸까?

내 자식 내 마음대로 안 되고 내 아내는 내 마음 몰라주는 것 같아 서운하다. 간 쓸게 다 떼어놓고 죽자 살자 벌어 주어 보았자 아내는 쥐꼬리만 한 봉급에 한숨을 짓는다. 내 용돈 아껴 자식 놈 용돈 보태주어도 자식 놈 연애하는데 용돈 늘 부족한 것 같다.

삼위일체? 삼위일체? 삼위일체?

내 가족 삼위일체도 모르는 놈이 무슨 하느님 삼위일체를 믿는다고 긴 한숨을 담배 한 개비 입에 물고 긴 연기 섞어서 내뿜었다.

내가 편안하게 쉴 수 있는 내 보금자리에 가는 것 마다하고 아내가 차려준 밥상에 자식 놈과 반찬 투정하며 밥 먹고 싶지, 난들 객지에서 궁상스럽게 양은 냄비에 라면 끓여 쉰 김치에 먹겠는가?

주말이면 길에 버리는 돈 아껴 쥐꼬리만 한 봉급에 조금이라도 덜 축내고 자식 놈 연애하는데 용돈이라도 더 보태주고 싶어서 주말이면 빨래하고 숙소 청소하며 객지 성당에 나가 혼자서 미사 올리는데 삼위일체?

개뿔로 내 가족 삼위일체도 되지 않는데 무슨 하느님 삼위일체? 혼자서 투덜대며 걸었다.

입에 있는 담뱃불은 끌 생각도 하지 않고 혼자 중얼거렸습니다.

"제 탓이요"

"제 탓이요"

"저의 큰 탓입니다"

"저희 죄를 용서하시고 "

"저희를 유혹에 빠지지 않게 하시고"

"악에서 구하소서"

나는 나이롱 신자다.

여태껏 초자연적 생명을 얻지 못한 원죄와 본죄를 사(赦)함 받고 하느님 품에서 영원한 생명을 얻은 나도 세례를 받았다고 거창하게 서두를 꺼내고 싶다. 하지만, 믿음이 깊지 못하고 가짜 교통사고 환자가 아프지도 않으면서 아픈 척하며 보상금을 받기 위해 병원에 입원해서 누워있는 나이롱 환자처럼 나도 나일롱 가톨릭 신자다.

성당에 적을 두고 냉담한 신자와 신앙심도 없으면서 종교 활동을 하는 사람을 가리켜 나이롱 신자라고 한다.

할머니 때부터 우리 집안에서는 천주교에 대하여 자긍심이 대단했다.

특히 별난 어머니는 더욱더 대단하였다.

집안에 3공화국 시절 6~7대 최장수 국회의장을 지낸 이효상 님이 집안 친척이고 이효상 님의 아들이 이문희 대주교님이었다. 이문희 대주교님은 1985년에 대주교로 취임하셔서 1986년에 대구교구장으로 착좌하시어 2007년까지 대구교구장으로 계셨다. 그렇다 보니 특히 어머니는 가문에 영광으로 아셨고 계산성당에서도 유별난 사람일 만큼 대단하셨다.

어릴 적 놀이터는 대구 계산성당 마당이었고 청소년 시절에는 학교에는 안 가도 주일을 지키지 않으면 어머니의 호통에 난리가 났다.

사춘기 반항기에는 정말 성당에 가기 싫었지만, 어머니 때문에 어쩔 수 없이 의무적으로 가야 했고 30~40대 때는 이문희 대주교님 덕분에 우쭐한 마음에 성당을 다녔다.

계산성당은 대구대교구 주교좌 성당이라 특별한 날 이문희 대주교님께서 직접 미사를 집전하실 때는 미사가 끝나고 공개석상에서 이문희 대주교님께서 특별히 불러주셔서 덕담도 해주셨다. 특별히 아는 척을 해주셔서 남들은 내가 이문희 대주교님과 가까운 친인척이라도 되는 것처럼 대해주니 우쭐거리고 교만했다.

나중에 알고 보니 내가 신앙심이 깊어지도록 어머니가 대주교님께 늘 부탁을 드려서, 대주교님이 특별히 불러주신 것도 모르고 교만에 가득 차 있었다. 지금 생각해도 참 웃기는 한편의 코미디 같은 나의 신앙생활이었다.

우리 집안이 나를 포함한 3대째 내려오는 종교라 어릴 때는 할머니 손에 이끌려 성당에 다니고, 할머니가 돌아가신 후에는 어머니 성화에 어쩔 수 없이 떠밀려 성당에 다녔다. 집안이 몰락하고 20여 년은 냉담하다가 아내 때문에 어쩔 수 없이 냉담을 풀고 이제 주일을 겨우 지키는 나이롱 신자다.

1998년에 집안이 몰락하고 나 역시 모든 것을 하느님께 원망하면서 냉담의 길을 걸었다. 부모님은 깊은 신앙심을 지키셨지만 나는 그렇지 못하고 하느님만 원망하고 피했다.

내가 냉담할 때, 부모님 유언으로 장례만큼은 평생 다니시던 계산성당에서 치르고, 장지도 군위 카톨릭 묘원에 묻어드렸다. 이문희 대주교님, 그리고 대주교님 아버지 이효상 전 국회의장님과 같은 묘원인 카톨릭 군위 묘원에 모셔드리는 부모님 유언을 지켜드린 것밖에는 없다.

물론 하느님을 원망하면서 어머님은 계산성당에서 장례를 치러드렸지만 나는 하느님을 떠나 있었다.

그리고 나는 어릴 적부터 내 자식만큼은 절대 유아 세례를 받지 않겠다고 하여 부모님 속을 많이 썩였다. 어머님 살아생전 집안에 유일하게 유아 세례도 안 받은 놈은 내 아들뿐이었다. 돌아가시면서 “살아생전 손자 한 녀석만 세례를 받는 것을 보지 못해 마음에 걸린다”며 끝까지 내 마음에 걸리도록 하셨다.

종교만큼은 자기가 선택해야 나 같은 고통을 가지지 않는다고 굳게 믿었지만, 지금은 어머니 살아생전에 아들이 세례받는 것을 보여 드리지 못해 죄송스럽게 생각한다.

어머니께서 돌아가시고 희한한 일은 아들이 중학교 때는 공부를 곧 잘해서 경주 아무

고등학교에 가도 되었는데, 대구가톨릭대학교 사범대학 부속 고등학교로 간다기에 아무 생각 없이 아들 선택에 따라주었다.

내 생각에는 아무래도 경주보다 대구가 더 큰 도시이고 자율고등학교라 기숙사에서 학교 다닐 수 있어 경제적으로나 이사 갈 부담도 없고 해서 그러라고 했다. 그런데 입학식 때 가보니 가톨릭 재단이라 학교에 신부님이 계시고 성당도 있어서 냉담한 나로서는 애써 회피하고 싶었고 마음에도 걸렸다.

아들이 고등학교 2학년 크리스마스 때 세례를 받는다고 담임선생님께서 영세식 때 부모님이 참석하시면 좋겠다고 연락이 와서 어안이 벙벙했다.

나도 아들이 학교 입학할 때부터 아무리 가톨릭 재단의 학교지만 영세 영자도 꺼내지 않았다. 또한 아들도 나에게 한마디도 없이 시간 내기도 힘들 텐데 한 학년 동안 교리를 받고 세례를 받는다고 하니 냉담은 하지만 어쩔 수 없이 아들 영세식에 참석을 하였다.

물론 학교 교무부장이 아들 대부님으로 맡아주셨고 모든 일을 학교에서 알아서 다해주었다. 교장을 비롯하여 교사 대부분이 가톨릭 신자이고 학교 교목신부님이 직접 영세미사를 집전하시니 학교의 축제 이상으로 성대하게 영세식을 치렀다.

교내 학생들만 세례를 받는 것이라 영세식을 마치고 세례를 받은 아이들과 교목님을 비롯해 교직원들이 축하하여온 학부모님들에게 학교에서 점심 자리를 마련해주어 참석했다. 점심을 같이 먹으면서 교장 선생님이 내게 물었다.

"아버님은 종교가 뭐냐"라고 아무 생각 없이 "천주교인데 냉담 중입니다."라고 대답했더니"어째 아들이 세례를 받는데 아버지가 냉담하냐?"라며 이해가 되지 않는다는 식으로 말하여 순간 얼굴이 화끈거리고 창피스러웠다.

냉담 중이라 영성체를 모시지 않으니 선생님들은 내가 다른 종교나 무교인 줄 알았다고 한다. 한참 동안 점심을 먹는 둥 마는 둥 교장 선생님과 교목신부님의 꾸중 같은 일장연설을 듣고 집으로 돌아왔다.

나는 늘 그렇게 살았다. 하느님이 나에게 해준 것이 뭐가 있느냐?

남들 반만큼만 나를 보살펴주어도 이렇게 살지 않을 텐데 나에게 고통과 시련 그리고 실패를 주셨다. 그리고서 따지면 시험 중이다? 왜 시험을 하는데? 내가 무엇을 그렇게 잘못해서 시험에 들게 하는지 온통 하느님 원망만으로 허송세월하였다.

정말 하느님이고 뭐고 다 포기하고 싶었다.

나에게 하느님이 내리신 것은 고난과 역경 그리고 집안의 몰락, 모두 것을 다 내려놓고 이 세상을 떠나고 싶은 마음뿐이었다.

하느님을 많이 원망했다.

다른 사람에게는 은혜와 축복을 주시고 나에게는 고통과 시련 그리고 실패까지 주셔서 하느님이 나를 외면하는 줄 알았다.

많은 생각을 하다가 아직은 부모 손이 필요한 초등학교 2학년 어린 아들과 아내를 남겨 두고 나 혼자 편해지자고 아니 내 고통을 못 이겨 모든 것을 포기하려고도 했다.

포기하기에는 내가 없는 내 피붙이와 내 아내가 받을 사회에서의 냉대와 차가운 눈길들이 나를 포기하지 못하게 만들었다. 지금은 지난 일이지만 많이 힘들었다. 비록 아무것도 없고 나약한 가장이지만 그때 삶을 포기하지 않았던 것이 지금 생각해 보면 잘했다고 생각한다.

하느님을 많이 원망했다.

"도대체 하느님 당신은 나에게 얼마를 더 고통을 주려고 이러는지 내가 못 견디어 나 자신을 다 던져서 끝장을 보아야 하느님 당신의 속이 후련하겠냐?"라며 정말 하느님을 많이 원망했다."

별난 어머니 덕분에 그렇게 많은 재산 남 좋은 일 시키고 자식 놈은 쪽박 차고 처가로 피신을 왔다. 이제 겨우 자리 잡아 살려고 하니 너무 힘들어서 그때는 모두 포기하고 하느님이고 뭐고 내 눈에는 독 품은 한(限)밖에 없었다.

그럭저럭 하느님을 원망하면서 죽지 못해 하루하루를 보내지만, 아내가 무언가 하나는 잡고 기대야 살아갈 수 있을 것 같아서 내가 냉담을 풀고 아내가 세례를 받게 했다.

지금은 나와 살면서 제일 고마운 것이 내가 냉담을 풀고 혼배성사 받고 세례를 받도록 도와준 것이라고 하지만 나는 아직 나이롱 신자다. 어차피 나는 하느님과 연이 없는 사람이고 아내가 편해지라고 냉담을 푼 것이지 내 뜻은 아니었다. 그러나 지금 아내가 활기차고 즐겁게 살아가는 모습만 보아도 내가 냉담을 풀고 아내를 하느님 품으로 인도 것은 나도 잘했다고 생각한다. 냉담을 풀고 20여 년 만에 성당에 가보니, 세례를 받고 첫 미사를 드리는 신자들보다 더 어색하고 적응하기 힘들었다.

그런데 어느 날 미사를 시작하고 고백 기도를 드리면서 가슴이 저며 왔다.

"전능하신 하느님과 형제들에게 고백하오니, 생각과 말과 행위로 죄를 많이 지었으며, 자주 의무를 소홀히 하였나이다."

"제 탓이요, 제 탓이요, 저의 큰 탓이옵니다. 그러므로 간절히 바라오니, 평생 동정이신 성모 마리아와 모든 천사와 성인과 형제들은 저를 위하여 하느님께 빌어 주소서. 전능하신 하느님 저희에게 자비를 베푸시어 죄를 용서하시고, 영원한 생명으로 이끌어 주소서" 하며 다른 신자들을 따라 외우면서 "제 탓이요, 제 탓이요, 저의 큰 탓이옵니다."

돌아보면 모두가 내 탓인 걸 하느님을 원망하고 방황하고 괴로워했던 일들이 누구를 원망할 일이 아니라 모두가 내 탓인 것을 나는 내가 아닌 다른 이들에게 탓을 돌리기만 했다.

영성체 예식 전에 신부님께서"너희는 모두 이것을 받아먹어라 이는 너희를 위하여 내어 줄 내 몸이다."

"저녁을 잡수시고 같은 모양으로 잔을 들어 다시 감사를 드리신 다음, 제자들에게 주시며 말씀하셨나이다."

"너희는 모두 이것을 받아 마셔라."

"이는 새롭고 영원한 계약을 맺는 내 피의 잔이니, 죄를 사하여 주려고 너희와 모든 이를 위하여 흘릴 피다."

"너희는 나를 기억하여 이를 행하여라"

"하느님의 어린양, 세상의 죄를 없애시는 분이시니 이 성찬에 초대받은 이는 복되도다." 이렇게 말씀하면 가슴이 철렁 내려앉는다.

내가 과연 그리스도의 몸을 받아들일 준비는 하고 있었나?

내가 하느님을 믿고 있는 것 맞나?

교인으로서 의무를 다하지 못하고 늘 내 마음대로 생각하고 판단하고 늘 세상과 하느님을 원망하면 살아왔다. 주일날은 마지못해 성당을 찾아와서 영성체를 모시는 나 자신이 모순덩어리고 말도 안 되는 행위를 하고 있어 늘 영성체를 모시기 전이나 후에 늘 이렇게 기도한다.

"주님, 제 안에 주님을 모시기에 합당치 않사오나 한 말씀만 하소서. 제가 곧 나으리이다"

나약하고 간사한 나 자신의 세 치도 안 되는 내 혓바닥 위에서 성체가 다 녹을 때까지 기도한다. 몇 번이고, 아내 때문에 냉담하기 싫어서 의무적으로 성당을 다니다 보니 조금씩 깨달은 것 같다.

아침에 눈을 떴을 때, '아 오늘도 살아있구나' 하고 살아있다는 것에 감사하고 다리가 있어 걸을 수 있다는 것에 감사하다. 두 눈이 있어서 사물을 볼 수 있는 것에 감사하고. 두 손이 있어서 무엇인가 만질 수 있다는 것에 감사하다. 또한 출근할 수 있는 회사가 있다 보니 이처럼 일상에 주어진 조건들에 감사하면서, 모든 삶에 감사하는 마음을 가지게 되었다. 요즘은 오늘 하루에 감사하기로 했다.

아침에 일어나서 살아 있음을 알고 출근하여 건설 현장에 나가 시공회사 사람들에게 똑같은 잔소리를 하고 퇴근길에 나선다. 아무도 기다리지 않는 썰렁한 숙소에서도 설거지가 하기 싫어서 라면 한 그릇으로 저녁 한 끼를 대신해도 오늘 하루가 모이면 한 달이 된다. 내가 받은 봉급으로 내 가족들이 생계를 유지하고 그렇게 또 한 달이 모이면 일 년이 되어 내 아들이 대학생이 되고 또 사 년 후에는 내가 목표한 데로 우리 아들이 대학을 졸업한다. 그렇게 되면 내 할 일을 다 한 것으로 생각하며, 오늘 하루에 감사하며 행복해한다.

그래서 오늘 하루에 감사하며 살려고 노력한다.

아침에 출근하면서 내가 다닐 회사가 있어서 행복을 느낀다.

내 한 몸 더럽고 치사한 일을 겪을 때도 있지만 출근함으로써 우리 가족이 평안하게 살 수 있어서 감사하다. 엄동설한에도 포근한 가정에서 따뜻한 밥을 먹을 수 있고 내 가족이 그렇게 살 수 있는 것을 보고만 있어도 행복하다.

비록 멀리 떨어져 있지만, 생각만 해도 오늘 하루가 행복하고 즐겁다.

이 모든 것에 감사할 줄 모르고 교만과 원망으로 보낸 세월을 후회하고 다시는 흐트러지지 않으려고 매주 한 번, 주일날에는 성당에 나가 나의 지친 육신과 흐트러진 영혼을 하느님께 기대어 다시 또 말씀드린다.

"주님, 제 안에 주님을 모시기에 합당치 않사오나 한 말씀만 하소서. 제 영혼이 곧 나으리이다"

어머니가 집안을 다 망쳐놓고 빚과 한(恨)만 남기고 저세상으로 갔지만 한 번씩 내가 모질게 한 것이 후회스럽다. 그래서 제사와 성묘로 나의 미안한 마음을 달래 보지만 아내 말처럼 "살아 있을 때 잘하지"라는 핀잔을 줄 때마다 내가 살아 있을 때 조금은 잘해보려고 노력 중이다.

살아계신 장인·장모님께도 내가 할 수 있는 것은 다해드리려고 노력하는데 세상사가 뜻대로만 되지는 않는다. 그래서 내가 아닌 내 가족을 위하여 하루하루 최선을 다한다. 이제는 내 가족을 추스르기에도 내 나이가 벅차다.

물에 빠지면 살려고 발버둥을 치면 물에 빠져 죽고, 살려면 바닥으로 더 내려가 바닥을 차고 올라오면 살 수가 있다고 한다. 나는 끝까지 가본 사람이라 더 바랄 것이 없는 사람이다. 그래서 더 바랄 것이 뭐가 있겠냐?

그렇지만 사람의 욕심이라는 것은 끝이 없다.

아내가 아픔을 잊었는지 아니면 더 치유가 필요한지 잘 모르겠다. 조금 과하다는 생각이 들기도 하지만 자기가 좋아서 매일 성당 일을 쫓아다니는 모습이 보니 좋아 보여서 그냥 두고 본다.

좋아서 하는 일인데 뭐든지 해야지 행여나 많은 속세 사람들과 부대끼다 보면 사람으로 인하여 상처받을 일만 없으면 좋겠지만 그것은 내가 옆에서 조금씩 주의하라고 하고 있다. 행여나 사람으로 인하여 상처받을 일이 있을까 걱정이다.

겉으로는 완벽한 여자 같지만 내가 너무 과잉보호해서 그런지 사람을 사귀는 것부터 아직 사회생활이 부족해 보여서 조금은 걱정이다.

참는 것은 잘하지만 험한 세상을 헤쳐 나가는 방법을 잘 모른다. 쉽게 말해 잠수는 잘하는데 수영을 할 줄 모른다고 할까?

더 쉽게 이야기하면 곱하기는 완벽하게 잘하는데 나누기를 전혀 할 줄 몰라 늘 걱정이다. 이제 하느님이라는 큰 백을 가졌으니 하느님께 모든 것을 맡기고 의지하며 잘 지낸다.

나는 아내가 늘 부럽다.

초중고 친구들이 있어 재미있는 과거로 추억여행을 한다. 형제가 많아 친구들에게 하지 못할 이야기도 서로 터놓고 이야기할 수 있어서 참 좋아 보인다. '가지 많은 나무 바람 잘 날은 없다'라고 하지만 세상에서 혼자라는 것을 못 느끼고 살기에 부럽다. 또한 든든한 하느님을 열심히 믿고 있으니 아내에 대한 걱정은 내려놓으려고 한다.

자식에 대한 욕심이 끝이 없겠지만 아들도 엄마 유전자를 많이 이어받아 남자로서 대범하지 않고 너무 신중해서 걱정이다. 아들이 입학 후 4년 동안 대학 등록금을 잘 주었으니 내 할 일은 다 한 것 같다. 다음은 험한 세상 스스로 헤쳐 나가야 하는 자신의 몫이니 자식에 대한 미련도 내려놓으려고 한다.

이것저것 아쉬움도 많지만 다 내려놓으니 마음이 한결 편하다.

이것이 나일롱 신자이지만 하느님의 덕분인 것 같다. 늦었지만 지금이라도 하느님 덕분에 마음을 추스를 수 있어서 하느님께 감사드릴 뿐이다.

나는 믿음도 부족하고 신자로서 매우 미흡하다. 그래서 남들처럼 거창하게 하느님의 깨우침 이런 것은 잘 모르겠지만, 늦게나마 하느님 뜻을 따르려는 작은 깨우침을 얻었기에 만족한다.

이 모든 것에 감사할 줄 모르고 교만과 원망으로 보낸 세월을 후회하고 다시는 흐트러진 지 않으려고 한다. 매주 주일날은 성당에 나가 한 주 동안 나의 지친 육신과 흐트러진 영혼을 하느님께 기대어 다시 또 말씀드린다.

"주님, 제 안에 주님을 모시기에 합당치 않사오나 한 말씀만 하소서. 제가 곧 나으리이다."

신부님께 고백했다.

"저 나이롱 신자입니다"

신부님께서 대답하셨다.

"걱정하지 마십시오. 원래 나일롱 실이 더 질깁니다."

그래도 나일롱, 사꾸라 가톨릭 신자인 이유

성당에 미사 모시러 나갔다.

나 같은 신자를 나이롱 신자? 사꾸라 신자? 라고 한다.

겨우 주일만 지키는 신자이기 때문이다. 성당을 갈 때마다 느끼지만 내 나이 또래는 젊은 측에 속한다. 나이가 많으신 분들이 많다.

성당도 그렇고 교회, 절에도 대부분 60대 이상이 열심히 다닌다.

나이가 들어 별로 할 일이 없어서 성당을 열심히 다닌다고 생각했었는데 요즘은 내 생각이 많이 바뀌었다.

다른 사람보다는 내가 직접 당해보고, 세상 살 만큼 살며 인생을 지내고 보니 아무것도 아니란 것을 느끼게 된다. 종교에 의지하는 것인지, 아니면 종교에서 전하는 것에 공감할 수 있어서 그런 것인지 나이가 들어감에 따라 내 마음에 의지가 되어 최소한 주일에는 성당에 간다.

나일롱 신자가 매주 성당에 간다고 크게 감명받고 은혜받을 일은 없다. 하지만 한 시간가량 아무 제약 없이 나 자신을 돌이켜보고 반성할 수 있는 시간을 가질 수 있어서 마음이 편하고 좋다.

기도?

나는 기도를 할 줄 모른다.

그냥 앉아 있다가 보면 내 삶에 의문점을 되물어보고 내 생각에 잘못이라는 것을 느끼면 용서를 빌고, 또 다음부터는 같은 잘못을 하지 않도록 저를 돌보아 달라고 부탁하는 것이 나의 기도이다.

형식과 격식을 싫어해서 처음에는 성가를 부르는 것도 하기 싫으면 부르지 않았고 복음 봉독 때도 귀 기울이지 않고 그냥 멍청히 앉아 있었다.

처음부터 믿음이 깊은 신자가 되기를 원치 않았기 때문에 남들이 하는 것을 대충 따라 하다 시간이 지나면서 멍청하게 앉아 있는 시간 동안 나를 돌아보게 되었다. 나 자신이 무엇을 잘못하고 있는지 느끼고 또 반성하고 있는 나를 보면서 성당에 다니길 잘했다고 생각을 하게 되었다.

아직은 나 자신도 못 거두고 있어서 남을 위해 봉사하고 인도할 처지는 아니지만, 최소한 나 자신 잘못을 깨우치는 정도는 되어가고 있다. 한 번에 많은 변화는 없지만, 요즘은 자제력도 조금씩 생기곤 한다. 아직 한참 모자라지만 그래도 남들에게 조금씩 권해 본다.

삶의 허무함을 느끼고 의혹이 생길 때, 한 가지 종교를 가져 보는 것도 괜찮다. 가장 큰 이유는 삶의 허무함을 느끼고 의혹이 생길 때는 살아온 날보다 살날이 적기 때문이다.

모두와 이별할 때가 되었다는 것이다.

떠날 때 짐을 지고 가는 것보다, 모든 짐을 내려놓고 떠나는 것이 편안히 길을 갈 수 있도록 깨우쳐주는 것이 종교라고 생각한다.

미련한 사람이 먼 길 떠날 때 짐을 많이 짊어지고 가고 현명한 사람은 무거운 짐을 짊어지고 가는 바보가 되지 않을 것이다.

모든 종교에서 늘 하는 말이 '내려놓아라.' 하지만 미련 때문에 내려놓지를 못하고 욕심을 가지는 것 같다. 내려놓는 것이 쉬운 일은 아니지만, 종교를 가지면 내려놓으려고 노력을 하게 된다.

하느님과 예수님의 모든 가르침을 다 받아들이지는 못하겠지만 조금만 느낄 수 있다면, 내가 이 세상과 하직할 때 큰 도움이 될 수 있을 것 같다. 그것이 종교가 있는 사람과 없는 사람의 차이라고 내 주관적인 생각으로 결론을 내리고 싶다.

요즘 몇몇 성직자들의 잘못된 행동으로 인하여 모든 종교인이 창피스러워 고개를 들 수 없지만, 그분들도 사람이기에 그런 일이 있을 수 있다고 생각한다.

신자들보다 더 모범이 되어야 할 사람들이 쾌락을 즐기고, 용서하고 인도해야 할 사람들이 까발리고 어쩌면 참 추한 모습을 들춰내어 가슴 아픈 일이다. 하지만 하느님이 그렇게 한 것이 아니니 종교로 인하여 상처받을 일은 아니라고 생각한다.

조심스럽지만 혹시 새로운 마음으로 종교를 가지려고 한다면 가톨릭을 권장하고 싶다. 나의 종교가 가톨릭이라서 그런 것이 아니고 남의 종교를 나쁘다고 비하하거나 폄하 하는 것은 절대 아니다. 처음 종교를 선택할 때 신중하게 생각해 보고 결정하시라고 몇 가지 짧은 생각으로 조심스럽게 말씀드려본다.

첫째, 돈 문제이다.

천주교에서는 돈 가지고 이러쿵저러쿵하지 않는다.

물론 교무금이라는 것이 있지만 형편 따라 내면 된다. 수입에 10%를 내는 십일조라고 해서 따로 정해 놓지는 않는다. 돈을 많이 내면 낸 만큼 은혜를 많이 받는다고 하면 그 종교는 사이비 종교다. 내가 은혜받고 감사한 만큼 내면 된다. 은혜받은 것이 없을 때는 내지 않고, 은혜를 받으면 10%로 깔끔하게 내면 된다. 물론 내지 않아도 되지만…. 내 주관도 그렇다.

이러니 안 되겠지만, 나도 로또 1등 당첨되면 10% 감사 봉헌금을 낼 것이다. 천주교에서는 헌금 즉, 돈에는 자유롭다.

그리고 어느 종교보다 금전적으로 맑다.

성당 자체에서는 관리비 정도 외에는 돈 관리를 하지 않는다.

한 예로 성당의 신부님 수녀님 모두 교구청에서 봉급을 받는다. 타 종교는 자체적으로 돈 관리를 해서 금전적인 문제가 자꾸 발생하는 것이다.

둘째, 천주교는 지정된 성당만 꼭 가야 하는 것은 아니다.

본당이라고 내 교적이 있는 곳이 내 본당이지만 미사(개신교:예배)는 아무 곳에서 보면 된다.

꼭 내가 다니는 성당을 가지 않아도 된다.

주일날 서울을 가면 내가 있는 가장 가까운 곳에 가서 미사를 보면 된다. 또 일요일에 볼일이 있으면 토요일 날, 특전 미사가 있어 토요일 날 미사를 보면 된다. 개신교는 꼭 자기 교회에서 예배를 보라고 하는데 내 개인 생각은 다른 교회에 헌금하면 자기 교회가 뭐 좀 그래서 그런 것 같다.

셋째, 조상제사는 지내도 된다.

개신교에서는 십계명

1, 나 외에는 다른 신들을 있게 하지 말라.

2. 어떤 우상도 만들지 말고 절하지 말라.

- 둘째 계명으로 인하여 제사를 지내지 말라고 한다.

과연 나를 낳아주고 길러준 내 조상을 우상이라고 하기에는 조금 모순이 있지 않을까 하는 것 내 생각이다.

넷째, 천주교에서는 술·담배는 자유롭다.

내가 제일 좋아하는 대목이지만 물론 과음할 때까지 먹으라는 소리는 아니지만, 신부님과 같이 가끔 술도 한 잔씩 한다. 담배 피우는 신부님과는 담배도 같이 피우고 성당 안에서 행사할 때는 성당에서도 술 먹고 담배도 피운다.

결론적으로 종교에 대하여는 그 누구도 옳고 그름을 따지기는 매우 어렵다. 천주교든 개신교든 각자 나름의 해석대로 정의할 뿐이지 하느님과 예수님을 믿는 것은 똑같다. 옳고 그름을 따지기보다는 본인 스스로 편한 쪽을 선택하는 것이 좋을까 싶다.

내 짧은 생각으로 천주교는 순종적이고 포용력이 크고 구원보다는 실천을 강조한다는 것을 느낀다. 개신교는 전통에 대해 유연함이 적고 타 종교에 배타적이고 실천보다는 구원만을 강조하는 것 같다는 것이 내 좁은 생각일 뿐이다.

우리나라는 현재 천주교의 인구는 점차 증가하고 있으며 개신교의 인구는 많은 전도 활동에도 불구하고 점점 감소 추세에 있다.

그 이유를 살펴보면 교리가 옳으냐 그르냐를 따져서가 아니다. 신부님과 수녀님의 청렴성과 도덕성, 사회 정의를 추구하고 옛 조상의 전통과 장례 예절에 대한 유연한 태도가 있다. 또 한 타 종교에 대하여도 열린 태도와 헌금과 십일조를 강요하지 않으며 술과 담배에 대한 유연한 태도 등이다.

이처럼 천주교 인구가 증가하는 이유는 무조건 방문하여 "구원받아라." 하는 직접적인 선교활동 없이도 사회적으로 실천적인 모습을 사람들에게 보여줌으로써 더 큰 교감을 얻는 듯하다.

혹시나 개신교 신자님이 이글을 보시고 기분이 나쁘거나 감정이 상했다면 좁은 저의 소견을 너그러이 용서해 주시고 이해하기를 바란다.

내 생각일 뿐 내 생각이 맞았다는 것은 절대 아니다.

천주교에서 믿음이 부족한 놈이 새로운 종교를 가지려면 천주교를 권장하다 보니 내 일방적인 생각을 펼친 것이니 넓으신 마음으로 이해해주시기를 바라뿐이다.

고해성사

부활절 판공성사를 보았다.
성탄절 판공성사 보고 석 달 만에 판공성사 보았다.
성사 볼 것이 없어서 고해소 앞에서 많이 망설이다.

막상 판공성사를 볼 때는
"사순시기에 금식재와 금육재를 지키지 못했습니다"
"이밖에 알아내지 못한 죄도 모두 용서하여 주십시오"
이렇게 성사를 보았다.

고해소 나와 혼자 가만히 생각해 보니 내가 죄지은 것이 어디 하나, 둘이겠는가? 미워하고 원망하고 내 자리를 지키려고 발버둥 치고 상처를 입혔을 것이고 누군가는 나 때문에 자리다툼에서 밀려났을 것이다,

또한 누군가는 나로 인하여 눈물도 흘렸을 것인데, 고해성사 볼 것이 없었다는 것이 참 우스웠다.
나 자신이 얼마나 내 처지에서만 고해성사를 보는 건지 한심스러웠다.

"주여, 죄 많고 한심스러운 놈 용서하소서"
"이것마저 나무라면 또 하느님 원망하면서 냉담할 놈이니 불쌍히 여기사 용서해 주시고 시험에 들지 말게 하옵소서 아멘"

모래 위의 발자국

어느 날 밤 꿈을 꾸었네.
주와 함께 바닷가 거니는
꿈을 꾸었네.

하늘을 가로질러
빛이 임한 그 바닷가
모래 위의 두 짝의 발자국을 보았네.

한 짝은 내 것
또 한 짝은 주님의 것
거기서
내 인생의 장면들을 보았네.
마지막 내 발자국이 멈춘 곳에서

내 삶의 길을 돌이켜 보았을 때
자주 내 삶의 길에
오직 한 짝의 발자국만 보았네.

그때는 내 인생이
가장 비참하고 슬픈 계절이었네.
나는 의아해서
주님께 물었네.

"주님, 제가 당신을 따르기로 했을 때
당신은 저와 항상 함께 있겠다고 약속하셨지요.

그러나 보십시오.
제가 주님을 가장 필요로 했을 때
그때 거기에는
한 짝의 발자국 밖에는 없었습니다.
주님은 저를 떠나 계셨지요?

주님께서 대답하시었네.
"나의 귀하고 소중한 아이여,
나는 너를 사랑했고,
너를 절대 떠나지 않았단다!
네 시련의 때 고통의 때에도
네가 본 오직 한 발자국 그것은
내 발자국이니라.
그때, 내가 너를 등에 업고 걸었노라.
-메리 스티븐스-

예전에 이 글을 처음 접했을 때 눈시울을 적신 적이 있다.

한때 "산에는 산삼, 바다에는 해삼, 청와대에는 영삼, 집에는 고삼(고등학교 3학년)이 있다."라는 유머가 있었다.

공부와 씨름하고 있을 아들을 생각하며 얼마나 힘이 들까?

아비가 대신해줄 수도 없고 힘들 때 이 글을 한번 떠올려 보라고 아들에게 전해주고 싶지만, 공부하는 아들에게 부담 줄까 또 포기한다.

내 삶의 길을 돌이켜 보았을 때, 내 삶의 길에 오직 한 짝의 발자국만 보았다. 그때는 내 인생이 가장 비참하고 슬픈 시절이었다.

나도 주님께 물었다.

"주님, 제가 당신을 따르기로 했을 때 당신은 저와 항상 함께 있겠다고 약속하셨지요."

“그러나 보십시오.”

“제가 주님을 가장 필요로 했을 때 그때 거기에는 한 짝의 발자국 밖에는 없었습니다.”

“주님은 저를 떠나 멀리 계셨지요?”

“그래서 주님을 원망하면서 지지리도 못나 사실 오랫동안 냉담 중입니다”

“네가 시련의 겪을 때 고통스러워할 때도 네가 본 오직 한 발자국 그것은 내 발자국이니라.”

“그때, 내가 너를 등에 업고 걸었노라.”

“주님 말씀에 통곡하며 반성합니다.”

“주님 등에 업혀 있는 줄 모르고 주님이 내 곁을 떠난 줄 알았습니다”

“이제 주님 등에서 내려와야 하는데 염치없지만, 주님 등에서 아직 내려올 자신이 없네요”

“자식보다 못난 아비가 되지 않으려면 이번 성탄절에는 판공성사를 받아야겠지요?”

“깨우쳐주셔서 감사합니다.”

평화를 빕니다.

천주교 미사 전례에는 여러 순서가 있지만, 영성체 예식 전에 서로 평화의 인사를 나누는 순서가 있다.

모든 미사 예식이 성스럽고 중요하지만 내가 제일 좋아하는 순서이다.

그리고 될 수 있는 한 아들과 같이 성당을 가는 이유는 평화 인사를 나누기 위해서 함께 간다.

서로 인사를 나눌 때는 두 손을 합장하여 고개를 숙여 인사하고 또 악수하기도 하고 서로 포옹하며 인사를 한다. 나는 평소 아들하고 악수로 평화의 인사를 나누지만, 아들과 불편한 일이나 속상한 일이 있으면 아들 꼭 안아 주면서 평화에 인사를 나눈다.

이렇게 아들과 평화의 인사를 나누고 집에 돌아올 때면 서로 말 한마디 하지 않고 집에 돌아오지만, 한 번 더 생각할 수 있는 계기가 되곤 한다.

평화의 인사를 나누는 방법을 간단히 소개하면 이는 성체인 빵을 나누기 전 서로를 받아들인다는 것을 나타낸다. 교회와 전 인류 가족의 평화와 일치를 바라면서 서로 사랑을 표현하는 것이다.

사제가 그리스도의 평화를 "주님의 평화가 여러분과 함께"라는 말로써 구체화하면 신자는 "또한 사제의 영과 함께"라고 대답한다. 그리고 사제가 "평화의 인사를 나누십시오"라고 권하면 서로가 "평화를 빕니다"하며 처음 보는 사람과도 평화의 인사를 나눈다.

주님의 뜻이라면

주님의 뜻이라면
어떠한 역경도 참겠습니다.

주님의 뜻이라면
어떠한 고통도 이겨 나겠습니다.

주님의 뜻이라면
하잘것없는 이 목숨이라도 바치겠습니다.

주님의 뜻이라면
사랑보다 아픈 이별이라도 선택하겠습니다.

주님의 뜻이라면
험난한 가시밭길이어도 맨발로 걷겠습니다.

주님의 뜻이라면
엄동설한 눈보라 속에서 초라한 육신의 껍질이라도 벗겠습니다.

주님의 뜻이라면
망망대해에 이 하잘것없는 육신의 뼛가루라도 뿌리겠습니다.

주님의 뜻이라면
이 초라한 인생의 쓰레기를 거두어 줄 때까지 기다리겠습니다.

아멘

애원의 기도.

주여!
나의 기도 소리가 들리십니까?
이 애절한 기도 소리가 들리십니까?
목메어 호소하는 이 기도 소리가 들리십니까?

주여!
나의 모습이 보이십니까?
이 비참한 나의 모습이 보이십니까?
흐트러진 나의 모습이 보이십니까?

주여!
나의 마음을 아시는지요?
이 뜨거운 나의 마음을 아시는지요?
진실만을 지키려는 내 마음을 아시는지요?

주여!
이제 저를 쉬게 해 주십시오.
저 높은 곳 주님 곁에서 쉬게 해 주십시오.
포근하고 따스한 주님 곁에서 쉬고 싶나이다.

주여!
이제는 저를 거두어 주십시오.
이 어려운 인생의 삶의 속에서 저를 거두어 주십시오.
낡은 육신과 이 영혼을 거두어 주십시오.

아멘

하느님이 존재하므로

하느님이 존재하므로
이 인간이 태어났습니다.
어떻게 태어났는지 정녕 나도 모릅니다.

하느님이 존재하므로
이 인간은 외톨이가 되었습니다.
어떻게 외톨이가 되었는지 정녕 나도 모릅니다.

하느님이 존재하므로
이 인간은 삶의 고통이 무엇인 줄 알았습니다.
나이가 들면서 삶의 고통이 무엇인 줄 알았습니다.

하느님이 존재하므로
인간은 고통 속에서 행복을 잉태하였습니다.
고난의 고통 속에서 행복도 잉태하는 것도 알았습니다.

하느님이 존재하므로
이 인간을 한 줌의 흙으로 돌려보내 주십시오.
이제 인간으로서 생명을 다했나이다.

하느님이 존재하므로
이 인간은 한 줌 흙으로 다시 태어나
작은 사랑의 열매를 맺는데 거름이 되겠습니다.

아멘

주님

항상 하루를 즐겁게
시작하도록 하소서.

항상 남에게 상처를 주는
언행을 하지 않도록 해주소서.

상처받은 자에게 위로의 말을 전하고
외로운 자에게는 친구가 되게 해주소서.

교만하여 남에게 상처를 주고
욕심으로 남의 것을 빼앗지 않게 하소서.

오늘 하루도 주님에 뜻에서
벗어나지 않는 순한 양이 되게 하소서.

하루를 시작하는 어린양 모두에게
주님의 은혜가 가득하길

하루를 시작하며
간곡히 기도드립니다.

아멘

사랑이란?

유부남이 유부녀에게 글이나 말로 표현하면, 우리나라 정서에서는 불륜적인 것으로 상상되기에 표현하기가 힘들고 부부나 가족에 한정되게 표현한다.

사랑이란? 사전적 의미에서
(1) 어떤 상대를 애틋하게 그리워하고 열렬히 좋아하는 마음. 또는 그런 관계나 사람
(2) 다른 사람을 아끼고 위하며 소중히 여기는 마음. 또는 그런 마음을 베푸는 일.
(3) 어떤 대상을 매우 좋아해서 아끼고 즐기는 마음.

그러나 종교적 의미에서 내가 다니는 광명성당 주임 신부님의 강론에 의하면 사랑이란? 결론을 내려 주셨다.
"내 마음에 상처를 내도 허락하는 것이 사랑"이라고 한다.
그러나 내 목숨보다 더 사랑하는 것이 있을까? 결론부터 이야기하면 없다.

그런데 아버지는 자신의 존재보다 더 아끼고 귀중히 여기는 것이 자식이다. 자식에게는 모든 것을 내려놓고 어떠한 소중한 것도 갖다 바칠 수 있는 것이 아버지의 사랑이다.

내피와 살로서 잉태하여 10개월 동안 탯줄로 연결하여 내 몸의 모든 영양소를 공급하여 처절하고 세상의 최고의 고통을 견디며 새 생명을 탄생시킨 모성애와 비교할 바는 아닐 것이다. 하지만 새 생명을 탄생시킨 존재의 본능적 생계를 책임을 져야 하는 압박감에 살아가야 한다.

원시적이고 본능적인 사랑의 압박감보다 더 힘든 것이 그 사랑에 대한 상처이다. 당연히 받아야 할 사랑에 대한 상처와 배신을 받아 보았기에 큰 상처와 흔적은 원망과 한(限)으로 가슴에 숨겨 놓을 수 있지만, 자식에게 주는 사랑은 어떻게 전해야 하는 방법을 몰라 한참을 헤매고 고민했다.

사랑도 과하거나 지나치면 집착으로 변질되고 수수방관하면 자식에게 아버지가 관심이 없다고 하니 관심과 무관심의 조절이 힘들다.

사랑에 대한 사전적 정의는 있어도 나머지는 사람에 따라 조건에 따라 모두 다르다. 모든 것을 퍼주고, 바쳐도 상대가 받아들이지 않으면 간섭이고, 집착이며 심하면 스토킹이고 가스라이팅이다.

자식에 대한 사랑은 어렵다.

지나치면 집착이고 모자라면 방종이라고 한다. 지나쳐도 안 되고 모자라서도 안 되는 것이 자식에 대한 사랑이다. 모든 사랑은 다 어렵고 힘들지만, 자식에 대한 사랑은 죽을 때까지 해야 한다는 것이 결코 틀린 말은 아니다. 그런 고민을 한 방에 해결한 것이 "사랑이란 나에게 상처를 주어도 허락하는 것이다."

신부님 강론 한마디에 모두가 해결되었다.

자식은 기다림이다. 과하지도 지나치지 않으면서 풍족하지 않지만, 모자라지 않게 돌보아 주는 것이 자식 사랑이다. 그렇게 온 정성으로 돌보아 주었는데도 나에게 상처를 주면 허락해 주는 것이 사랑이라고 한다. 상처받을 준비와 그 상처를 허락할 수 없으면 사랑이 아니란다.

남들에게는 생존경쟁과 가족을 지킨다는 핑계로 이기적이고 독선적이고 양보와 타협이 없는 사랑이란 것조차 사치라고 생각하고 살았다.

누구에게도 상처받지 않으려고 했고 또 상처를 주면 보복을 했다.

부모 형제가 나에게 상처를 줄 때는 허락하지도 용서하지도 않았다.

그러나 자식 사랑에게는 상처받을 준비도 되어 있고 그 상처를 허락할 수도 있다.

살날을 얼마 남겨 놓지 않고 신부님 강론과 자식으로 인하여 늦게나마 비로소 사랑을 깨우치며 사랑의 결론을 낸다.

친구란?

오늘은 "예수 부활 대축일"인데 비상근무라 부활 성야 미사에 갔다.

객지에 있어서 본당은 아니지만 광영성당으로 늘 간다.

부활 성야 미사에 미사 집전을 본당 신부님께서 하시지만 부활 성야 미사에 두 분 신부님이 미사를 집전하셨고 강론 시간에 함께 미사를 집전한 신부님을 소개하셨다. 고등학교 동기동창이고 본당 신부님은 고등학교를 졸업하고 바로 신학교에 입학하였고 친구 신부님은 대학을 졸업하고 신학교에 와서 신학교를 마치고 독일로 유학하셨다가 돌아와서 신학교에서 강의하신다며 친구에 대해서 강론하셨다.

친구란? 한자로 풀이하면

木 나무: (목) +立 자리 위 :(립)+見 볼: (견) 합하여

親 친할 :친 舊 옛 (오래): 구

그래서

나무에 올라서서 멀리 보며 찾고 보이지 않으면 기다리는 오래된 사람이 친구(親舊)란다.

나에게도 친구가 있었다.

내 인생은 IMF를 중심으로 두 동강이 났다. IMF 다리를 건너기 전과 후로 갈린다. 전에는 친구도 많았고 모임도 20여 군데가 있어 매일 모임이라고 해도 될 정도였다. IMF라는 지독한 다리를 건넌 후에는 친구가 없다.

그렇게 많던 모임도 이제는 없다.

친구(親舊)도 없다.

나무에 올라서서 멀리 보며 찾고 보이지 않으면 기다리는 오래된 사람이 없기 때문이다.

부끄럽고 서글프다.

인생 60세를 살면서 절친 하나 없는 것이 무슨 인생을 잘 살았다고 할 수 있겠는가? 그러나 내 가족을 생계를 위해서 많은 것을 포기해야 했다.

그렇지 않으면 여기까지 올 수가 없을 것이다. 친구는 없었지만, 주변에서 많은 도움

을 줘서 여기까지 버티며 왔다.

내가 이 세상을 떠날 때 슬퍼해 줄 친구 하나 없지만 스스로 위로한다.

나를 나무에 올라서서 멀리 보며 찾고 보이지 않으면 기다리는 오래된 사람도 없고, 또 내가 나무에 올라서서 멀리 보며 찾고 보이지 않으면 기다리는 오래된 사람도 없기에 행여 다음 생에 만날 친구를 기대한다.

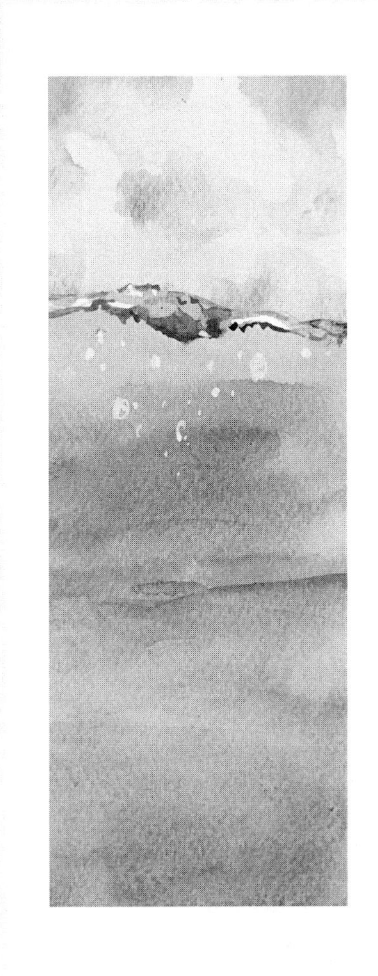

7. 준비 없는 영원한 이별

언젠가 이 세상에 내가 없을 때

사랑하는 내 아내 여왕벌 마리아에게 (편지글)

토요일에 근무하고 일요일에는 빨래와 집 안 청소하고 낮잠 잤다. 월요일의 알람 소리에 아무 생각 없이 허겁지겁 출근했다.

당연한 출근길이지만 기계같이 움직이는 하루의 시작을 거창하게 철학적으로 내 삶을 생각하고 싶지는 않지만 "나는 무엇인가?" "왜 이렇게 사는가"라는 의문을 들게 한다.

가장이라는 책임감 때문일까?

아니면 내 가족 생계유지를 위한 것일까?

살아 있으니 그냥 의무적으로 사는 것일까?

잠시 쓸데없는 생각에 잠길 틈도 없이 회사 정문을 통과하는 절차를 밟고 현장에 도착해서 봉지 커피를 종이컵에 타 한잔 마시고 담배 한 대로 내 얼빠진 머리통 속을 정리한다. 그리고 오늘 작업 현황을 파악한 후 현장을 둘러보고 또 한 번의 잔소리를 늘어놓는다. 책상에 앉아 주말에 올라온 결재와 메일들을 둘러보고 결재할 것 반려할 것을 정리하고 한숨 돌리고 잠시 멍때린다.

아직은 내가 할 일이 많이 남아 있는 것 같은데 스스로가 자꾸 잡생각에 빠지는 것 같아서 나 자신을 채찍질해 보려고 당신에게 몇 자 적어본다.

이 불경기에 남들이 보면 행복한 고민 같지만, 자꾸 의욕이 상실되고 무력해지는 나의 일상들이 아직 내가 배가 덜 고픈 것 같다. 당연한 일이 힘들고 귀찮아지고 의미가 없어지니 내가 요즘 긴장이 많이 풀렸나 보다. 매일 반복되는 일과 생활에 감사할 줄 모르고 "왜?"라는 의구심을 가지게 된다.

부모라는 틀에서 벗어나 20여 년을 옆도 뒤도 돌아보지 않고, 쉬지도 않고 앞만 보고 달려왔는데 인제 와서 왜 이렇게 잡생각을 하게 되는지 긴장이 많이 풀린 것 같다.

이제 아들도 다 크고, 당신이 잘하고 있어서 그런 것인지 이제는 자꾸 나 자신을 스스로가 내려놓을 생각을 하게 한다. 아직은 아들도 내 손이 필요하고 당신도 내가 필요할 것 같기도 하지만, 이제는 아들이나 당신 스스로가 잘한다고 느낄 때마다, 나도 이제는 한 발짝 물러설 때가 되었다고 생각한다.

아직은 아들과 당신이 하는 것이 내 마음에 부족한 것이 많다고 생각한다. 그런데 내가 잘못 생각을 하는 것인지, 아니면 내가 늙어가는 것인지 모르겠지만 요즘은 내가 아들과 당신에게 향한 내 생각이 아들과 당신의 생각과 빗나갈 때마다 나 자신을 한 번 더 생각하게 한다. 혹시 내 생각이 잘못된 것이 아닌지 반성하고 다시 생각해 본다.

언젠가 내가 이 세상에 없을 때, 아들이나 당신이 다른 사람에게 기죽지 않고 살았으면 하는 마음에, 아들을 강하게 키우고 싶었고 당신은 이사회와 잘 어우러져 사는 요령을 알려주고 싶었다.

돌이켜 보면 나도 편하게 살았다.

평생을 살면서 한 번도 배고픈 적이 없었기에 남에게 구걸하거나 남을 속이거나 남의 것을 도둑질하여 굶주린 배를 채운 적은 없으니 편하게 살았던 것으로 생각한다. 40대까지는 부모님 그늘에서 배고픈 적 없었고, 그 이후에는 나 스스로 먹고살 기회가 있었기에 이제까지 편하게 살았던 것으로 생각한다.

이제까지 순간순간 알량한 자존심 때문에 고통스러울 때도 있었지만 성공하지는 못했어도 실패를 한 적도 없었으니 편하게 살았다고 나 자신을 다독거려본다.

비굴했으면 성공할 기회도 있었지만 알량한 자존심 때문에 그렇게 못한 것이 한이 되기도 한다. 하지만 실패하지도 않았기에 나를 위로하면서 살며, 문득문득 내 주관적이지만 나보다 못한 사람들이 나보다 성공한 사람들로 내 눈에 비칠 때, 나 스스로 작아지고 마음이 무너지기도 한다.

특히나 대기업에 들어와서 그런 느낌을 많이 받는다.

직위, 연봉, 학벌, 아파트 평수, 차에서. 그러나 나는 당신과 아들을 보면서 많이 위로

받는다. 내 눈에 보이는 성공한 그 누구보다도 내 아들과 아내와는 비교되지 않을 만큼 성공했다고 생각하며 자부한다.

내 뜻을 한 번도 거역하지 않고 착하고 바르게 자라 준 내 아들과 가부장적이고 고집불통인 내 뜻에 따라주려고 노력하는 당신을 보면서 남들 부럽지 않게 세상을 잘 살았다고 자부하며 산다. 직위, 연봉, 학벌, 아파트 평수, 차에서 다 나보다 잘살고 있는 듯하여 부럽기도 하지만, 자식과 아내를 보면 내가 더 잘살고 있다고 생각하며 자신을 스스로 위로한다.

많은 것을 해주지 못하지만 그래도 아비 뜻 거스르지 않고 남의 자식 부럽지 않을 만큼 잘 커 준 내 아들, 앞뒤 생각하지 않고 즉흥적이고 자기주장이 강한 남편 기죽이지 않으려고 노력하는 아내를 옆에 두고 사는 내가 무엇 하나 부러운 것이 없다. 하지만 그러면 그럴수록 내 자식과 아내는 허술한 나보다 더 나은 삶을 살았으면 하는 것이 솔직한 나의 바람이다.

그러기에 사소한 일에도 간섭하는 것 같아서 내 마음이 편치 못하다.

아들에게 빨리 독립심을 길러주고 싶은데 아직은 독립심을 다 가르치질 못한 것 같고 한편으로는 아직 독립시키는 것이 불안하다. 당신도 이제 가만히 지켜볼 때가 되었는데, 당신이 세상을 당신 마음처럼 순수하게만 보는 것 같아 불안하고, 세상살이가 그렇게 당신 마음처럼 쉬운 것은 아니라 생각한다. 하지만 당신은'나만 그렇지 않으면 그만이다'라는 식으로 세상을 바라볼 때, 그리고 내가 나이 들어감을 느낄 때마다 내가 아들과 당신을 대하는 것이 성급하고 조급해지는 것 같다.

이제는 나도 한걸음 뒤에서 바라보고 지켜볼 때도 된 것 같은데 내가 자꾸 먼저 끼어들어 간섭하는 것 같고 잔소리하는 것 같아 늘 후회스럽다.

아들도 힘든 일이 닥치면 스스로 해결하고 이겨내는 힘을 키워야 하고, 당신도 세상 사람들에게 상처를 입어도 스스로 치유하는 방법을 깨우쳐야 한다. 하지만 내가 먼저 나서서 닥칠 일을 예상하고 막아주려다 보니 내가 당신과 아들에게 귀찮은 존재가 되고 잔소리만 하는 아버지, 남편이 되는 것 같다.

늘 자식과 아내에게 한발 물러나 지켜보자고 다짐하지만, 막상 당신과 아들을 보게 되면 내가 먼저 나서게 된다.

힘들어도 바라만 보고 있어야 하고 상처를 입어도 치유될 때까지 지켜만 봐야지 스스로 성장한다. 하지만 내가 많이 힘들어 보았고, 상처받아 보았기에 그런 아픔을 내 자식과 내 아내에게 주기 싫어서 내가 먼저 예견하고 막아주는 것 같아서 항상 후회한다.

사랑하는 내 아내 여왕벌 마리아!

내가 이제까지 살면서 제일 힘들고 괴로웠던 것이 억울함과 배신감이다.

내가 이 두 가지 일로 인하여 세상 사람들과 현실의 벽을 쌓고 이렇게 힘들고 고통스럽게 살아간다. 억울함에 울분을 토해내다 원한이 비수가 되어 내 가슴 깊이 꽂혀 있고, 배신감에 분노로 치를 떨며 지금까지 살고 있다.

늘 당신과 아들이 없으면 살고 싶지 않다는 말을 쉽게 하지만 나의 억울함과 배신감을 늘 버리지 못하고 하루하루를 힘겹게 살아가는 것 같아서 너무 힘들었다.

당신은 평범한 가정에 자라 부모와 형제에 대해 억울함과 배신감이 없기에 나를 이해하기는 힘들 것이다. 남들에게 억울함과 배신감 있었다면 법에 호소하든지 아니면 내 잘못이라고 벌써 훌훌 털어내고 나도 이렇게 살지는 않을 것이다.

평생을 이렇게 사는 나 자신이 밉고, 싫다.

내가 빨리 부모와 형제에 대해 억울함과 배신감을 벗어나야 나도 편하게 살 수 있다는 것을 안다. 하지만 지금 처한 내 일과 주위를 돌아보며 울컥울컥 치솟는 억울함과 배신감으로 인해 자꾸 나를 힘들게 한다.

오장 육부를 모두 내 몸 밖으로 쏟아내고 피를 토하며 “이것은 아니다.”라고 절규하며 죽고 싶었다. 하지만, 당신과 자식을 볼 때마다 마음을 고쳐먹고 두 사람에게만큼은 내가 당한 이 고통을 주지 않기 위해 이제까지 마음을 다져 먹고 살아왔다. 그런데도 한 번씩 일이 막히고 내 마음과 다르게 갈 때면 또다시 과거의 늪이 내 마음과 발목을 잡는다. 나일롱 신자가 되어 한 번씩 가는 성당에 나가 영성체를 모시고 잠시 묵상하는 시간에는 나의 잘못을 반성하고 이렇게라도 사는 것에 대하여 하느님께 감사를 드린다. 성전에서 나오면 현실과 부딪히고 또 세속의 미물이 되어 지나간 일을 되새기는 몹쓸 인간이 된다.

평생을 이렇게 풀지 못하고 살다 가는 것인지 나 자신이 한심스러울 때도 많다. 그러나 아들과 당신에게는 나 같은 삶이 일어나지 않았으면 하는 것이 나의 바람이다. 그래서 내 남은 생 전부를 당신과 자식에게 주려고 노력한다.

어쩌면 당신과 아들을 과잉보호하는 것 같아서 온실의 비닐을 벗겨 보려고 노력하지만, 더럽고 치사한 것을 너무 많이 보고 당하다 보니 과감하게 비닐을 벗길 용기가 나질 않는다. 이번에 집에 갔다 오면서 이제는 온실 비닐을 벗겨 보자고 다짐하고 했지만, 막상 보면 그렇게 되지 않아 안 보는 것이 상책이라고 생각하고 집에 가는 것을 주저하고 있다.

언젠가는 내가 당신과 아들을 보호해 주지 못할 것인데 스스로 각자 알아서 살도록 내버려 두자고 나 자신이 노력한다. 아들도 나름대로 자기 일은 자기가 알아서 한다고 생각하는 것 같고, 당신도 스스로 하는 일이 맞는다고 생각하는 것 같아서 이제는 알아서 하도록 두고 보려고 한다.

나름대로 잘 알아서 하겠지만 절대 나처럼 억울하고 배신당해도 상처받지 마라. 부모 형제에게도 억울하고 배신을 당하는데 남들은 아무것도 아니다. 억울하면 법에 호소하면 되고 배신당하면 믿은 것이 잘못이니 상처받는 일만 없도록 하여라.

나는 당신과 아들이 나처럼 살기를 바라지 않는다.

아들은 앞으로 생존경쟁 사회에서 살려면 억울한 일과 배신 속에서 살아남아야 하겠지만 당신은 그런 일을 마주칠 일이 없기에 상처만 받지 않으면 된다. 상처받고 안 받는 것은 스스로 만드는 것이니 설사 그런 일을 당한다고 해도 생존과는 아무 상관 없는 일이니, 상처만 받지 않으면 된다.

아들은 앞으로 살아가려면 많은 배신과 억울함 속에서 살아남는 법을 빨리 터득해야 성공할 수 있다고 생각한다. 직장 생활하다 보면 모함과 시기, 억울 일도 많이 당하고 내가 살아남기 위해서는 배신도 해야 하는 일들이 종종 벌어진다. 그렇지 않으면 내가 살아남지 못하는 것이 생존경쟁 사회에서 살아남는 방법이다.

사회가 어렵고 불경기 때는 회사도 살아남으려면 몸집을 줄여야 한다. 때로는 동료와 나 한 사람이 도태되어야 한다면 비굴하고 치사하지만 어쩔 수 없이 배신할 수밖에 없는 것이 생존경쟁 사회에서 살아남는 법칙이다.

생존경쟁 사회에서는 억울함과 배신감으로 피 터지게 싸우지만, 그것으로 인하여 상처를 받지는 않는다. 그렇게 해야만 살아남기 때문이다. 그래서 여린 아들을 볼 때마다 걱정이다. 당신은 생존경쟁 사회에서 사는 것은 아니기에 절대 상처만 받지 않으면 된다. 어떤 일이 있어도 사람에게 상처받지 마라. 당신이 힘들 때 더 감싸주고, 따뜻하게 돌봐줘야 하는데 내 성질머리를 이기지 못하고 당신에게 내뱉은 말이 지금도 후회스럽다. 그때는 하느님도 원망 많이 했다. 다시는 하느님을 만날 일이 없을 것 같았는데 지금은 나일롱 신자라도 되어 있으니 당신 덕분이다.

현재는 회사가 어려워져서 구조조정과 원가절감에 대한 말도 많지만, 다행히 객지로 다니면서 버티고 있는 것 같다. 당신이 집안일 잘 챙기고 아들놈 무탈하게 잘 키워서 아침에 수업받으러 쫄쫄거리고 나가고 주말이면 여자 친구하고 토닥토닥 놀면서 지내는 모습을 보면 흐뭇하다. 이제 자식 농사도 지을 만큼 지어 놓았으니 당신 건강만 잘 챙겨서 아프지 말고 당신 하고 싶은 대로 하고 살아주면 내가 당신에게 해줄 수 있는 마지막 선물을 다 한 것이다.

아들도 이제 걱정 안 할 만큼 키워 놓았고 나도 잘 버티고 있으니 너무 걱정하지 말고 당신 하고 싶은 일 하고 살아라. 아프지 말고 사람들에게 상처받지 말고, 언제가 내가 이 세상에 없을 때 아들이 내가 지켜온 가정을 지켜야 한다는 것이 나의 지론이다. 자식에게 의존하자는 것이 아니라 아버지가 만들어 주는 가정도 못 지키면 앞으로 독립된 자신도 못 지킬 것 같다

당신도 이제 아들을 너무 어리게만 생각하지 말고 스스로 자립할 수 있도록 가르쳐야

한다. 나는 불행인지 다행인지 모르지만, 입학식 졸업식 사진이 없다. 부모님 두 분이 모두 바쁘셔서 그런 것인지, 학교 다닐 때 사고뭉치라서 그런 것인지 입학·졸업식 때는 늘 혼자였다. 부모님이 오시지 않으니 당연히 사진을 찍을 일도 없었지만, 입학·졸업식 때 부모님 안 온 친구끼리 어울려 엄마가 준 특별용돈으로 시내에 나가 놀았던 기억밖에 없다. 아무것도 아닌 일이지만 마음 한구석에 남아 있는 것을 보니 내가 속이 좁은 놈인지 아니면 가슴에 부모라는 것이 아직 응어리가 남아 있는 건지 모르겠다.

그래서 나는 아들이나 당신에게 소소한 것도 챙겨주고 싶었다.

무엇이 맞고 틀렸다고 꼭 찍어서 결론을 내릴 수는 없지만, 나로 인하여 서로가 불편하면 안 된다는 것이 나의 결론이다. 내 생각과 당신 생각이 늘 같을 수는 없겠지만 항상 떨어져서 객지 생활을 하다 보니 가끔 만나보면 나만 바쁘고 조급한 것 같다. 이제 한 발짝 뒤에서 지켜보도록 노력할 것이다. 이번 빼빼로데이도 챙겨주질 못해 미안하다. 잠시 나가서 빼빼로를 사서 택배로 보낼까 생각했는데 빼빼로데이의 좋지 않은 기억을 대신해 쓸데없는 긴 글만 보낸다.

내가 이 세상을 떠날 때까지 당신을 지켜줄 수 없지만, 당신과 함께 할 하느님만 믿고 따른 것에 상처받아 하느님을 원망하며 하느님 품에서 떠나는 어리석은 일이 없길 바란다. 언젠가 이 세상에 내가 없을 때 꿋꿋하게 상처받지 말고 떳떳하게 어깨 펴고 씩씩하게 살아가길 바란다. 당신은 그렇게 살아도 되는 자격이 있다.

어릴 때는 맏딸로서 가족들을 위해 당신의 꿈을 접었고, 결혼해서는 큰살림과 모진 시어머니의 시집살이를 했다. 사업하는 남편 뒤치다꺼리하며 큰살림 집안이 무너지고 남편은 사업 망한 어려운 환경 속에서 자식 농사 잘 지은 현모양처이기에 이 세상에 내가 없어도 기 눌리지 말고 떳떳하게 어깨 펴고 살아가길 바란다.

나는 성공한 사람이다.

"나는 성공했다?" 큰 병원 입원 한번 안 해보았고 겨울철 방에 보일러 안 껴도 속옷 바람으로 평생 지내도 잔병치레 한번 없이 코로나19도 잘 보냈다.

"하느님은 공평한 것 같다."

망한 놈에게 건강을 선물해 주어서 이 나이까지 별 탈 없이 잘 버티어 온 것 같다. 엎친 데 덮친다고 힘들 때 건강하지 못했으면 지금까지 버티기가 힘들었을 것이다. 이렇게 건강하니"나는 성공한 사람이다."라고 감히 자신이 있게 말해본다. 다 하느님 덕분이지만….

죽음이 언제 어떻게 불시에 찾아올지 모르지만, 죽음을 여한 없이 받아들일 수 있는 이 나이까지 건강했다면 성공했다.

남들은 평소 우리 부부를 보고 미녀와 야수 또는 폭군 남편을 모시고 사는 요조숙녀 열녀인 줄 알고 있다. 하지만 나는 모든 것을 포기하고 자식과 아내를 위해 내 인생 전부를 받치고 사는 불쌍한 남자일 뿐이었다.

외적으로 생긴 것이나 언행이 직설적이라 그렇게도 생각할 수 있지만 나는 과거에도 그렇고 지금도 내 가족과 가정을 병적으로 지키려고 노력하며 내 모든 것을 희생하고 산다. 내 인생에서는 내 가족이 먼저이고 최우선으로 살아왔다. 또 그렇게 살려고 최선을 다하는 중이다. 무책임한 나의 아버지와 어머니가 남겨준 나의 상처가 대물림하지는 않아야겠다고 늘 다짐하였다. 그렇다 보니 자연스럽게 가족을 지켜야 한다는 것이 습관화되었다.

돌이켜 생각해 보면 젊은 날 돈 걱정 없이 풍요롭게 살았다는 것 이외에는 아무것도 없는 빈털터리이다.

다행히 건강하여 내 가족의 울타리가 되어 버티며 왔다. 내가 건강하지 못했다면 내 가족에게 어떤 일이 있었을지 불을 보듯 뻔했다.

앞으로 다가올 내 건강은 예측할 수 없고 또 모른다.

"건강하냐?" "건강 잘 챙겨라." 매일 인사말처럼 듣는 나이가 되었지만 어떻게 하면 건강을 잘 챙기는 것인지 아직도 모른다.

잔병치레 안 하면 하느님께 감사드리고, 큰 병 오면 정신줄 놓기 전까지 하느님 곁으로 떠날 준비를 하면 된다. 지금에 와서 현실적으로 맞지 않는 "벌써" "하필 나에게?" "할 일이 아직 남았니?" " 아직은 떠날 때가 아니다."하며 따지는 것보다 그냥 내 사랑이 필요한 가족에게 듬뿍 주면서 내 한 몸이 이 세상 떠나는 날까지 이렇게 살아야겠다.

"하루 만 더!"하고 애원하는 것보다 "여태껏 이승에서 잘 살게 해주셔서 감사합니다." 하고 이승에 미련을 버리고 떠나는 것이 건강한 삶을 살다가 하느님 곁으로 가는 것이다.

사랑은 무엇인지 아직도 모르지만, 성공은 이제 알만하다.

살아 있는 날까지 건강하게 잘 버티며 처자식을 돌보며 가정을 지켜 왔으니 나는 성공한 사람이다.

건강한 사람이 성공한 사람이라고 한다.

"나는 성공한 남자다."라고 감히 외쳐 본다.

"오늘까지 성공한 남자이기에 오늘 이승을 떠나도 이제는 이승에 미련도 없고 후회도 없다."

한 가지 아쉬운 점이 있다면 평생 건축장이로 살면서 하나뿐인 자식에게 변변한 집 한 채 못 물려 준 것이 아쉬울 따름이다. 하지만, 받은 것이 없으니 물려 줄 것이 없고 '짚신장이가 헌 신 신는다'라고 건축장이 아비를 만나 남의 집 지어주고 내 집 하나 못 챙긴 아비를 서운해하지 않았으면 하는 것이 마지막 바람이다.

가라지 (아들 바보 아들을 내려놓은 장례미사)

본당에서 슬픈 소식이 전해졌다.

교우 중에서 3살짜리 아이가 백혈병에 걸려 열심히 치료하고 교우들의 간곡한 간청에 기도에도 불구하고 하느님의 부름을 받고 하느님 곁으로 보냈다. 마지막 이별을 고 하는 어느 장례미사가 슬프지 않겠냐 마는 장례미사에 참석한 아내에게 전해 들은 이야기로는 눈물바다의 장례미사였다고 했는데 그리고 2년여가 지나 또 슬픈 소식을 전해 들었다.

6살 형이 똑같은 병으로 또 하느님의 부름을 받고 동생 곁으로 갔다고 했다. 하느님이 해도 해도 너무한다는 생각부터 들었다. 초등학교도 들어가지 못한 어린 두 형제를 다 데리고 갈 수가 있느냐며 하느님을 원망했다.

또 2년여 만에 두 아들을 다 잃은 부모는 어떻게 이 세상을 사느냐며 하느님을 원망했다. 해도 해도 너무한다고….

평생 부모님 장례미사 두 번만 참석하고 아무리 친한 사람의 장례미사도 참석하지 않고 있다. 이별을 고하는 장례미사가 싫었기 때문이다. 밤새워 고민하다 장례미사에 가기로 했다. 아내도 놀라는 눈치였다.

친한 교우 장례미사에도 참석하지 않는데 같은 본당 교우이지만 아이와 부모를 인사 한번 나누지 못한 사이라는 것을 잘 알기에 더 놀라는 것 같았다.

장례미사가 8시 30분이라 성당 가는 길, 옆에 있는 초등학교 아이들이 재잘거리며 우르르 등교하고 있다. 왜 하필 이 시간에 장례미사를 치르는지?

초등학교도 보내지 못하고 자식의 영정사진을 들고 하늘나라에 등교시키려고 온 부모는 어찌하란 것인지?

죄인처럼 성전 한구석에 자리를 잡고 6살짜리 어린 아들 영정사진을 안고 입당하는 젊은 아버지를 보는 순간 울컥했다. 아비 품을 먼저 떠난 자식 놈은 나쁜 놈이라고 치더라도 앞으로 살아갈 날이 창창하게 남은 젊은 저 아비는 슬픔과 아픔을 어찌 안고 살라는 것인지? 차마 쳐다보지 못하고 북받쳐 올라오는 눈물을 참고, 참았는데 신부님 강론 말씀이 “아직도 피어 보지도 못한 어린 자식을 하느님께서 데리고 갔습니다”

“하느님을 원망하세요. 원망하고 싶은 만큼 원망하세요”

“슬퍼하고 싶은 만큼 슬퍼하고 울고 싶은 만큼 실컷 우세요”

“그러나 먼저 떠난 아이나 하느님은 평생을 그렇게 살기를 원하지 않으실 것입니다” 라는 말에 참았던 눈물이 터져 흐르는 눈물을 막을 수가 없었다.

역시 신부님은 신부님이다.

자식을 낳지도 길러보지도 않은 신부님이 어찌 자식을 먼저 보내는 아비의 마음을 알까?

‘아버지 신부는 있어도 신부 아버지는 없다’라는 말이 맞는 것 같다.

자식이 없는 아버지는 없다. 아버지는 자식으로 인하여 모든 것을 포기하고 모든 것을 희생하고 자식이 희망이고 꿈이자 삶을 지탱하는 유일한 버팀목이다. 나도 역시 그런 아들 바보 아버지다.

20여 년 전 금전적인 문제로 부모 형제에게 배신당하고 버림을 받았을 때 삶의 밑바닥에서 하느님을 원망하고 냉담하며 아직도 부모 형제를 용서하지도 않았고 화해하지도 않았다.

몇 번인가 삶을 포기하고 극단적인 선택을 하고 싶을 때도 많았다.

그렇게 삶을 포기하고 헤매고 있을 때 나를 쳐다보는 8살짜리 아들의 맑은 눈빛이 나를 정신 차리게 하고 나를 살렸다. 나로 인하여 내 몸에서 분리되어 아내의 몸에 착상되어 열 달 만에 자기의 의사와 상관없이 이 세상에 자식이 태어났다. ‘나는 어쩌란 말이냐?’라며 원망스럽게 쳐다보는 맑은 눈빛이 부모 형제에 한 맺힌 서러움에 술에 절어 썩은 동태눈으로 변한 나의 눈을 뜨게 했다.

이후로 나의 모든 삶의 시간은 자식을 위해 맞추어져 살았다. 희생이라고는 말할 수는 없지만, 삶의 중심은 늘 아들이었다. 아들이 하고 싶은 것을 해주려고 다시 직장생활을 시작했고 제일 좋은 유명 브랜드 옷과 신발만 골라 입혔다. 초등학교 운동회 날에는 음식을 밤새워 장만하고, 방학 때마다 전국을 돌아다니며 몇 박 며칠 체험학습을 시키는 것 또한 빠진 적이 없다. 비행기를 타고 싶다고 하면 출근을 포기하고 당일치기 국내선 비행기라도 태워서 서울을 왕복했다. 극성 아버지가 바짓바람 날린다고 다른 학부모들의 원성도 많이 받았지만, 아들놈이 과학 우수 어린이로 뽑혀 과학기술부 장관상을 받아 올 때는 세상에 부러운 것이 없었다.

중학교 갈 때는 중학교 부근으로 이사를 강행하고 학교에서 면담이 있으면 내가 직접 갔다. 중학교 성적도 원하는 만큼 나와 고등학교는 기숙사가 있는 가톨릭 재단 고등학교로 보내면서 3년을 떨어져 살았다.

3년 동안 금요일은 기숙사에서 집으로 데리러 가고 일요일마다 기숙사에 데려다주는 일도 한 번도 거르지 않고 즐거운 마음으로 했다. 고등학교 2학년 때는 나 몰래 교리를 받고 세례를 받는다고 해서 기특하고 고마워서 나도 냉담을 풀었다. 자식에게 많은 것을 바라는 것은 아니다.

독립해서 평범한 가정을 이루는 것이 나의 마지막 바람인데 너무 큰 바람인가? 평범하게 사는 것이 얼마나 힘들다는 것을 직접 체험한 나지만 나의 바람이 사치가 아닌가를 장례미사 내내 되묻고 되물었다.

장례미사 내내 부모의 사랑을 다 받지 못하고 떠난 어린 두 형제를 생각했다. 2년여의 짧은 세월 동안 하늘나라로 보내는 아버지와 초등학교 운동회와 소풍도 가보지 못하고 이별을 고하는 6살짜리 아이의 관 앞에서 30년 동안 아들을 끼고 살면서 성당 구석에 앉아 눈물 몇 방울로 자식을 다시는 못 볼 곳으로 보내는 아버지를 위로했다. 마음껏 뛰어보지도 못하고 이 세상을 떠나는 6살짜리 아이에게 "하느님 품에서 마음껏 뛰어놀아"라는 말을 차마 할 수가 없어 이름마저 떠나는 아이처럼 예쁜 하늘마루 화장장에 따라갔다.

막상 따라갔지만, 화장로에 들어가는 아이를 차마 볼 수가 없어 화장장 주변을 혼자 맴돌았다. 수많은 자식이 부모보다 먼저 하느님 품으로 간다.

구의역 안전문 사이에 일하던 19살짜리 아들이 문 사이에 끼여 사망했다. 해군 청해부대 소속으로 소말리아 아덴만 부근에서 해외파병 업무를 훌륭하게 완수하고 진해 해군기지사령부로 명예롭게 복귀하던 대한민국 해군 최영함 승선했던 해군 병장 나이 22세 아들이 가족들이 지켜보는 가운데 불의의 사고로 사망을 했다. 명문대에 입학해서 군 복무 중 휴가를 나온 윤창호 아들이 부산에서 만취 운전자가 몰던 차량에 치여 22세의 꽃다운 나이로 숨졌다.

금쪽같은 내 새끼들은 말할 수 없는 사연을 안고 부모 품에서 하느님 품으로 보낸다.

돌이켜 보면 내 아들놈은 30년 동안 별 탈 없이 내 곁에 있으며 말썽 한번 부리지 않고 속 태운 적이 없다. 하나뿐인 아들이지만 곧잘 애교 부리며 딸 역할까지 해준다. 객지에서 아버지가 고생한다고 몇 달 만에 집에 오면 안아 주면서 반갑게 맞이해주고 객지로 떠날 때면 차까지 따라 나와 백미러로 뒤돌아보면 차가 보이지 않을 때까지 손을 흔들며 배웅한다.

자식을 아버지보다 먼저 하느님 품으로 보내는 아버지들 앞에 나는 죄인 된다. 평범하게 살아가라, 아비같이 살지 말라는 빌미로, 아들에게 내 모든 것 바친다는 것으로 아들에게 내 꿈과 희망을 대리만족하려고 기대하지는 않는지?

나는 아들에게 밀알일까? 아니면 가라지일까? 나 자신에게 되묻게 된다.

어느 신부님이 말씀이 '밀알은 사랑이요' '가라지는 집착'이라고 했다. '있으면 좋고 없어도 괜찮은 것이 사랑'이고'있으면 너무 좋아서 없으면 못 살 것 같다는 것이 집착'이라고 했다.

나는 가라지였다.

돈 때문에 부모 형제에게 배신당하고 삶의 밑바닥에서 하나뿐인 아들 반듯하게 키워 아들을 앞장세워 그 사람들을 찾아가는 것이 나의 복수이고 마지막 희망이었다. 그래서 아들이 좌절했을 때 나도 좌절했고 아들이 힘들어할 때 나도 힘들어했다. 아들이 나의 부모, 형제 복수의 도구이자 나의 유일한 희망과 꿈인 가라지였다.

6살 아이 아버지는 화장로에서 아이를 태우고 나는 내 입에 물고 있는 담배 연기와 함께 20여 년 동안 가슴 깊숙이 품고 살았던 내 가라지를 태웠다. 6살 아이는 이 세상을 떠나는 데도 시간이 그리 오래 걸리지 않았다.

한 시간여 만에 아이는 뼛가루가 되어 작은 항아리에 담겨 다시 아버지의 품에 안겼다. 멀리서 바라보며 아직은 남아 있을 아이의 온기를 머금은 작은 항아리를 안은 아이 아버지에게 내 마음을 전한다.

“삶을 포기하고 싶을 만큼 힘들고 고통스럽지만 가라지 아버지가 되지 말고 밀알 아버지가 되시라”라고 ‘있으면 좋고 없어도 그만’인 그런 밀알 아버지가 같이 되어 보자고 그러나 차마 “하느님을 원망하지 말라”라는 말은 전하지 못했다.

앞으로 또래의 아이를 볼 때마다 하느님마저 원망하지 않고는 도저히 살 수 없다는 것을 누구보다 더 잘 알기 때문이다.

저녁에 아들과 소주 한잔하고 싶었지만 포기했다.

곁에 있는 아들과 소주 한잔하는 것이 2여 년 동안 아들 둘을 하느님 품으로 보낸 아버지에게 죄인이 될 같았다. 또한 취업 준비하는 아들에게 가라지 아버지가 될 것 같아서 혼자서 소주잔을 기울이면서 간절하고 간곡하게 하느님께 부탁드렸다.

내 장례미사를 아들이 지내 줄 수 있게만 해주신다면 그동안 하느님을 원망한 것에 대한 용서를 빌면서 언제든지 하느님이 부르시면 “왜 벌써 저를 데리고 가십니까?” 하며 묻지도 따지지도 않고 감사한 마음으로 하느님 곁으로 가겠다고 간절하고 간곡히 기도드렸다.

* 가라지
명사 [식물] 볏과에 속한 한해살이풀. 밭에서 자라며 강아지풀과 외형이 비슷하다 벼가 자라면서 피(가라지)도 함께 자라서 분간이 되지 않았다

잊고 사는 두 가지

만약 공기가 없으면 단 몇 분도 견디지 못하고 죽을 것이다.

물의 귀중함도 잊고 산다. 하찮아 보이지만 없으면 단 하루도 살 수 없는 것들을 잊고 사는 것이 무수히 많다. 늘 옆에 존재하고 있기 때문이다.

잊고 살면 불편함도 모르고 불편함을 모르면 잊고 사는 것이다.

'열 손가락 물어서 안 아픈 손가락이 없다'라는 옛말이 부모가 자식을 향한 사랑의 표현이다. 그런데 요즘은 손가락이 한둘밖에 없어 아픔을 떠나 이제는 나의 생명이고, 모든 것이 되어버렸다.

'가지 많은 나무에 바람 잘 날 없다'라고 하는데 이제는 하나, 둘 밖에 없는 가지는 무조건 사수하고 지켜야 한다.

요즘은 자식이 열 명이 되면 TV에 출연한다.

경주 양남의 흥부 가족, 구미에 목사님 가족처럼 인간 시대 등 전국 방송에 며칠씩 이슈처럼 방송에 나온다. 셋째 자식을 낳으면 부의 상징이라고도 한다. 그러나 조금만 세월을 거슬러 올라가면 여섯 일곱 명의 형제는 보통이고, 달랑 두 자식만 있는 가정은 동네에서 이상하게 생각하고 수군거리곤 했다.

나는 초등학교 때 한 학급의 학생이 80명 이상이었다. 그것도 모자라 오전, 오후반으로 갈라서 수업하였다. 이제는 학급당 평균이 30명 이하란다. 아이가 태어나도 빨래걸이에 면 기저귀는 사라진 지 오래고 일회용 기저귀가 당연하다. 이제는 소중한 자식이 아니고 귀중한 자식이다. 하나, 둘밖에 없는 자식에게 무엇을 못 해주겠는가? 내 목숨보다 귀한 이 자식을 어떻게 키웠는가? 자식이 태어나 단 하루라도 엄마의 손이 가지 않으면 생존할 수가 없다.

내가 먹고 싶은 것 안 먹어도 자식 잘 먹는 것은 자식 숟가락 위에 올려놓아야 내 마음이 편하다. 나는 구멍 난 속옷을 입어도 자식 속옷은 면 100%에 새 옷을 삶아서 입히고 내 방 보일러 밸브 잠가서 자식 방 보일러 밸브 다 열어 주어야 잠자리가 편하다. 열이 조금만 나면 병원 응급실로 달려가 생사를 넘나드는 환자가 옆에 있어도 내 자식을 먼저 진찰해 달라고 의사와 간호사를 붙잡고 애걸복걸한다.

유치원 1박 2일 캠프를 보내 놓고 우리 아이 잘 노느냐? 잠은 잘 자냐?

유치원 선생님께 몇 번을 전화해서 귀찮게 하고, 초등학교 수학여행 보내 놓고 도착시간 1시간 전에 가서 버스만 오면 내 아이가 탄 버스인가 고개 내민다. 기다리다 씩씩하게 버스에서 내린 놈을 붙잡고 전쟁터나 갔다 온 것처럼 밥은 뭐 먹고? 잠은 잘 자고? 피곤하지는 않으냐? 어디 어디 구경 잘했냐?

하룻밤 떨어져 잤는데 수십 년 만에 모자 상봉하는 것처럼 자식은 별일 아닌데 부모가 얼마나 호들갑을 떨었나?

'품 안에 자식' 부모가 잊고 사는 말이다. 자식은 떠난다는 것을 잊고 산다. 자식은 언젠가는 떠난다. 아니 떠나보내야 한다. 어차피 떠나보내야 할 자식 조금 빨리 떼어놓는데 웬 호들갑이냐고 마음속으로 몇 번이고 다짐했지만 돌이켜보면 괜한 걱정과 아픔이었다. 어차피 평생을 내 품에서 키우지 못할 것이 당연한 것을 새삼스럽게 마음 아파했다.

때가 되면 자식이 부모의 곁을 떠나는 것이 효도다. 결코 부모 곁에서 떠나지 못하고 부모 주위를 돌기만 한다면 그것이 불효다. 그것을 잊고 있었기에 부모 마음이 아플 뿐이다. 더 넓고 큰 곳으로 내보내는 것은 모든 부모가 원하는 것이 아닌가? 그래서 노력했고, 지금도 자식에게 내 인생의 모든 것을 올인하고 있다.

부모는 그것을 잊고 살기에 자식 떼어 놓으며 가슴앓이를 한다.

그런데 왜 자식을 떼어 놓을 때 가슴이 아플까?

우리가 지금 잊고 사는 것 두 가지!

자식은 떠나보내야 한다. 떠난 자식은 부모의 마음을 잊고 산다.

그리고 부모는 언젠가는 자식보다 먼저 떠나야 한다.

부모는 자식을 잊고 살 수 없지만, 자식은 부모를 잊고 살 수 있다.

50년을 피운 담배를 끊는 이유?

하루에 두 갑 이상 피운 골초가 50년 동안 피운 담배를 하루아침에 끊었다. 나 자신을 돌아보니 남들은 담배를 백해무익하다고 말하지만, 슬프고 힘들 때 의지하고 담배 한 모금으로 위로받고 이제까지 살아왔는데 인제 와서 왜냐고 묻는다. 세상 살면서 유일한 낙이고 힘들 때 의지를 많이 했다. 건강 때문은 아니다.

처음 담배를 배운 시절에는 나보다 나이 많은 분 앞에서 담배 예의를 갖추어 맞담배를 피우지 않으면 아무런 제약이 없었다. 대통령도 담배를 피웠고 청와대에도 금연 구역이라는 것이 없었다. 비행기, 지하철, 고속버스, 하물며 시내버스, 택시 안에서도 담배를 피웠다. 물론, 세월이 변했다고 하지만 요즘은 내 집에서도 못 피운다.

4,500원짜리 일반담배 세금은 3,323원 74%가 세금이다.

상속세 50%, 증여세 30%, 로또복권 당첨 세금도 30%인데 담뱃세는 74%의 세금을 징수하면서 납세자에게는 아무것도 해주지 않는다. 정부가 국민 건강을 명분으로 담배에 붙는 세금을 대폭 인상했기 때문이다. 2015년 2,500원짜리 담배가 하루아침에 4,500원으로 인상되었다. 두 갑 살 돈으로 한 갑밖에 못 사게 되었다.

아이러니하게도 박근혜 정부는 부족한 세수를 국민 건강 명목으로 2년 동안(2015~2016년) 9조 원가량의 세수를 더 징수했다. 당사자가 교도소에 있는 동안 문재인 정부는 5년간(2017~2021년) 22조 원이 넘는 세수를 추가로 확보할 수 있었다. 우리나라 전체 근로자가 낸 소득세가 2017년 34조 원이었다. 비교하는 것은 의미가 없지만 고단한 삶의 위로의 도구인 기호품으로 막대한 세금을 거두어들이는 것이다.

소주 한 병의 세금은 정확히 703원이다. 국민 건강 명목으로 소주의 세금을 3,300원 정도로 올려보면 국민 건강? 술, 담배 중 어느 것이 더 건강을 해칠까 '또찐개찐('도긴개긴'의 비표준어)이다.

담배 한 갑을 피우면 1년 약 120만 원의 세금을 내야 한다. 우리나라 근로자 중 근로소득세를 120만 원 이상 내는 근로자는 연 소득이 4,500만 원 이상 되어야 하는데 2019년 근로자 평균 연봉 3,744만 원이다.

9억짜리 아파트를 가지고 있는 사람이 세금 많다고 하는 1년 재산세가 120만 원가량이다. 평생 엄청난 세금을 내면서 사람대접 못 받고 정부 곳간을 채우는데 50년간 충견의 역할을 한 것이 억울했다.

남들과 가족도 모두 싫어하는 담배에 나 자신은 너무 의지하며 살았다. 그리고 더 심각한 것은 내가 경제력을 상실했을 때 담배 중독자의 초라한 모습이 떠올라 담배를 끊었다.

며칠째 금연 중인데 힘들다.

온종일 머리에는 담배 생각뿐이다. 아침에 일어나 담배를 한 대 안 피우고 하루를 시작하는 것은 나에게는 상상도 못 할 일인데 그 일을 지금 내가 하고 있다. 오직 나 자신과의 싸움이다. 후회스럽기도 하다.

살면 얼마나 산다고 이 나이에 이 고통을 감수해야 하는지 의문도 든다. 하지만 늙어가면서 담배 때문에 가족과 주변 사람들에게 추한 모습을 보이지 않겠다는 의지 하나로 도전을 해본다. 실패를 할 수도 있겠지만 나의 마지막 도전이고 내 인생사에서 제일 힘든 도전이다.

하루하루 사는 것이 모두 다 도전이다.

죽고 싶을 만큼 힘들 때도 담배에 의지하고 술 한 잔으로 위로받으며 버텼는데 이제는 순전히 나와 의지력 싸움이다.

승리할지 패배를 할지 나도 모른다.

주위에서는 실패할 수 있는 여건이 많다. 그렇지만, 도전하는 것은 얼마 남지 않은 인생 더 이상 담배로 인하여 추한 모습 보이기 싫어서다.

더 슬픈 일은 나의 경제력이 상실되었을 때 담뱃값을 줄 사람이 아무도 없을 것이다.

그때도 담배를 피우고 싶으면 진짜 추한 짓을 할 것 같아 능력 될 때 멋지게 이별을 고하고 싶다. 오십 년을 하루도 빠짐없이 열렬히 사랑한 연초라는 애연과 이렇게 힘든 이별의 아픔을 겪고 있다. 이렇게 힘든 시간이 지나 사랑하는 나의 연초와 멋진 이별이었다고 스스로 칭찬했으면 좋겠다.

또한 얼마 남지 않은 노후를 대비해야 한다. 노후에는 모든 것이 가볍고 자유스러워야 한다. 그래야 노후생활이 편할 것 같다. 담배에 구속되면 추하고 볼품없어지고, 돈에 구속되면 죽을 때까지 궁핍하게 살 것이고, 자식에게 구속되면 죽을 때까지 자식 뒷바라지 하다가 버림받을 것이다.

그래서 이번에 기회가 될 때마다 하나씩 벗어나려고 한다. 그나마 얼마 남지 않은 노후의 삶에 도움이 될 것 같기 때문이다.

진짜인지 가짜인지 결론은 나지 않았지만 전해지는 이야기로 2009년 5월 23일"담배 있는가?""없습니다. 가져올까요?" "아니 됐네…"노무현 전 대통령이 봉하마을 부엉이바위에서 투신 직전 뒤를 따르던 경호관과 나누던 대화다.

'먼 길'을 떠나기 위해 이미 마음의 준비를 마치고 사저를 나섰던 노 전 대통령은 담배 연기에 이승의 회한을 사르고 작별하려 했음 직하다. 노 전 대통령과 비교할 바는 아니지만 나도 이승을 떠날 때가 되면 더럽지만 끊었던 담배를 다시 피우고 이승에 회한을 다 사르고 미련 없이 작별을 고할 것이다.

조선시대 27명의 왕 그리고 중국의 진시황제도 부럽지 않다

태정태세문단세/
예성연중인명선/
광인효현숙경영/
정순헌철고순

국사 시간에 무조건 외워야 했던 조선 27대 왕이다.

조선시대 임금이 승하한 후 27개월이 지나면 왕의 신위를 종묘에 모셔 오는데 이때 종묘에서 부르는 호칭인 묘호가 정해졌다. '조'는 공으로 평가, 왕조를 새로 세우거나 무질서와 혼란을 극복하고 나라를 바로 세우는 데 노력과 수고가 많았을 때 경우 (태조, 세조, 선조, 인조, 영조, 정조, 순조)이다. '종'은 덕으로 평가 앞선 임금들의 좋은 통치 이념을 이어받아 나라를 태평성대로 다스린 경우 (정종, 태종, 세종, 문종, 단종, 예종, 성종, 중종, 인종, 명종, 효종, 현종, 숙종, 경종, 헌종, 철종, 고종, 순종)이다. 부자간 왕을 계승한 임금은 "종"자를, 쫓겨난 왕은 "조","종"을 붙이지 않고 "군"자를 붙였다.

묘호가 무엇인지도 모르고 태정태세문단세/ 예성연중인명선/ 광인효현숙 경영/정순헌철고순/을 무조건 외웠다. 그런데 세월이 지나 조선왕들의 수명을 보니 조선왕이 부러울 것이 하나도 없다. 27명의 조선왕 중에서 60세를 넘긴 왕은 6명 중 70세, 80세를 넘긴 왕은 1대 태조 74세, 21대 영조 83세로 2명이 유일하다. 나는 60세 중반을 넘겼으니 조선왕이 부럽지 않다.

2020년 통계청 자료에 의하면 남자가 65세까지 생존 확률은 1970년 47.7% 1999년 74.2% 2009년 83.5% 2020년 88.6%라고 한다. 11.4%는 나보다 먼저 죽었다. 세월이 좋아져서 88.6% 안에서 살지만, 1970년 같으면 나도 죽었을 것 같다. 65세까지 살 확률이 반도 안 되는 47.7% 안에 들어갈 자신이 없기 때문이다.

나하고 동갑인 박원순 서울시장은 64세에 노회찬 전 의원은 62세에 자의에 의해 저

세상으로 갔다. 야구선수 장효조는 55세에 최동원은 53세에 생을 마감했다. 깡패에서 국회의원을 지내며 천하를 호령하던 김두한도 55세에 코미디언에서 국회의원을 지냈던 이주일도 폐암으로 62세에 생을 마감했다.

삶과 생존을 확률에 비교할 것은 아니지만 65세까지 무탈하게 산다는 것도 쉽지 않은 일이다.

광개토대왕 38세, 화가 빈센트 반 고흐 37세, 세계적인 음악가 슈베르트 31세, 모차르트 35세, 알렉산더 대왕 33세 안중근 의사 32세, 윤봉길 의사 25세, 민주열사 전태일 23세 유관순, 잔다르크는 19세에 생을 마감했다. 죽지 않으려고 불로초를 찾아 전 세계 뒤져 좋은 것만 먹은 진시황제도 50세를 넘기지 못하고 49세에 죽었다. 나는 진시황제보다 15년을 더 살았으니 진시황제도 부럽지 않다.

부모님도 영조 왕보다 2년을 더 사시다 돌아가셨다. 부모님께 효도한 것은 없지만, 돌아가실 때까지 요양원에 보내지 않고 돌봐드리고 내 손으로 장례를 치렀다. 원하시던 가톨릭 공원묘원에 모셨고 제사 한번 거르지 않고 지금까지 모시고 있으니, 그래도 불효막심한 놈은 아닌 것 같다.

장인·장모님도 조선왕 중 제일 장수한 영조 왕보다 더 오래 사시고 계시니 더 이상 바랄 것이 없다. 살아생전 자주 찾아뵙고 환갑이 지난 사위지만 장인·장모님 앞에서 재롱이라도 자주 부려야겠다.

돌이켜 보면 어른들 말로 "건강하면 더 이상 바랄 것이 없다."라는 말이 점점 실감 나게 가까이 다가온다.

"건강이 최고다."

"건강을 잃으면 모든 것을 잃는 것이다."라고 할 때 "돈 없이 오래 살면 뭐 하냐?"라는 반감도 있었다.

경제력과 자금도 있으면서 건강하게 노후를 보낼 수 있다면 금상첨화겠지만 건강과 노후 자금 중 하나를 선택하라고 하면 나는 건강을 선택할 것이다. 노후 자금이 있어도 대소변을 못 가리면 인생은 끝이다.

대소변을 가리고 마음대로 움직여도 정신줄을 놓는 순간 인생은 끝이다.

건강을 잃으면 처자식에게 버림받고 이사회에서 도태되는 것이 지금의 현실이다. 몸과 마음을 바쳐 평생 처자식을 먹여 살렸지만, 건강을 잃은 아버지와 남편을 부양해달라고 부탁을 할 수도 없고, 부양하지 않는다고 원망조차 할 수 없는 현실을 받아들여야 한다.

그래서 65세까지 별 탈 없이 살아온 것에 감사하고 하느님께서 부르시면 미련 두지 않고 하느님 곁으로 갈 마음의 준비를 늘 하고 있다. 혹시라도 잊을까 하여 "지금 떠나도 잘 살다 떠나니 후회와 미련이 없다"라는 말을 되새기고 싶다.

2025년 12월 28일 일요일 전에 떠나면 아내 환갑잔치는 못 차려주고 떠나서 아쉬움이 남을 것이다. 하지만, 대소변 가려줘야 하는 남편보다는 65세까지 자식이 독립할 수 있도록 다 키워주고 별 탈 없이 잘 살다 떠나는 남편을 멋지게 생각할 것 같다.

내 생각이….

세월 앞에는 다 똑같다.

잘난 여자도 예쁜 여자 앞에서는 꼼짝 못 하고
예쁜 여자는 시집 잘 간 여자 앞에서는 꼼짝 못 하고
시집 잘 간 여자는 자식 잘 둔 여자 앞에서는 꼼짝 못 하고
자식 잘 둔 여자는 건강한 여자 앞에서 꼼짝 못 하고
건강한 여자도 세월 앞에서는 꼼짝 못 한다는 말이 있다.

사십 대에는 배운 사람이나 못 배운 사람이나 똑같고
오십 대에는 잘난 사람이나 못난 사람이나 똑같고
육십 대에는 자식 잘 둔 사람이나 못 둔 사람이나 똑같고
칠십 대에는 부부가 같이 사는 사람이나 혼자 사는 사람이나 똑같고
팔십 대에는 돈 많은 사람이나 돈 없는 사람이나 똑같고
구십 대에는 집에 누워있는 사람이나 산소에 누운 사람이나 다 똑같다고 한다.

한 살 한 살 더 나이 들어감에 인생무상이요.
환갑을 지내고 인생이 무언지 조금 알 것 같고 칠십을 얼마 앞두고 인생이 별것 아니라고 절실히 느낀다.
군자와 위인들의 말씀이 옳은 말씀이지만, 세월이 지나고 막상 내 삶을 정리 할 때는 그 말씀이 옳다는 것을 새롭게 느끼고 깨우친다.

이미 남은 시간은 얼마 남지 않았고 늦었다는 것을 후회할 뿐이다.

나보다 먼저 이 세상을 떠난 그대에게

세상일은 알 수 없고 특히 사람의 수명은 알 수가 없다.

"오는데 순서가 있어도 가는데 순서는 없다."라는 말이 맞는 말이다. 나 역시 언제 가는 이 세상과 하직해야 하지만 나보다 나이가 적은 사람을 먼저 저승으로 보낼 때는 며칠 동안 가슴앓이를 한다.

가족이나 친척이면 더 가슴이 아프겠지만 아직은 가까운 친척이나 가족 중에서 그런 슬픈 일을 당하지 않아 다행이지만, 사회생활을 하면서 나와 가깝게 지낸 직장동료를 저승으로 먼저 보내니 가슴이 아프다.

3년 가까이 병마와 싸우다 48세 나이로 세상을 떠났다. 성격이 밝고 모든 면에서 긍정적이던 그는 광양에서 근무할 때 나에게 많은 도움을 준 직장동료이다.

내 나이 48세 때, 세상을 원망하며 모든 것을 포기하고 싶은 유혹을 많이 받으며 인생에 꼬인 타래를 풀기 위해 발버둥 치고 있을 나이었다. 그리고 20년이 흘러 이제는 내 할 일 다 했으니 덤으로 인생을 살려고 한다.

살아보니 그렇다.

60세가 넘어야 삶이 무엇인지를 조금 알 것 같은데 내 직장동료는 이제 48세에 세상을 하직했다. 몇 년 있으면 환갑이 되는데 요즘 다 지나간다는 환갑을 치르지 못하고 뭐가 바쁘다고 백세시대 인생 반도 못 살고 갔다. 가고 싶어서 가지는 않았겠지만 조금 더 살아도 되는데 하는 아쉬움이 많은 이별이다.

직장동료였지만 가정이 있는 유부녀이다 보니 전화와 문자로만 위로를 했었다. 이성이라는 이유와 멀리 있다는 핑계로 병문안을 가보지 못했던 것이 너무도 후회스러웠다.

함께 근무할 때 그렇게 밝던 사람이 45세에 암 판정을 받고 얼마나 충격을 받았을까? 아직은 삶을 포기 할 나이가 아니었기에 희망을 가지고 기적이 일어나길 바라며 셀 수 없는 항암치료의 고통은 어떻게 참아내었을까?

안타까운 마음뿐이다.

생전에 항상 긍정적이고 밝은 모습이 지금도 그립다. 다만, 내가 할 수 있는 일이 아무것도 없어서 나이롱 신자지만 하느님께 부탁드리려 위령미사를 고인을 위해 올려 드렸다. 위령미사 내내 나보다 먼저 떠난 고인을 생각했다.

세상에서 할 일도 많고 하고 싶은 일도 많았을 것이다. 하지만, 이 세상에 미련은 눈곱만큼도 가지지 말고 아프지 않은 하느님 나라에서 잘 지내라고 기도하면서 하느님께도 기도를 드렸다. 하느님의 깊은 뜻이 있겠지만, 너무 일찍 거두어들인 고인을 하늘나라에서 잘 보살펴주시기를 간절히 기도드렸다.

위령미사 내내 제대 앞에 고인을 닮은 꽃이 있어 미사 중에 그 꽃만 바라보다가 미사를 마치고 핸드폰 카메라로 담아 나왔다. 함께 위령미사를 올린 성당 꽃꽂이회원인 아내에게 제대 앞 꽃이 고인과 닮았다며 무슨 꽃이냐? 고 물으니 백일홍이란다.

슬픈 전설을 가진 백일홍이 또 나를 슬프게 한다.

옛날 바닷가 근처에 이무기가 악행을 저질렀는데 이무기를 달래고자 예쁜 처녀를 제물로 바치게 되었다. 제물로 바칠 처녀를 사랑한 청년이 백일 후에 이무기와 싸워 다시 돌아올 것을 약속하고 길을 나섰다. 이무기와 싸워서 이기면 배에 하얀 깃발을 달고 지면 붉은 깃발을 달고 올 것이라고 하였다.

청년은 이겼지만 싸우며 튀긴 이무기 피로 인해, 하얀 깃발이 붉게 물들고, 그것을 모르는 청년은 붉은 피로 물든 깃발을 달고 돌아오게 되었다. 청년의 배를 멀리서 본 처녀는 붉게 물든 깃발을 발견하고 한없는 슬픔에 잠겨 바다에 뛰어들어 그만 자결하고 말았다.

처녀가 묻힌 무덤가에 피어난 한 송이 꽃이 바로 백일홍이라 한다.

백일홍 꽃말은'인연' '멀리 있는 친구를 그리워함' '죽은 사람을 못 잊어서 함'이고 노란색 백일홍 꽃말은'사랑하는 사람을 잊지 않겠다는 다짐'이란다.

제대 앞의 우연히 마주친 고인을 닮은 노랑 백일홍의 전설과 꽃말이 나보다 먼저 이 세상을 떠난 고인을 잊지 못하게 한다.

남자, 혼자 죽다

이제 막 추석을 벗어나니 아침 저녁으로 제법 쌀쌀하다.

가족의 품을 떠나 생업 전선으로 돌아왔다. 돌아오고 싶지 않은 곳이지만 가족이라는 짐을 짊어진 무거운 발걸음을 옮겨야만 했다. 당연한 일이고 그렇게 살아야 하지만 요즘 들어 늦게 찾아온 갱년기인지 많은 생각을 하게 한다.

돌아오는 고속도로는 생각보다 한산했지만 3시간 가량의 운전은 힘들었다. 7080 음악도 크게 틀고, 담배도 연신 피우며 차창을 모두 열어 내 마음을 다잡아 보려고 했지만 혼란한 마음을 잡기는 쉽지 않았다.

"당연한 일인데." 하면서도 서럽고 "벌써 지쳤나?" 하기에는 아직 내 손이 필요한 대학 1학년짜리 아들이 생각났다. "벌써 우울증이 왔나?" 하기에는 내 성격이 그렇게 비관적인 것은 아닌 것 같다. 여러 가지 말도 안 되는 생각으로 숙소에 도착해 습관처럼 TV를 보다가 채널A에서 다큐멘터리 스페셜로 "남자, 혼자 죽는다"라는 제목의 프로그램이 나의 눈을 멈추게 했다. 채널A '다큐멘터리 스페셜 남자, 혼자 죽는다.'라는 프로그램에서는 서울 지역에 안치된 무연고 사망자들의 의문의 죽음에 관한 다큐멘터리 프로그램이다.

2012년 5월부터 2014년 5월까지 서울 지역 각 구청에 게시된 무연고 사망자 공고문을 분석한 결과 총 204명 중 남자가 191명이었다. 무연고 사망자 중 90% 이상이 남자인 것이다. 누군가의 아들이고 아버지였으며, 오래된 친구이고 이웃이었을 그들이 소리 없이 혼자 죽고 있었다.

도대체 무슨 이유로 남자들은 처절한 고독 속에서 죽음을 맞이하는 것일까? 하는 의문점을 가지고 이 프로그램을 제작하였다고 한다.

기부가 일상이었던 자산가, 돈 잘 버는 목수, 기업의 CEO, 요리사의 공통점은'무연고 사망자'라는 점이다. 무연고 사망자 명단에서 압도적 비중을 차지하는 남성들이 왜 혼자 죽게 됐는지 그 사연을 5개월간 추적을 했다.

이들은 처음부터 혼자가 아니었다.

공통점은 이것이다.

갑자기 찾아온 가난에 힘들어도 말 못 하는 성격, 가장의 책임이라는 것이 매우 크다 보니 힘들어도 자존심 때문에 말도 못 한다. 그렇다 보니 삶의 위기가 왔을 때 이것을 극복해나갈 방법을 모른다는 것이다.

처음에는 왜 저럴까? 하는 생각이었다.

최소한 "가족이라면 장례 정도는 치러줘야 하는 것이 아닌가?"라는 생각에 이해할 수 없었지만, 사연 속에는 또 그럴 만한 이유가 있었다.

잘나갈 때는 가족들에게 무심하더니 형편이 기울어지니 가족을 다시 찾는다는 것이다. 자신을 키워주신 할머니 장례식에도 오지 않을 정도로 무심했던 기업 CEO는 사업이 기울기 시작하니 다시 가족을 찾았다는 것이다.

그러니 버림받을 수도 있겠다고 생각했다.

그러나 목수였던 한 사람은 어느 날 다리가 잘리는 사고를 당하면서 더 이상 일을 할 수 없게 되면서 가정 형편이 크게 기울어져 이혼했다.

이 남자는 노숙자가 되었고, 가정이 붕괴하니 삶의 의지를 잃었다. 여러 이웃이 도와주려고 해도 이 남자는 그저 한순간을 술로 때우며 죽음을 맞이하고 아무도 이 남자의 시신을 거두려 하지 않았다고 한다.

가족이라면 이런 위기를 함께 헤쳐 나가야 하는 것 아닌가?

이런 생각들이 계속 들었다.

먹고 살 만할 때만 가족이라면, 이것이 가족인가?

남자는 경제력이 상실되면 가족에게 버림받는다.

가족은 가장에게만 책임의 짐을 지운다.

한 시간가량을 눈을 떼지 못하고 보고 있노라니 어쩌면 언젠가는 나도 저렇게 이 세상을 떠날 수 있다는 생각이 내 영혼을 다 빼앗아 가버렸다.

나는 이승을 떠나는 준비를 차곡차곡 미리 하고 있다. 이승에는 미련이 없기에 더 철저히 떠날 준비를 하고 있다.

다만 이제 대학 1학년짜리 아들 녀석 때문에 늘 이렇게 기도한다.

이 세상에 저를 보내주신 하느님!

이 세상에서 서럽고 억울한 일도 많이 당했지만 원망하지 않습니다. 하느님 뜻대로 살지는 못했지만 남을 해치거나 남의 것을 탐하지 않고 살았습니다. 하느님이 부르시면 당당하게 하느님 곁으로 갈 수 있을 것 같습니다. 그러나 하느님이 보내주신 이승에서 추하게 미련을 가지고 오래 살고 싶지도 않습니다. 하느님이 주신 환경 속에서 하느님 뜻대로 살지는 못했지만, 하느님께 등 돌리지 않은 행동은 하지 않고 잘 살아왔다고 생각합니다.

삶이 힘들 때 하느님 곁으로 가고 싶을 때도 많았습니다.

그럴 때마다 하느님 뜻대로 여기까지 버티어 왔습니다.

추호의 거짓 없이 맑은 양심으로 말씀드리지만 저는 하느님이 보낸 이 속세에 미련이 없고 죽음에 대한 두려움도 없습니다. 제가 하느님의 뜻대로 이 속세에 보내졌기에 또한 저를 하느님의 뜻대로 거두어들이는 것이 당연한 일이라고 생각합니다. 그렇기에 하느님이 저를 거두어들여도 원망하거나 저의 남은 생에 대한 애착이나 미련을 가지고 하느님께 남은 삶을 구걸하지 않겠습니다. 다만 바람이 있다면 하느님이 보냈기에 아무 이유 없이 이 세상에 태어났듯 저의 아들놈도 저로 인하여 아무 이유 없이 이 세상에 태어났습니다. 아비로서 이 세상 모든 것을 자식에게 해주고 싶고 새로운 짝 맞이하는 것을 보고 싶고 싶습니다. 평생 건축장이로 살아온 아비로서 자식 부부 둘이 알콩달콩 살아갈 예쁘고 아담한 집 한 채 지어주고 싶었지만 어리석은 저의 욕심이라 다 포기하였습니다. 다만 자식놈 대학은 내 손으로 졸업을 시켜주는 것이 작은 마지막 소원입니다.

이제 얼마 남지 않았습니다.

제 아들놈이 대학교를 졸업하고 나면, 언제든지 감사한 마음을 가지고 하느님 곁으로 가겠습니다. 그때까지 하느님이 저를 불쌍히 여기사 저의 간절하고 간곡한 기도를 들어주시기를 바랍니다.

아멘.

다시 돌아오지 못할 늘 똑같은 일상생활

늘 무심하게 지나쳤던 주위 사람이나 장소와 소재들을 막상 영원히 다시 볼 수 없다고 생각하면 더 애틋하고 많이 아쉬울 것이다. 현제는 다음을 기약하는 이별이지만 언젠가는 영영 돌아올 수 없는 이별을 해야 할 때가 얼마 남지 않았다. 그때를 아쉬워하지 않으려면 지금부터 하루, 하루를 열심히 살아야겠다.

항상 모범적으로 살 수는 없겠지만 조금이라도 나의 나태한 삶을 추스르고 있다. 바른길을 벗어나지 않은 삶을 추구하지만 한 번씩은 나 자신까지 희생하면서 사는 내 모습이 조금 답답할 때도 있다.

그 삶이 진정 나의 행복이라면 한번은 여유를 가져 볼 수 있지만 벗어나는 길이 아니라면 조금은 옆길로 돌아가는 여유도 부려보고 싶다. 양심에 대해 고민을 할 때 한번은 미친 척 덮어도 보고 사는 것이 인생이다. 하지만 내가 이 세상에서 잘 살았는지는 숨을 거두기 전에는 알 수가 없다. 이 세상의 삶을 잘 살았는지는 마지막 숨을 거두면서 이 세상에 미련이 없고 후회하는 일이 없으면 이 세상에서 삶을 잘살고 가는 것이다. 남이 나를 평가하는 것보다 스스로가 내 삶을 돌아봤을 때, 후회 없고 미련이 없으면 이승에서 잘 살다 저승으로 잘 가는 것으로 생각한다.

어쩌면 내 가족을 위해 나의 모든 것을 포기하고 그들의 삶을 지켜주다가 내가 떠날 때 "내가 왜 이렇게 살았지" 하면서 후회할까 두렵다.

마음은 늘 준비가 되어 있고 때가 되면 미련을 갖지 않고 떠난다고 항상 마인드 컨트롤을 하고 있다. 하지만, 막상 떠날 날이 다가오는 나이에 다가서니 자꾸 자신이 없어진다.

그러나 어찌하랴!

가라면 가야지 가족의 생계가 볼모가 된 이 상황에 조그마한 생각도 할 수 없는 지금의 현실에 가족을 굶기지 않고 입에 풀칠이라도 할 수 있는 것에 감사한다. 가족을 위해 처절하고 눈물겨운 생존경쟁의 싸움을 하면서 가정을 지키려는 반복되는 일상생활로 다시 돌아오지 못 하리라는 것도 잊은 채 똑같은 일상을 맞이한다.

백두 살 장례식과 예순두 살 장례식

몇 년 동안 코로나로 인하여 대면 문상을 하지 않았지만 가까운 친척이라 대면 문상을 다녀왔다.

백두 살까지 장수하시고 돌아가신 분은 친척 작은 어머님이시다. 큰아들이 팔십삼 세이신 집안 제일 큰형님은 아직도 정정하셔서 장례를 잘 치렀다.

자식이 아들 넷, 딸 둘을 두어 다 고만고만 다 잘 산다.

그런데 작은 어머님은 잘된 자식을 마다하고 여든 살에 요양원으로 직접 걸어 들어가셔서 20여 년을 사시다가 요양원에서 돌아가셨다.

예순두 살에 돌아가신 분은 장조카 장인어른이시다.

상견례 때 처음 만났고 조카결혼식에서 두 번째 뵈었는데 1월에 둘째 딸 결혼식 날을 잡아 놓고 10월에 돌아가셨다. 1월에 만나 인사드리려고 했는데 사돈지간이 멀기는 먼 모양이다.

경북 상주에 계시고 나는 경주에 있어서 경주로 초대는 했지만 시간 될 때 오신다고 약속만 하고 멀지 않은 곳에 있으면서 회 한번 대접 못 한 것이 또 아쉬움으로 남는다. 상견례 때, 간이 좋지 않아서 고생하신다는 말은 전해 들었지만 끝내 간의 독인 술을 끊지 못하고 돌아가셨다.

딸 둘, 아들 하나인데 첫째 딸은 내 조카며느리고 둘째 딸은 1월에 결혼 날짜를 잡아 놓았고, 막내는 이제 군대를 전역한 스물다섯 아들이 상주였다.

작은어머니 상주는 여든세 살에 다른 아들만 세 명이 더 있고 사돈어른 상주는 아직 장가도 안 간 스물다섯 아들이 상주석에서 나하고 맞절을 했다. 아들보다 한참 어린 스물다섯 상주에게 어떤 위로의 말을 전할 수가 없어서 그냥 아무 말도 전하지 못했다.

몇 년 전부터 간이 좋지 않으니 주위에서 담배와 술을 멀리하고 건강 관리를 하시라고 걱정과 권유를 받았지만 끝내 주위에 만류에도 불구하고 먼저 저세상으로 가셨다. 술과 담배를 끊지 않으셔서 가족들이 걱정을 많이 하고 술과 담배를 끊었으면 조금 더 살아 계셨을 것이라며 아쉬워했다.

어쩌면 무책임한 사람이라고 처자식이 원망도 할 수 있겠지만 가족들도 한번은 가장의 처지에서 생각해 주었으면 하는 것이 나의 생각이다.

주위 사람들을 보면 간이라는 것이 한번 병 들면 돌이킬 수가 없다. 시골에서 삼성 서울병원까지 갈 정도면 이식을 해야 할 정도로 심각했으리라고 생각이 된다. 간이 아프면 거의 끝이라고 생각한다.

물론 간경변이 오기 전, 초기 정기검진으로 간 수치가 조금 높을 때 약으로 치료가 될 수 있을지 모르겠지만 진단이 나왔다면 거의 끝이라고 보면 된다. 간이 정상으로 돌아올 틈조차 없이 병 들었다면, 재생력 또한 약화하기 때문에 재생되는 속도보다 병들어가는 속도가 더 빨라져서 간 이식 수술받지 않으면 완치될 수가 없다.

사돈도 나처럼 간 이식 외에는 방법이 없다는 것을 인식했을 것으로 생각한다. 바깥사돈도 나와 같은 천주교 교우라 하느님께 처음에는 살려달라고 애원하고, 내게 왜 이런 시련과 고통을 주시느냐고 하느님을 원망했을 것이다.

그러나 냉정해지고 살아있는 동안 하고 싶은 대로 하고 떠나자고 마음먹었을 것이다. 나도 사돈 처지였다면 똑같은 마음을 먹을 것이다.

바깥사돈이 누구에게 간 이식을 받고, 술을 끊지 않고 건강 관리를 하지 않았다면 바깥사돈을 이해하지 못하겠지만 나로서는 충분히 이해가 간다.

말이 좋아 간 이식이지 누가 해줄 것인가?

자식과 형제, 부모 아니면 거의 불가능하다.

신장이야 두 개이니 하나 떼어준다고 하지만 간의 반을 준다?

간을 주는 쪽이나 받는 쪽에서도 쉬운 결정은 아니다.

자식이 준다 한들 받을 수 없고, 형제지간에도 모두 다른 가정이 있는데 줄 사람 없을 것이다.

안 되는 것은 안 되는 것이다.

포기가 아니라 현실을 받아들이는 것이다.

누구나 오래 살고 싶지 않은 사람이 있겠는가?

나의 가까운 친구도 전 재산을 병원에 다 갖다 바치고 5년 만에 처자식 거지로 만들어 놓고 간암이 아닌 간경변증으로 세상을 떠났다. 공기업에서 30년 가까이 근무했으니 어느 정도는 잘 살았다. 그렇다 보니 살아야겠다는 의지 하나로 간 이식을 기다리며 좋은 병원 모두 다니고, 좋은 음식과 좋은 약을 다 먹었다. 중환자실에 들어갈 때마다 수천만 원씩을 날렸다.

하지만 간 이식을 받지 못하고 처자식에게 빚만 남긴 체 정년퇴직도 하지 못하고 오십 중반의 나이에 세상과 하직했다.

“긴병에 효자 없다는 말과 중환자 병시중 3년 안에 돌부처도 돌아선다.”라는 말이 있다. 수백 년 전부터 내려오는 속담인데 요즘은 “죽어야 끝나요”라며 긴 병에 답 없고 통계도 대책도 없는‘간병살인’비극으로 이어지기도 한다.

보건복지부가 발표한 '2022 OECD 보건 통계'에 따르면 2020년 우리나라 국민의 기대수명은 83.5년이다. 한국은 이제 장수 국가다.

그런데 그 속을 들여다보면 달라진다.

우리나라 통계청 자료를 보면 건강하게 사는 건강수명은 66.3세에 불과하다. 각종 질병을 앓는 기간이 너무 길다. 장수의 의미가 퇴색할 수밖에 없다. 단순히 오래 사는 것보다 건강수명이 더 중요하다. 몇십 년 동안 아파서 누워있다면 장수의 의미가 거의 사라진다. 기대수명은 83.5년으로 길어졌지만, 건강수명은 66.3세에 불과하여 무려 17.2년을 각종 질병으로 고생하여야 한다.

준비된 노후 자금이 있고 내 마음대로 몸을 움직일 수 있을 만큼 건강하게 오래 살아야 하지만 내 마음대로 몸을 움직이지 못하고 대소변 못 가리며, 정신을 놓는 이 세 가지 중 어느 하나라도 못 하면 끝이다.

병들면 처자식에게 짐이 된다.

그리고 이사회에서도 짐이 된다.

병들면 이 세상 누구도 돌봐주지 않는다고 생각하는 것이 현실에 맞는 말이다. 병들면 가야 할 곳은 요양원밖에 없다.

그곳에서 백 세를 살면 무슨 삶의 의미가 있겠는가?

나에게 백이 세 장례식과 육십이 세 장례를 선택하라면 미련 없이 후자를 선택할 것이다.

예순이 넘어서면 살 만큼 살았고 자식도 모두 성장을 했다.

처자식에게 백 세까지 짐이 되면서 사느니 아쉬운 것도 많고 미련이 남겠지만 자식 잘 커서 스스로 독립할 수 있을 때까지 돌봐 준 것에 감사하며, 이 세상을 하직하리라 굳게 믿고 그렇게 죽음을 맞이할 것이라고 다짐한다.

준비하지 않은 이른 이별

사랑하는 나의 며느리 수고 많았지? (편지글)

준비하지 않은 이별은 아니지만 이렇게 졸지에 빨리 이별할 줄 몰라서 실감은 나지 않을 것이다.

어쩌면 아버지가 원망스럽고 밉기도 하겠지만 장녀인 며느리가 가족을 다독거려야 할 것이다. 아무리 원망스러운 아버지라도 안 계실 때의 공백을 앞으로 많이 느낄 것이다. 말씀은 안 하셨어도 아버지도 이제까지 버티신다고 힘들었을 것이다. 너무 원망하지 말고 잘 보내 드리고 가족 잘 챙기길 바란다.

나도 힘들 때 나쁜 생각을 많이 했지만, 가장이라는 무거운 책무 때문에 여기까지 오게 되었다. 부모와의 영원한 이별이 처음에는 원망스럽지만, 시간이 지나면 아쉬움과 조금 더 챙겨 드리지 못한 후회가 남는다.

조금은 이른 이별이지만 자식들이 성인으로 성장한 모습을 보고 가셨으니 너무 아버지를 원망하지 마라. 나 역시도 아버지 입장이라면 그리했을 것이다.

얼마 전 목 안에 물혹이 생겨서 수술하라는 진단을 받았지만 1년을 버티다가 올해 초에 대구 경대병원에서 물혹을 제거하기로 했다. 수술하면서 조직 검사 결과가 악성이면 재수술을 한다고 하여 조직 검사 결과를 보러 갔다. 결과를 보러 가면서 아내에게 다짐하고 약속받았다.

설사 잘못된 결과가 나오더라도 난 수술을 받지 않을 것이라고 다짐을 했는데 다행히 결과가 좋아서 이렇게 살고 있다. 자식들 다 키워 놓았으면 자식들에게 조금은 기대어도 되는데 요즘의 현실은 자식에게 짐이 되지 않으려고 한다. 너의 아버지나 나나 똑같은 생각이었을 것이다.

이른 이별에 아직은 마음 추스르기가 많이 힘들겠지만, 아무 일 없는 것처럼 일상으로 돌아가야 하는 직장인이기에 마음 잘 가다듬고 동생들도 잘 챙겨주길 바란다.

장남과 장녀로 태어난 것은 선택이 아닌 운명이다.

가장이 흔들리거나 넘어지면 대신 역할을 하는 것이 장남과 장녀이다.

사랑하는 며느리가 처음 겪는 친족과의 이별에 아주 혼란스럽고 마음 추스르기가 힘들 것이다. 그래도 조금은 아쉬운 영원한 이별에 잘 버티어 주기를 바랄 뿐이다.

이럴 때 무엇 하나라도 너에게 도움이 되지 못하는 내가 미안하구나.

그렇지만 힘들 때도 혼자라고 생각하지 말고 나를 찾아오너라.

아버지처럼 생각하고….

당분간 많이 힘들겠지만 힘내!

그리고 사랑해.

네 남편 보다 더 많이

자살은 자신에게 대한 사형선고이고 고의적 살인이다.

이유 없고 사연 없는 죽음이 어디에 있겠는가?

언젠가 모든 생명체는 죽는다.

통계청 2021년 사망원인 통계 결과 2021년 1년 동안 317,680명이 사망했다. 2018년 국가암등록통계'에 따르면 2018년 기준 암 유병자는 국민 25명 중 1명꼴인 2,005,520명으로 2021년 암으로 인한 사망자는 82,688명으로 집계되었다. 그중 190만 명 이상은 고통을 감수하고 항암치료 및 수술받으면서 하루하루를 버티며 또 하루만을 더 살아보려고 기적을 바라며 살아가고 있지만, 자살(고의적 자해)로 13,352명이 죽었다.

직설적으로 본인 스스로가 자신에게 살인을 자행하는 것이다.

노화나 병으로 죽음을 맞이하는 것은 어쩔 수 없지만, 젊은 사람들의 잘못된 판단으로 인하여 10~30대 사망원인 1위는 고의적 자해 즉, 자살이고 40대부터는 암이 사망원인의 1위이다. 10~30대에게는 암보다 더 무서운 죽음으로 내몰리는 것이 자살이다. 역으로 이야기하면 인생을 살다 보면 내가 죽기 싫어도 병들어 죽는다는 결론이다.

코로나 사망자는 2020년 1월 20일 첫 사망자가 나온 이후 1,000일 만에 (22.10.15. 기준) 28,808명이 사망했다. 하루 약 29명이 사망을 했는데 같은 기간 자살자는 하루 평균 36.1명이 스스로 목숨을 끊고 생을 마감했다.

1,000일로 환산하면 36,100명이 스스로 목숨을 끊었다.

정부에서도 자살에 대해서는 보편적으로 개인 의사로 치부해 버린다.

하루 평균 29명이 죽은 코로나19 정부예산은 수십조의 천문학적 예산을 투입하고 하루 10명이 죽는 교통사고에는 자동차보험 교통시설, 교통경찰 예산도 어마어마하다.

그러나 하루 36명이 죽음을 선택하는 자살에는 간간이 매스컴을 통해 우울감 등 말하기 어려운 고민이 있거나 주변에 이런 어려움을 겪는 가족·지인이 있을 때 자살 예방 상담 전화 ☎1393, 정신건강 상담 전화 ☎1577-0199, 희망의 전화 ☎129, 생명의 전화 ☎1588-9191, 청소년 전화 ☎1388, 청소년 모바일 상담 '다 들어줄 개' 앱, 카카오톡 등에서 24시간 전문가의 상담을 받을 수 있습니다.라는 홍보뿐이다.

유명 인사나 연예인의 자살은 이슈화되지만 매일 36명의 아까운 목숨이 구름처럼 소리소문없이 묻히고 사라진다. 자살은 자기의 선택이라고 미화할 수 있다. 그러나 자살은 어떠한 이유에서도 미화되어서는 안 된다. 힘들 때 나를 포기하면 누군가는 그 고통을 안고 평생을 살아가야 한다.

이 시대는 악덕 무도한 파렴치한도 사형을 선고받지만, 사형이 집행되질 않는다. 대한민국에서 마지막 사형집행이 이뤄진 것은 지난 1997년 12월 30일이다. 총 23명이 형장의 이슬로 사라진 후 25여 년 동안 단 한 번도 사형이 집행되지 않았다.

이유는 단 하나, 사람이 인간의 생명을 집행할 수 없다는 인륜적 이유다. 어떤 이유에서도 사람을 죽이는 것은 살인이라는 논리 덕분이다.

악덕 무도한 파렴치 범인도 사형을 면하려고 무죄를 주장하고, 탄원서를 제출한다. 그런데 자살은 자신에게 스스로 사형선고를 내리고 사형집행을 스스로 하는 것이 자살이다.

얼마나 미련한 선택인가? 속된 말로 '죽는 사람만 손해다' 전직 대통령, 서울시장이 자살했다. 왜 억울해서? 천만에 대통령, 판사, 변호사 출신이다. 얼마든지 억울함을 풀 수 있다.

대통령, 판사, 변호사 출신이 억울함을 풀지 못해서 자살하면 대한민국에서 억울한 사람은 다 자살해야 하는가? 속된 말로 쪽팔려서 자살했다. 썩어빠진 자존심이 아니면 책임 회피다.

전직 대통령, 서울시장의 자살이 절대 정당화되어서도, 미화되어서도 안 된다.

2000년 12월에 유명 탤런트 최진실과 준수한 외모로 인기를 얻었던 야구선수 조성민이 당시 세기의 결혼식을 했다. 그렇지만 4년만인 2004년 이혼하고 2008년 10월 2일 톱스타 최진실은 향년 40세의 나이로 여덟 살 아들 최 환희와 여섯 살 딸 최준희를 두고 스스로 생을 마감하는 자살을 했다.

엄마의 죽음이 있기 불과 다섯 달 전 최진실의 자녀는 원래 조환희와 조수빈을 2008년 5월 법원이 최진실의 신청을 받아들여 자녀들은 최환희와 최준희로 성뿐 아니라 이름도 바꿨다. 그런 자식을 두고 무책임하게 혼자 떠났다.

최환희와 최준희 남매의 권리를 지키려고 애쓰고 최진실의 엄마(환희 준희 외할머니)와 함께 조카들을 양육했던 최진실 동생 최진영은 누나가 자살한 지 얼마 되지 않은 1년 5개월 만에 2010년 3월 29일에 향년 39세로 자살을 했다. 2013년 1월 6일 (향년 39세)에 조성민까지 떠나면서 최진실-조성민의 자녀 환희와 준희는 부모를 모두 잃게 되었다.

엄마와 외삼촌에 이어 아빠마저 세상을 떠나면서 이들 남매는 또다시 감당하기 어려운 아픔을 마주하게 되었다.

이들 남매에게 우리 어른들을 무엇을 해주어야 하는가?

평소 최진실과 가까운 연예인들이 물심양면으로 도와준다고 하지만 무책임하게 떠난 부모의 빈자리는 과연 누가 채워 주겠는가?

최진실의 어머니도 졸지에 딸과 아들을 짧은 기간에 자살로 모두 잃고 나서 살아갈 수 있는 목숨은 아니다. 그러나 자식의 잘못은 부모에게 절반 이상의 책임이 있기에 가슴에 묻고 살아야 한다. 더 잔인하게 이야기하면 부모가 낳고 키운 죄로 죄인이 되어 가슴에 대못이 박힌 채로 평생을 살아가야 한다.

그러나 자식은?

최진실, 조성민의 자녀 환희와 준희는 어쩌란 말인가? 단 한 번이라도 부모가 부모 같은 모습을 보여주었는가? 서로 좋아서 만나 낳기만 하고 살아생전에 너 잘났니?? 나 잘났니? 가정사를 전 국민에게 생중계하다가 세상이 싫다고 자기들만 저세상으로 가면 그만인가?

최근 10대 최준희가 페이스북 올린 공개한 글이다.

이런 글을 10대가 올려야 하는 것을 하늘나라의 부모는 보았는지 궁금하다.

"하루하루가 사는 것이 아니었고 정말 지옥 같았습니다.""죽는 것이 더 편할 것 같았고 정말 죽고 싶었습니다.""그래서 새벽에 유서를 썼습니다." "그리고 자해 방법은 있는데로 다 해보았습니다."

"커터 칼로 손목도 그어 보았고, 샤워기로 목도 매달아보았지만 살고 싶은 의지가 조금 있었는지 항상 실패했고 그때마다 흉터만 남고 결국 전 죽지 못했습니다."

"이젠 뭘 어떻게 해야 하나 싶다. 나 진짜 너무 불쌍한 것 같다"

" 신이 있기는 한 것일까?"

최준희가 얼마나 힘들었으면 10대 아이가 절대 해서는 안 되는 행동과 자기표현을 해야 하는지 무책임하게 떠난 부모들에게 묻고 싶다.

2008년 10월 유명 탤런트 최진실이 자살한 후 2달 동안 국내 자살자는 3,081명으로 전년도 같은 기간 1,807명보다 무려 1,274명으로 증가했다.

톱 탤런트 고(故) 최진실 씨의 자살 사건이 발생한 이후 이른바 '베르테르 효과'가 나타난 것으로 분석됐다. 베르테르 효과는 유명인이나 자신이 모델로 삼고 있던 사람이 자살하면 그 사람과 자신을 동일시해서 자살을 시도하는 현상을 말한다.

나도 어렵고 힘들어서 삶을 포기 하고 싶을 때가 많았다. 세상사 나만 힘들고, 초라하고 앞도 보이지 않았다. 이 세상에 태어나지 않은 셈 치고 그냥 포기하려고 했다. 이해를 못 하는 것은 아니다. 그러나 삶에는 다 이유가 있다. 살아보니 그렇다.

죽을 만큼 힘들어도 버티다 보니 삶을 포기 하지 않은 것이 잘한 것 같다.

살아보니 그렇다. 모든 것이 지나고 나면 아무것도 아니다.

이 세상에서 제일 불행한 사람은 내일이 없는 사람이고, 더 불행한 사람은 오늘을 포기하는 사람이다. 어떤 환경과 장소 그리고 무엇을 먹고 어디에서 잠자는 것이 중요한 것이 아니라 새로운 아침을 맞이하는 사람이 제일 행복한 사람이다.

자살은 어떠한 변명으로도 정당화되지 않는다.

삶이 싫어지면 그냥 가만히 있으면 된다.

삶을 포기하고 싶을 때는 죽었다고 생각하고 잠을 자라. 분하고 슬퍼서 생각하면 치가 떨려서 잠이 오지 않는다면 죽을 만큼 뛰어라.

비겁하고 편하게, 게으르게 죽지 마라.

죽고 싶을 때 뛰어라.

뛰다가 죽은 사람은 없다.

사람은 죽을 때까지 절대 뛸 수 없다.

하루 24시간이 아무리 힘들어도 하루 24시간을 쉬지 않고 뛰는 것보다는 쉽다.

절대로 자살하면 안 된다.

어떠한 명분으로도 자살로 합리화 시킬 수 없는 자신에 대한 비겁하고 치졸한 확대 행위일 뿐이다.

자살은 자신에게 사형선고를 내리고 사형을 직접 집행하는 것이다.

특히 다 성장치 못한 자식을 두고 자살하는 것은 동물보다 못한 부모이다.

개, 돼지도 새끼가 스스로 먹고 살 수 있을 때까지는 죽지 않고 돌보아 주기 때문이다.

영웅의 아들에서 개가 된 아버지 안중근 의사 둘째 아들 안중생

"호랑이 아버지의 개 같은 자식이라도 아버지이기에 개같이 살아야 한다."

영웅 안중근 의사(義士)의 아들로 태어나 변절자 친일파 등 온갖 수모를 당하며 아들 안웅호를 심장전문의사(醫師)로 키운 안중근 의사 아들 안준생의 항변이다.

호부견자(虎父犬子)'라고 하더군요. 호랑이 아버지의 개 같은 자식.
그럼 나더러 어쩌란 말입니까?
그 자리에서 제안을 단호히 거절하고 잡혀 죽었어야 했나요?
영웅 아버지처럼 위대하고 영광스럽게?

사실 아버지는 재판받고 가시는 날까지 시끌벅적하기라도 했지만, 나는 알아주는 사람도 없이 그야말로 개죽음 아니었을까요?
내 형은 7살 나이에 자기가 왜 당해야 하는지도 모르고 독을 먹고 죽어버렸죠. 나도 그렇게 죽으란 말입니까?
아무도 기억하지 못하고 아무 의미도 없는 그런 죽음을?
왜? 내가 안중근의 아들이어서?
왜 나는 안준생으로 살 수 없죠?
왜 나는 내 삶을 선택할 기회도 없이 이런 운명에 던져져야 했죠?
아버지는 자신이 선택한 거잖아요.
그런데 나는 왜 나의 선택이 아닌 아버지의 선택 때문에 이런 삶을 살아야 합니까?
얼굴도 기억나지 않는 아버지 때문에 내 인생이 이렇게 통째로 망가져야 합니까?
나라를 팔고 아비를 판 더러운 자식….
친일파….
변절자….
뭐라 욕해도 상관없어요.

내가 괴로워할 때 아무도 내게 손 내밀지 않았잖아요.
나를 욕할 자격 있는 사람은 한 명도 없다고요.
그렇게 버려둘 때는 언제고.
이제 와서 무슨 권리로….
아버지는 나라의 영웅이었지만 가족에게는 재앙이었죠.
나는 나라의 재앙이지만 내 가족에겐 영웅입니다.

'이토 히로부미, 안중근을 쏜다.' 책 중에서

안준생은 아내 정옥녀와 아들 안웅호를 미국으로 보낸 뒤 아버지의 책무를 다하고 1951년 한국전쟁 와중에 혼자 국내로 들어온다. 그리고 부산 피난처에서 폐결핵을 앓았던 안준생은 상하이 시절 알고 지냈던 손원일 제독의 도움으로 향년 44세 젊은 나이에 부산 앞 바다에 정박한 외국 선박 덴마크 적십자 선에서 쓸쓸히 사망한다.

백범 김구는 해방이 되면 반드시 죽여 응징해야 할 대상으로 안중근 의사의 아들 안준생을 꼽았다. 백범일지에는 "민족 반역자로 변절한 안준생을 체포하여 교수형에 처하라고 중국 관헌에게 부탁했으나 그들이 실행치 않았다."라고 적어놓았다.

평소 백범 김구 선생에 대해서는 독립운동가로 알고 있었지만, 안중근 의사의 아들 안준생을 민족 반역자로 몰아붙일 자격이 있는지 묻고 싶다.

일제의 심장으로 여겨지는 이토를 저격해 사망케 한 안중근 의사와 남은 가족들을 일본이 어찌 대했을지 불 보듯 뻔한 상황이었다. 4살 때 아버지 안중근 의사가 사형당하고 5살에 두 살 위인 장남 분도가 7살 나이에 아버지의 업적 때문에 의문의 독살(일제의 사주를 받은 밀정에 의한 것으로 추정)로 비명횡사했다.

어린 형이 죽고 맏아들이 된 차남 안중생이 아무도 보살펴주지 않고 방치한 어머니와 가족의 생계를 위하여 일본의 회유에 넘어간 것을 나라를 팔아먹고 변절자라고 백범 김구는 중국 관헌에 부탁했다.

"안준생을 잡아서 교수형에 처해달라고…."

국가의 영웅이지만 국가를 위해 자신의 목숨을 내어놓은 안중근 의사의 가족은 파탄되어 처자식은 불행한 삶을 살 수밖에 없는 것을 정말 몰랐을 것일까?

한 집안의 몰락으로 대가 끊기며 직계 후손조차 찾을 수 없는 상황을 안중근 의사는 몰랐을까? 라는 의문이 생긴다.

자식이 성인 되기 전 아버지가 죽으면 안 되는 이유
친일파 변절자 아버지와 최연소 대한민국 공군 참모총장 아버지

친일파 변절자 안준생의 아버지는 안중근 의사이고, 38세 최연소 공군 중장으로 대한민국 공군 참모총장에 올랐는 김신의 아버지는 백범 김구 선생이다. 두 아버지는 대한민국 건국 역사에는 절대 빼놓을 수 없는 독립유공자이다.

안중근 의사는 1909년 10월 26일, 중국 하얼빈역에서 이토 히로부미를 사살 후 현장에서 체포되었다. 반년도 지나지 않아 4, 6세의 두 아들과 33세의 아내를 남겨 두고 1909년 3월 26일 31세의 나이로 형장의 이슬처럼 순국하셨다.

백범 김구는 윤봉길 의사와 이봉창 의사 등 의거를 실행시킨 막후 지도자이다. '임시정부 주석'으로서 광복 이후에 귀국해 여운형, 김규식, 박헌영, 김일성 등과 대립하였다. 또한 우익의 주도권을 놓고 이승만과 라이벌 관계를 이루다 1949년 6월 26일(향년 72세)에 서울 경교장에서 반대 세력에 의해 암살되었다.

안중근 의사는 적의 심장부를 저격하고 적의 손에 죽었다.
하지만 아이러니하게 적군의 암살 막후 지도자인 김구 선생님은 아군, 즉 대한민국 현역 육군 포병 소위 안두희의 손에 암살당하고 만다.

두 분 다 대표적인 독립운동가지만 안중근은 아버지와 남편의 역할을 하지 못하며 처자식이 고초를 겪다가 집안이 몰락했지만 김구 선생님은 아들을 훌륭하게 키웠다. 해방 후에 아들 김신은 아버지 김구를 따라 방북했을 때 김일성을 만나 악수를 한 적이 있다. 김일성과 악수한 계기로 북측 인사들과 다시 만날 일이 있을 때마다 그 일을 얘기하면 대하는 태도가 완전히 달라졌다고 한다.

대한민국 건국 후 대한민국 공군 최연소 (38세) 6대 공군 참모총장, 국가재건최고회의 최고위원, 주중화민국(대만) 대사, 교통부 장관, 제9대 국회의원, 백범기념관 관장, 백범 김구 선생기념사업협회 회장. 독립기념관 초대 이사장까지 대한민국 요직을 두루 거쳤다.

또한 손자들도 다 잘 되었다.

안중근의 아들 장남은 7살에 독살을 당하고 겨우 명맥을 이어 살던 둘째 아들 안준생은 자기 자식을 위해 변절자, 매국노가 되었다. 아들은 미국으로 건너가 심장병에 권위 있는 의학박사 전문의로 생활을 한 안중근 의사의 유일한 직계 안웅호 손자는 2013년 타국 캘리포니아에서 조용히 사망했다. 안중근 의사의 유족은 광복된 후에도 뿔뿔이 흩어져 살아야 했다.

불우했던 안중근 의사의 가족사는 독립운동을 위해 목숨을 바친 아버지로 인하여 현재는 직계 후손조차 찾을 수 없는 가족사의 비극으로 남았다.

아버지는 32세에 교수형으로, 큰아들은 7세에 아버지로 인하여 독살당했다. 둘째 아들은 매국노 변질자로 낙인찍힌 후 42세에 폐병으로 부산 앞 바다 위 외국 선박에서 쓸쓸히 죽음을 맞았다.

백범 김구 선생님께 여쭙고 싶다.

"같은 동학군의 공격을 받아 많은 부하를 잃고 갈데없던 김구 선생님을 양반·지주들의 민보군을 이끈 안중근 의사와 아버지 안태훈은 동학농민군 김구와 전투를 치르는 적이었다. 하지만 안중근 의사의 아버지 안태훈은 집에 김구 선생님을 숨겨주고 살려주었습니다."

"그때 숨겨주지 않았다면, 그렇지 않고 적으로 처단했다면 어떻게 되었을까요?"

역사를 되돌릴 수 없지만, 안중근 의사의 아버지 안태훈이 김구를 적으로 인식하여 처단했다면 우리나라 독립과 해방 역사의 많이 바뀌었으리라 생각한다.

생명의 은인의 손자이자, 나라를 위해 목숨을 바친 동지의 유일한 아들을 잡아서 교수형에 처해달라고 중국 관헌에 부탁한 것에 대하여 아직도 후회하지 않는지 여쭙고 싶다.

아들과 남편은 나라를 위하여 내 한 몸 바쳐 희생할 수 있다.
그러나 아버지는 안 된다.
특히나 자식이 홀로서기를 할 수 있을 때까지는 안 된다.
내 자식을 돌보아 줄 사람은 이 세상에 오직 아버지가 유일하기 때문이다.

모든 아버지에게 묻고 싶다.
안중근 의사의 길을 갈 것인지?
김구 선생의 길을 갈 것인지?
나는 당연히 김구 선생의 길을 갈 것이다.

아버지는 자식을 버리고 목숨을 바쳐 국가의 영웅이 될 필요는 없다.
아버지는 자식에게만 영웅이 되면 된다.
변질자이든 친일파이든….

죽도록 일해서 10년 만에 빚을 갚고 54세에 죽은 남자

10개의 아르바이트를 하며 하루 20시간 이상 일하고 10년 만에 3억5천만 원에 달하는 빚을 갚고 2014년 2월에 54세의 나이로 생을 마감했다. 여러 방송에도 나오고 3억5천만 원의 전쟁이라는 책을 내면서 유명해진 인물이다.

3억 5천만 원 전쟁이라는 책에 따르면 1995년쯤 전주시 완산구 효자동의 시계 도매업을 무리하게 대출받아 사업을 인수했다. 처음에는 하루 순수익이 100만 원이 될 정도로 사업이 잘되었으나, 1997년에 갑작스레 찾아온 IMF 외환위기가 닥쳐오자 1억 원의 대출로 시작한 그의 사업 빚은 천정부지로 늘어났다.

그는 한 방에 회복해야 한다는 생각으로 이곳저곳에 투자하기 시작했지만, 큰돈을 노리고 투자했던 돈들은 도리어 빚으로 되돌아와 결국 이 씨는 2000년 초에 부도를 내고 말았다.

이 과정에서 처가 땅도 다 팔아야 했고 형제들 돈도 가져다 써야 했다. 그래서 최종적으로 남은 빚이 3억 5천만 원이었다.

고소당했으나 주소지가 불투명한 상태라 기소중지가 되었지만 군산 검문소에 잡혀 수갑을 차고 유치장에 끌려가는 경험도 해야만 했다. 끝내 구속 위기에 처한 이 씨는 자신이 이렇게 무너지면 가족을 책임질 사람이 없다는 절박한 심정에 마지막으로 작은 형에게 도움을 요청하여 4,000만 원을 받아 합의를 보고 위기를 넘겼다.

어음을 해결하지 못하면 구속을 당하기 때문에 그 돈과 아파트를 판 돈을 합쳐 어음을 회수하고 구속은 면하고 채권자들을 찾아가서 어떻게 해서든 빚을 갚겠다고 약속하고 아르바이트를 시작했다.

아르바이트는 7개 이상 했다. 목욕탕 청소, 떡 배달, 신문 배달, 학원 차량 운영, 폐지

줍기 등 근면·성실과 시간 엄수를 무기 삼아 하루 24시간 중 2시간만 잠을 자고 22시간 동안 노동을 했다. 신문 배달 70만 원, 목욕탕 청소 60~80만 원, 학원 차량 운전 70만~80만 원, 떡 배달 150만~180만 원. 여기에 신문 판촉 수당 및 폐지 판 돈을 합쳐서 세후 450만 원 정도가 생겼고, 스타렉스의 유류비가 100만 원 정도 들어서 남은 돈은 350만 원이었다.

빚을 갚기 직전에는 550만 원이었다. 사우나 청소 60만 원, 도시락 60만 원, 학원 차 운전 60만 원, 신문 속지 작업 30만 원, 신문 발송 80만 원, 신문 배달 3곳 합쳐서 100만 원, 전단 배포 30만 원, 떡 배달 70만 원, 신문 판촉 수당 30만 원 등이었다.

2008년 10월 29일 마침내 10년에 걸쳐 3억 5천만 원의 빚을 모두 갚았다.

마지막 빚을 송금하면서 오열했다고 한다. 빚을 다 갚았다는 기쁨도 있었겠지만, 빚을 만든 것에 대한 후회, 10년간 쉬지 않고 일했던 역경, 사업을 하던 시절에 관한 생각 등으로 온갖 감정이 몰아쳤을 것이다.

하지만 기쁨도 잠시 4년 후에 과도한 노동으로 인하여 건강을 잃었고 2012년에 대장암으로 쓰러진 뒤 2014년 2월 54세의 나이로 생을 마감했다.

나는 묻고 싶다.

죽도록 일해서 10년 만에 빚 갚고 54세에 저세상으로 떠난 그분에게 묻고 싶다.

“그렇게 빚을 갚고 생을 마감하니 마음이 편하게 숨을 거둘 수가 있었냐?”라고 묻고 싶다. 누굴 위해서 죽을 줄 모르고 빚 갚았는지? 나의 자존심? 채권자들을 위해? “가족에게 빚도 상속이라서 죽기 전에 다 갚고 홀가분하게 죽었냐?”라고 묻고 싶다.

수십, 수백억 원 사기를 치고도 죄책감을 느끼지 않고 보란 듯이 살아가는 사람이 얼마나 많은데 그렇게 모질게 목숨을 걸고 빚을 다 갚았는지?

그리고 이 세상을 떠나면 남은 사람들은 어떻게 살아가나? 라고 묻고 싶다.

죄스러워서….

부산외대 신입생 오리엔테이션 사망사고

아침에 출근하는 마음이 무거웠다.

오늘 같은 날은 건축하는 한 사람으로서 많은 회의가 느껴지고 씁쓸하다. 경상북도 경주시 마우나리조트 강당 건물 지붕이 폭설로 내려앉아 대학 새내기 오리엔테이션을 진행 중이던 부산외대 학생들이 매몰되는 사고가 발생했다.

소방관들이 어제 밤새 구조 작업을 하고 있고 마음이 조마조마했는데 아침뉴스를 통하여 10명이 사망하고 204명의 중경상자가 발생했다고 전해졌다. 소식을 접하고 마음이 아프면서 더 이상 피해자가 발생하지 않기를 바랄 뿐이다.

여러 가지 이유가 있었겠지만, 지붕의 눈을 치우고 학생들을 수용했으면 하는 마음이 가시질 않는다. 비닐하우스도 무너질까 봐 지붕의 눈을 치우는데 하물며 수백 명의 학생을 수용하면서 지붕의 눈을 생각하지 않았으니 통곡할 노릇이다.

보편적으로 남부지방은 40센티의 적설량으로 구조를 계산하여 집을 짓는다. 그런데 이번에 적설량이 많았고, 특히 축축한 눈이라 눈의 무게가 곱이나 되었을 것이다. 나의 부족한 지식으로도 절대 지붕의 눈을 치우지 않고는 학생들을 수용하면 안 되는 것이었다. 학생들이 입장할 때는 이미 지붕의 설계하중을 넘어 무너지기 직전 한계하중을 받고 있었을 것이다. 이때, 학생들이 입장하고 뛰며 소리쳐서 작은 진동 때문에 지붕이 붕괴한 것으로 생각된다.

한계하중이란 붕괴 직전 버틸 만큼 버티고 있을 때를 말하는데, 아주 작은 진동에도 붕괴가 된다. 물론 설계, 시공, 감리자 모두 구조검토에서 적설량 40센티로 적법으로 설계 시공했다고 책임을 회피하고 천재지변이라고 핑계를 댈 것이다. 하지만 며칠 전 울산에서도 눈의 무게를 이기지 못해서 공장건물이 무너져서 고등학교 졸업을 하루 앞둔 실습생이 희생되고 말았다. 경주의 초등학교 체육관 지붕이 내려앉는 등 패널 건물이 눈의

무게를 이기지 못하고 무너지는 일들을 보면서, 500여 명이 패널 건물 체육관 내에서 행사를 한다는 것은 아무리 생각해도 용서받을 일은 아닌 것 같다.

누군가가 책임을 져야 한다고?

살아있는 몇 사람이 어떤 방법으로 책임을 질 수 있을까?

꽃다운 나이에 부푼 꿈을 가지고 대학의 첫 관문인 오리엔테이션에 참석한 어린 생명과 대학교에 합격하여 그동안의 긴장을 내려놓고 기뻐했을 부모 마음은 누구에게 보상받을 수 있을까? 보상을 떠나 평생 가슴에 자식을 품고 살아가야 하는 부모의 마음을 과연 누가 위로하고 치유해 줄 수 있는지 가슴이 아프다.

삼가 고인의 명복을 빌면서 지금도 차가운 시신을 끌어안고 목 놓아 통곡하는 고인의 부모님께 진심으로 위로의 마음을 전하고 싶다.

그리고 패널 지붕 체육관을 개장해서 입장시킨 리조트 관계자는 무조건 업무상 과실이 아닌 업무상 배임으로 강력하게 처벌해서 다시는 이런 무모한 일이 없도록 해야 한다고 생각한다.

행여나 천재지변이라고 떠드는 사람이 있다면 그 입을 찢어야 한다.

이번 사고는 절대 천재지변이 아닌 예견된 인재 사고다.

상식이 있는 사람이라면 체육관의 지붕이 눈의 무게를 견디지 못해(주변에 패널 건물이 몇 채가 눈 무게에 못 이기고 붕괴하였음) 위험하다는 것을 알았을 것이다. 알았으면 체육관 주변에 바리케이드를 치고 학생들이 가지 못하도록 통제해야 했을 것이다.

항상 이런 일이 벌어지면 나는 죄인 아닌 죄인이 된다.

건축하는 사람으로서, 그리고 이번 일은 올해 대학교 입학생 자식을 둔 아버지의 마음으로 더더욱 가슴이 찢어진다.

생명과 죽음을 과학적 논리로 논하지 말라.

물리학자 김상욱 교수는 보통 죽음을 기이한 현상으로 보지만 물리학자의 관점에서는 오히려 생명이 더 이상한 것이라고 한다. 우주는 죽음으로 충만하고 오히려 가장 자연스러운 것이라고 한다. 그것을 깨닫는다면 내가 살아있다는 찰나의 순간이 정말 소중하다는 것을 알게 된다.

우리 주위의 모든 것들 땅과 바위, 바닷물까지 대부분 죽어있어 있다. 이상한 상태로 잠깐 머무는 것이 생명이고, 가장 자연스러운 상태로 돌아가는 것이 죽음이라는 것이다.

인간의 탄생과 죽음은 단지 원자들이 모였다가 흩어지는 것이라고 한다.

물리학자 김범준 교수는 "내가 죽어도 원자는 죽지 않는다."

죽음 이후에 내 몸을 구성하던 물질들이 낱낱이 분해되어 흩어지고 나면, 이들 원자는 다른 생명체의 몸을 구성할 수도 있고 우리가 숨 쉬는 대기의 일부가 될 수도 있다. 결국 내 몸은 모든 생명체의 공유자산이라고 할 수 있다. 우리 각자의 삶은 순간이지만, 나의 몸을 이루는 원자의 삶은 영생에 가깝다. 죽음을 맞아 내가 소멸해도 소멸하는 것은 아무것도 없다.

내가 결국 별의 먼지라는 것과 내가 소멸해도 나를 구성하는 원자들은 자리만 옮길 뿐 소멸하지 않는다는 것이 과학적 논리라고 한다.

과학적 논리로 죽음에 대한 두려움과 영원한 이별의 아픔을 위로하고 치유하는 의미로 두 물리학자의 메시지라고 받아들이고 싶다.

모든 삶의 표현을 정량적, 정성적으로 표현할 수 있다.

정량적 표현은 과학적인 수치로 표현되어야 하고, 정성적은 상황 따라 묘사된다.

눈물을 예를 들어 정량적으로 풀면 성분은 98%가 물이고 다음으로는 나트륨, 다섯 가지 단백질 프레알 부민, 알부민, 면역 글로불린, 금속과 결합하는 단백질, 리소좀으로 구성 원소기호 H2O+Na으로 표현한다.

그러나 정성적으로 표현하자면 눈물은 기쁨과 슬픔 등 감정에 따라 나도 모르게 눈에서 흐르는 그것이 눈물이다. 슬퍼서 울기 시작했더라도 울다 보면 이상하게 후련해지고 기분도 나아진다. 억울하고 분해서 울고 나면 분노가 사라지고 차분함을 느끼고 이성을 찾을 수 있다.

흔치는 않지만 기쁨의 눈물을 흘릴 때면 성취의 기쁨보다 성취를 위해 흘린 피땀과 인고의 세월이 주마등처럼 지나갈 때 참고 견딘 서러움의 눈물이 기쁨의 눈물이 되어 흐르는 것이다.

아주 작은 몇 방울의 눈물도 정량적으로 논하면 아무것도 아니지만, 정성적으로 논하면 끝이 없는데 하물며 사람의 육신과 죽음의 의미를 과학적으로 논하는 것은 삶의 의미를 상실하는 것 같다.

생각만 해도 가슴 저미고 눈물이 나는 어머니에 대한 감성을 아버지의 정자를 받아 본인의 자궁에서 난자와 결합하여 10개월 후 나를 낳아준 여성 생명체라고 정량적으로 표현을 해야 하는가?

어머니의 눈물, 죽음 등은 과학적 원소기호로 대비 표현할 수 없다.
언젠가 영원한 이별을 해야 할 시간을 준비해야 죽음에 대한 두려움과 삶에 대한 아쉬움, 이승에 미련을 가지지 않고 다음 세상으로 가든 못 가든 이 세상을 홀가분하게 떠날 수 있다.

나의 장례미사 마지막 성가 대신 노사연의'만남'으로

가수 노사연이 1989년에 발매한 제2집 앨범 수록곡 '만남'이 공전의 히트를 기록하면서 당시 유행한 노래방과 맞물려 90년대에 대부분 목이 터지도록 부른 곡이다.

그런데 20년이 지나 더욱 유명해진 것은 임실 치즈의 창시자 故 지정환 신부님께서 생전인 2018년에 본인의 장례식에서는 노사연의 '만남'을 불러달라고 부탁하셨다. 장례식장에 참가한 많은 신도가 신부님의 부탁을 들어 '만남'을 합창하였다고 한다.

임실 치즈의 아버지'로 불린 지정환 신부(池正煥, 디디게 세어 테벤 Didier t'Serstevens:1931년 12월 5일~2019년 4월 13일) 전라북도 전주시에서 향년 87세의 일기로 선종하셨다. 故 지정환 신부님은 벨기에 출신의 신부로서 우리나라의 치즈 시장을 개척하고, 우리나라에 특별 귀화하신 신부님이시다.

그런 분이 생전에 왜 노사연의 만남을 본인 장례식에 불러달라고 하였을까?

인생의 모든 여정이 만남과 만남으로 이루어짐에 대한 깊은 통찰이었다고 한다. 통찰? 사전적 의미의 통찰(洞察)은 환희 내다보는 것이다.

통찰력은 사물을 환히 꿰뚫어 보는 능력이다.

의아해서 가사를 안 보고도 부를 수 있을 만큼 수백 번 부른 노래지만 가사 한 자 한 자를 깊이 생각하고 되새기며 읽어보았다.

저작권 문제로 가사는 옮겨 적지 못하지만, 남녀 간의 이별에 대한 사랑 노래라고 생각했었다. 하지만, 생의 마감을 예측하셨는지 86세 老 신부님은 인생의 모든 여정을 만남과 만남으로 이루어짐에 대한 신부님의 통찰력에 감히 비교할 수 없지만, 하잘것없는 내 생각으로 노래 가사를 되씹어 보았다.

만남의 노래 가사를 이승에서 연인과의 이별가로 해석했다면 지정환 신부님은 장례미사에 불러달라고 하지 않았을 것이다.

다시 못 올 길을 떠나는 자가 이 노래 가사로 유언으로 전하는 것이다.

'돌아보지 말아 후회하지 마라 바보 같은 눈물 보이지 마라'

모두를 용서하고 화해하며 홀연히 연기처럼 떠나시면 우리에게 남긴 소중한 유언으로 받아들이고 싶다.

우리는 항상 때와 장소를 가리지 않고 이승을 떠난다는 것을 잊고 산다.
아니 그럴 수 있다는 것을 부정하고 산다.

죽는다는 말은 제일 부정하고 금기어 1순위이다.
한 번씩 넋두리처럼 가족들 앞에서 나의 죽음에 대하여 살 만큼 살았노라고 이야기하면 듣는 사람들은 짜증을 내며 싫어하고 피한다.

그러나 분명한 것은 언젠가는 다시 못 볼 곳으로 떠나야 하고, 또 보내야 한다는 것을 부정하며 생각하지 않으려고 한다.

나이가 들어감에 60대 중반을 넘어서니 이제는 내 육신과 혼이 얼마 남지 않았다는 것을 느낀다. 육신은 제대로 돌아가는 것이 없고 정신은 한 번씩 깜빡깜빡한다. 언젠가는 떠나야 해서 늘 마음의 준비는 하지만 잠시 잊고 살 때가 많다.

내가 다시 돌아오지 못할 먼 길을 떠날 때 장례미사 마지막 성가 대신 '만남'으로 대신 불러주면 좋겠다. 나의 여왕벌 마리아(아내 애칭)가 성가대로 열심히 봉사하고 있으니 따로 성가대에 부탁하지 않아도 될 것 같다.

지정환 신부님처럼 깊은 통찰은 감히 따라갈 수는 없을 것이다. 하지만, 가족과 또 다른 인연으로 만난 모든 분과 '만남'이라는 노래 한 곡으로 이승에서 마지막 인사를 고할 수 있다면 더 이상 바람이 없겠다.

노사연의 만남이 이승에서의 마지막 이별을 고하는 곡이라면 지금의 내 마음을 그대로 표현하고 싶은 노래는 노사연의'바램'이다.

가사가 지금의 내 마음을 표현하는 것 같아 마음이 찡하다.

자식의 도리도 못 했고 형제간의 우애도 없이 살아왔지만, 오직 아버지와 남편으로서 책임과 의무를 다하기 위해서 모든 것을 포기하고 여기까지 왔다. 아직은 한 번도 불러보지 못했지만, 가사를 읽을 때마다 잘 살아왔는지 잘 살았던 것인지 의구심이 들 때가 많다.

늘 가족의 생계유지가 우선이라는 막연한 책임과 의무를 만족하게 했을 때 밥만 먹고 사느냐며 가족의 또 다른 부족함을 느낀다. 가장의 책임과 의무는 끝이 없는데 나의 능력과 나이에 한계를 느낄 때'바램'이라는 노래 가사가 가슴 깊이 저미도록 파고든다.

저작권 문제로 가사를 다 옮겨 적지는 못하지만 '나는 사막을 걷는다 해도 꽃길이라 생각할 겁니다.' 가사가 내 마음을 대변해 주는 것 같아 들을 때마다 마음이 찡하고 울컥해 온다.

제사

제사란 사전적 의미에서는 신령이나 죽은 사람의 넋에게 음식을 차려 정성을 표하는 의식이다.

아들과 아내에게 내가 죽은 후에는 내 제사를 지내라고 했다. 아내는 죽고 난 뒤에 제사를 지내는지 안 지내는지 어떻게 아느냐며 반박하지만 나는 굽히지 않고 안 지내면 귀신이 되어서 나타날 것이라고 했다.

내가 죽은 뒤 자식과 아내가 제사를 지내주지 않으면 많이 섭섭할 것 같다. 제사란 세상을 떠난 이를 추모하는 의식이다. 추모란 죽은 사람을 그리며 생각하는 것인데 내가 죽고 난 뒤 가족이 나를 잊고 산다는 것은 상상만 해도 힘 빠지고 지금의 삶이 싫어진다.

자식과 아내의 생일, 축일, 결혼기념일, 입학일, 졸업일 등 하다 못 해 밸런타인데이 같은 기념일을 다 챙겨주었는데 내가 세상을 떠난 날 한 해에 한번 제사상을 차려주지 않는다고 생각하니 너무도 섭섭하다.

나는 제사의 적장자는 아니지만, 명절 포함하여 제사를 1년에 여섯 번을 지낸다. 돌아가신 조부모는 얼굴도 모른 채 제사를 모시고 부모님 기제사, 구정·추석 제사. 일 년에 여섯 번 제사를 모신다. 제사를 지내지 않으려고 차남에게 시집왔다는 아내는 시집오자마자, 고지식한 시어머니와 제사음식을 장만하여 제사상을 차렸다.

그리고 명절 제사가 끝난 후 찾아오는 친척 음복 상을 대접하고 설거지가 끝나야 친정집 나들이가 허락되었다. 손위 동서가 있지만, 약사 며느리라 약국을 비울 수 없다는 이유로 제사에서는 제외되었다. 늘 둘째 며느리가 독박으로 제사 준비를 하여 아내도 불만이 없던 것은 아니었다. 그런데도 묵묵히 잘 지내준 아내가 고맙고 늘 대견스러웠다.

하지만 집안이 풍비박산이 나고 아버지가 돌아가시고 제사 적장자인 장남마저 나 몰라라 하여 어머니가 둘째 며느리 보기에 체면이 서질 않았는지 제사를 지내지 않겠다고 선언하셨다.

나는 당시 대구를 떠나 형편이 어려워 처가에 얹혀사는 처지라 제사를 모실 수 있는 상태가 아니었지만 제사를 내가 모시기로 했다. 아내를 설득하는 것이 어려웠지만 곤란할 때는 무식하게 밀어붙이는 방법밖에 없었다.

막상 처가에 얹혀살면서 제사를 모시려니 장인·장모님 눈치가 보여서 제사를 위해 방을 얻어 처가에서 나왔다. 그리고 지금까지 모시고 있다.

적장자 장조카가 성인이 되었고 결혼도 하여 물려주어도 되지만, 경제력이 있을 때까지는 내가 모시시기로 했다.

요즘 개신교에서 전파되었는지 제사를 모시지 않은 집안이 많다.

또한 제사를 한날에 합쳐서 지내는 경우도 많다. 현대사회에서 죽은 사람의 제사가 무엇이 중요한 일이냐고 반문하는 사람들도 있겠지만 '조상이 없는 내가 있을 수가 있나?'라며 되물어보고 싶다.

2,500여 년 전 돌아가신 석가모니, 2,000여 년 전에 돌아가신 예수님도 매주 제사를 지낸다. 요즘 세상은 기르는 개도 생일을 챙겨주고, 죽으면 장례도 치르며, 개 봉안당도 있는 세상이다. 그런데 나를 낳아주고 길러주신 부모를 모르겠다고 일 년에 한 번 돌아가신 부모님 제사를 모시지 않겠다고 한다.

나도 제사 때문에 갈등이 많았다.

적장자도 아니고 제사를 모실 형편도 아니고 나야 다 차려진 제사상 앞에서 절 몇 번 하면 그만이지만 순전히 아내 고생을 시키는 일이다.

그런데도 제사를 이어 나가는 것은 적장자인 장조카에게 결정권을 물려주기 위해서다. 다음은 장조카가 결정할 일이다.

장조카는 조카며느리와 상의해서 결정해야 할 일이지만 내가 할 몫을 하는 것이 조상님들께 하는 도리라고 생각했기 때문이다.

지금은 조금 후회스럽다.

아버님이 돌아가시고 어머니와 형이 제사를 모시지 말자고 했을 때. 나도 모르겠다고 하면서 따라갔으면 좋았을 것을 하는 후회를 했다. 하지만, 지금처럼 마음이 편했을까 하는 의구심이 들 때가 있다.

그때 적장자인 형이 나 몰라라 했을 때, 나도 그냥 같이 묻혀 갈 수 있었지만, 자손의 도리는 아니라 생각했다. 또한 더 무서운 것은 우리 후세대 아이들이'우리 집안은 왜 제사가 없느냐'고 했을 때 할 말이 없었기 때문이다.

꼰대 같은 생각이지만 제사는 조상의 뿌리요, 가문의 혈통이자 족보라고 생각했기에 잘 지켜서 후세대에 물려주어야 한다고 생각했다.

그런데 더 큰 결정적인 것은 어머니와 형이 제사 문제로 갈등을 겪을 때, 자수성가한 중학교 때 친구와 술자리에서 제사 문제로 이야기를 나누었었다.

그런데 내가 제사를 지내지 않으려면 친구에게 자기에게 주면 지내주겠다는 말을 듣고 깜짝 놀랐다.

어렸을 때 극장을 했던 우리 집에 놀러 와서 공짜로 영화를 보고 부모님께 인사를 하면 보육원에 있는 친구라고 탐탁지 않은 눈으로 보셔서 얼른 영화만 보고 갔었다.

그런 친구가 내가 제사를 지내지 않을 것이면 자기에게 제사를 넘겨 달라고 하니 기가 찰 노릇이었다. 어머니, 아버지라고 불러본 사람은 친구 아버지, 어머니밖에 없는데 기억나는 친구 어머니, 아버지를 내 부모라 생각하고 친구가 제사를 대신 지내준단다.

지금은 성공하여 대구에서 알만한 큰 사업체를 운영하고 있지만, 명절날은 평생 우울했다고 한다. 물론 보육원에서 만난 여자아이와 결혼해서 처가도 없고 일가친척도 없다.

젊어서 돈 벌 때는 몰랐는데 자식들이 커가면서 명절만 다가오면 자식들 눈치가 보여 명절 때는 항상 해외여행을 갔다고 한다.

자식들에게 터놓고 이야기를 할 수가 없어서 조부모님과 외조부님은 일찍 돌아가셨고 아내는 무남독녀, 내 친구는 3대 독자 외아들로 변신해서 살아왔다. 제사까지 지내지 않아 안 계신 얼굴도 모르는 부모님을 개신교 신자로 만들었다고 한다.

자식은 그렇다 하더라도 아들이 장성하여 며느리를 보아야 하는데 시부모가 보육원에서 만나 자수성가했다고 떳떳하게 말할 수도 없고, 가짜 제사를 지낼 수도 없는데 잘되었다며 제사를 달라고 했다.

돈도 벌 만큼 벌어서 자식을 유학 보내고 남들에게 뒤지지 않을 만큼 잘 키웠고 사회적으로도 기반이 탄탄하지만 늘 정체성이 혼란스러웠다고 한다.

유일하게 나에게만 말 할 수 있다고 했다.

어느 정도 기반을 잡고 용기를 내서 자신과 아내의 정체성을 찾기 위해 노력을 많이 했다고 한다. 유전자 검사를 하고 살았던 보육원도 찾아갔지만, 없어진 지 오래되어 친구의 기록을 어디에서도 찾을 수 없어서 정체성이 영원한 미궁으로 빠졌다고 한다.

술자리 끝에 술에 취해 "내 성이 김가인지 이가인지 그것만이라도 알고 싶다" 한 말이 지금도 잊히지 않는다.

제사 문제로 부모, 형제간 집안싸움으로 번지고 간소화를 핑계로 제사를 합하고 또 제사를 없애기도 한다.

누구에게는 제사가 짐이고 누구에게는 제사가 이룰 수 없는 꿈이다.

'무자식이 상팔자다.'라고 자식 없는 사람에게 위로하면 그것은 위로가 아니고 욕이고 자식을 가진 자의 횡포다.

어려서 집에 놀러 왔을 때 공짜로 영화 구경시켜준 것밖에 없는데 성인이 되어서 만나도 술값은 늘 친구가 다 낸다. 그런 친구에게 상처를 주고 가진 자의 횡포를 부린 것 같아 그날 이후 연락이 와도 바쁘다는 핑계로 만나지 않는다.

부모님이 돌아가신 지 20년이 지났지만 아직도 원망하고 가슴에 맺힌 응어리를 풀지 못했지만 제사를 모시는 것은 부모님에 대한 최소한의 도리이기 때문이다. 적장자 장조카가 그동안 고맙다며 조상 제사를 잘 모셔가서 잘 지내는 것이 나의 바람이지만 적장자 장조카도 결정하기 쉬운 일은 아닐 것이다.

하지만 적장자 장조카에게 꼭 전하고 싶은 말은 제사로 인하여 부부가 불화가 생겨서는 절대 안 된다는 것이다. 돌아가신 조상으로 인하여 살아있는 가족들이 다툼이나 불화가 생겨서는 절대 안 된다는 것이다.

마흔 살의 적장자는 제사를 모시든 모시지 않든 현명한 판단을 해야 하는 것이다. 인생이라는 것이 그렇지 않은가? 살다 보면 스스로 결정을 해야 할 일이 많다. 물론 잘 결정한 것도 있지만 평생을 후회하면서 아픔을 안고 살아가는 결정도 있을 수 있다.

나도 신중하게 결정한 일을 평생 후회하며 안고 가는 짐이 될 수가 있다. 하지만 의외로 즉흥적이고 쉽게 결정하는 일이 도움이 될 때도 있었다. 장조카에게는 조상 제사가 큰 부담일 것이다. 제사를 받아 모시려니 부부가 협심이 되지 않을 것 같고, 모시지 않으려니 무언가 아닌 것 같아서 많이 고민되리라 예측한다.

하지만 어찌하겠는가?
이제는 고민하고 결정할 때가 되었다. 그것이 적장자인 장조카의 몫이고 어떠한 결정을 내려도 그것에 대한 반박 없이 장조카의 결정에 따르는 것이 내 몫이다.

나도 힘들고 어려울 때는 포기하고 싶은 마음도 있었다. 하지만 조상 제사 하나 못 지키는 윗세대가 되지 않으려고 노력했고, 장조카에게 물려주는 것을 못마땅하게 생각할지 모르지만 내가 할 몫은 다 했던 것 같다. 장조카가 언제 제사를 모셔갈지 모르겠지만 내가 경제력이 있을 때까지는 제사를 모실 생각이다.

이제까지 내가 할 몫은 했다고 조상님께 말할 수 있어 가슴 뿌듯하다. 또한 후세들에게도 윗세대에서 할 수 있는 일은 다 했다고 말할 수 있어서 마음이 편하다.

보이지 않는 무형의 제사가 무엇이기에 평생 마음을 졸이며 매달려 있었는지 나도 잘 모르겠고 제사를 지내야 하는지 말아야 하는지 결정도 못 하겠다.

친구의 말이 아직 기억에 생생하다.
"내 성이 김가인지 이가인지 그것만이라도 알고 싶다."

부모님께서 돌아가시고 원망만 하고 살았는데 평생 이가로 살면서 조상님 제사를 잘 모셨으니 나의 원망을 철부지의 투정으로 받아주셨으면 좋겠다.

"조상님 아버님 어머님 감사합니다."
"내 성을 이가로 살게 해주셔서 감사합니다."

평생 자기 성도 모르고 사는 사람도 있는데….

나의 제사상

명절날 고속도로 휴게실 쓰레기통에 명절 제사 음식물을 버리고 가서 골치라고 뉴스에 나왔다. 고향에 갔다가 차례를 지내고 부모님께서 싸주신 제사음식으로 추정된다고 했다.

세상 너무 풍요롭게 산다.

어릴 때 집에서 제사를 모시면 참석한 친척들은 제사를 지낸 후 음복으로 제사음식을 드시고 집에 돌아가실 때는 음식을 골고루 조금씩 싸서 가셨고 참석하지 않는 친척과 가까운 이웃집에는 제사음식을 갖다 드렸다.

제삿날 제일 싫은 것이 제사음식 배달 심부름이었다.

요즘 같으면 퀵서비스로 하면 편했겠지만 일일이 그릇에 싸서 갖다 드렸다.

심부름 값으로 용돈 받는 재미도 쏠쏠했지만, 학교 가기 전 몇 군데는 심부름하고 학교에 갔다.

당시 제사음식이 제일 고급 음식이었다.

물론 결혼, 환갑잔치 음식도 있지만, 제사음식만큼의 가지 수가 많지 않았다. 부잣집 제삿날은 거지가 와도 밥상을 차려준다. 먹을 것이 없고 외식문화가 없는 시절 고기반찬 기름진 반찬을 유일하게 먹을 수 있는 날이기 때문이다.

1년에 명절 포함하여 6번의 제사를 지내기에 제사음식 처리가 골머리가 아픈 것이 사실이다.

요즘은 제사를 지내도 옆집에도 나누어 먹지 못한다.행여 제사음식 먹고 배탈이라도 나면 오히려 더 골치 아프고, 또 반기지도 않아 음식물 쓰레기통으로 버릴 수가 있어, 제사음식을 나누어 먹지도 못한다. 나도 제사음식은 별로 좋아하지 않지만, 아내 혼자 제사음식을 다 처리하는 것이 미안해서 제사음식을 1주일 정도 같이 먹어준다. 그래도 남으면 냉동실에 보관했다가 조금씩 내어 먹는다.

제사음식도 많이 줄였다.
어머니가 지내던 제사음식이 반의반도 안 되지만 먹을 사람이 없다.

제사를 모실 때마다 고민한다.
제수 음식을 조기·육전·포. 5색 나물. 전. 탕. 반. 대추 구색은 맞추었지만, 음식량을 줄여 제사상을 차리니 무언가 허전하고 불효하는 느낌이 들고 그렇다고 먹을 사람이 없는데 많이 하기도 그렇다.

집안 전통으로 내려오는 의식이라 허례허식이라고 할 수도 없다.
5~60년 전까지는 제수 음식 조기. 육·포. 5색 나물. 전. 탕. 과일 등이 최고 음식이었다. 그러나 지금이 시대에서는 상하기 쉬운 음식이고 식욕도 당기는 음식이 아니라서 제사음식 때문에 많이 고민하고 몰상식하게 음식물 쓰레기로 버린다.

내 부모님·조상님 제사를 물려받은 것이라 감히 바꿀 용기가 없어 그냥 지내지만 내 제사상은 평소 내가 좋아하는 음식으로 제사상을 차려 달라고 아내 자식에게 부탁했다. '남의 집 제사에 감 놔라 배 놔라.' 하지 않지만, 내 제사상이기에 조율시이, 이런 것 따지지도 묻지도 말고 내가 평소 좋아하는 음식으로 제사상을 차려 달라고 했다.

돼지 오겹살 수육, 비싸면 수입 LA갈비도 좋고, 스파게티, 짜장면도 좋다.
과일과 떡은 평소에 별로 좋아하지 않으니 나의 제사상에 올릴 필요가 없고, 술은 입에도 못 대는 정종 대신 좋아하는 맥주 중에서 평소 즐겨 먹는 TERRA 맥주가 좋고, 식혜 대신해서 얼음 커피나 코카콜라, 떡 대신 피자 햄버거를 놓으라고 했다.

LED 전등이 밝으니 촛불은 켜지 않아도 되고, 평소 병풍에 적혀있는 한자 내용도 전혀 모르니 병풍도 필요 없고 향 대신 끊은 담배지만 죽고 난 뒤에는 건강하고는 무관하니 THIS 담배 한 개비 불붙여 놓으면 된다고 했다.

지방·축문도 필요 없고 강신·초헌·독축·아헌·종헌·유식. 한문. 헌다. 사신·철상·음복 이런 격식도 따를 필요가 없고 행여 내가 그립고 보고 싶으면 영정사진보다는 살아생전 내 얼굴이 잘 나온 인물 사진 한 장 제사상에 놓으면 되고, 절은 '아버지 오늘 돌아가신 날이라 제사상 차렸습니다' 하고 맥주 한잔 따라 놓고 재배(절 두 번) '아버지 살아생전 좋아하시는 음식 차렸으니 건강 걱정하지 마시고 많이 드세요' 하고 숟가락 젯밥 그릇에 꽂아주고 맥주 한잔 따라 놓고 재배 그리고 숟가락 내려놓고 '많이 드셨습니까? 내년에 또 뵙겠습니다' 하고 재배하면 나의 제사는 끝이다.

어렵게 생각하지 말고 귀찮게 생각하지 말고 평소 즐겨 먹는 음식 아버지 좋아하는 음식을 한 끼에 다 먹을 수 있는 만큼만 차려놓고 보이지 않는 아버지 허공에 안부 인사 잊지 않고 있다는 표현만 하면 나는 저승에서 만족할 것이다.

행여 손주가 태어나 손주가 좋아하는 과자도 놓고 제사가 끝난 뒤 맛있게 먹으면 된다. 그래야 어린 손주도 할아버지 제삿날은 맛있는 것 먹는 날이라고 할아버지 제삿날을 좋아할 것 같다.

격식이나 먹지 않을 음식은 제사상에 올리지 말고 제삿날은 죽은 아버지를 그리워하며 생각해 주면 더 이상 바랄 것이 없다.제사를 축제처럼 지내라면 이상하겠지만, 아버지가 이승을 떠난 날 맛있는 음식 차려놓고 1년에 한 번 나의 후손들이 나를 생각만 해주면 후손을 키운 보람이 있을 것 같다.

아내 말처럼 죽은 사람이 제사를 지내는지 안 지내는지 어떻게 아느냐? 하지만 제사를 지내는 것은 나는 근본과 핏줄이 있는 집안의 사람이라는 걸 표시함도 있는 것이다.

근본과 핏줄이 없는 사람은 제사를 지내고 싶어도 못 지내는 것이 제사라는 걸 꼭 일러주고 싶다.

내가 나에게 새긴 종이 비석

우리 집안의 이어갈 장손 조카에게(편지글)

이제 신혼은 넘었다고 해야 하나?

2세 태어나기 전까지는 신혼이니 마음껏 신혼 즐기기를 바란다.

2세는 생기면 행복한 일도 많지만 많은 희생이 필요하다.

부모가 자식에게 목숨 거는 것은 그만큼 희생을 많이 해서 목숨을 거는 것이다.

네 엄마나 나나 자식에게 목숨 거는 것은 모든 것을 포기하고 싶을 때 내가 없는 이 세상에 저 자식들은 어떻게 살까? 고민하고 자식에게는 어른들의 문제로 자식에게 고통을 물려주기 싫었고 부모가 없는 이 험한 세상은 자식이 혼자 살아가기에는 너무 힘들고 불쌍할 것 같았기에 자식이 스스로 독립할 때까지 버티어 온 것이다.

그러나 요즘 젊은 세대들은 자식에 대해 큰 희생을 하기 싫어서 자식을 포기하는 것 같다. 물론 나이 들어보면 후회하겠지만….

삼촌이 살아보니 그렇다.

시간이 가면 갈수록 그리고 앞으로 살날이 얼마 남지 않으면 않을수록 자식 하나는 잘 건졌다는 생각이 많이 든다.

인생을 정리하는 나이가 되어 내려놓을 건 내려놓고 잊을 건 잊으려고 노력하면서 만약 나에게 자식이 없었다면 어떻게 살았을까 하는 궁금증과 이 세상과 하직 인사를 나눌 때 나는 이 세상에 태어나서 이 세상에 떠날 때쯤 “무엇을 했는가?” 는 물음에 “아무것도 한 것은 없지만 자식 하나는 잘 건사했다”라고 답할 수 있으면 이승에 왔다, 저승으로 편안하게 잘 가리라 자신이 있게 말할 수 있을 것 같다.

네 엄마도 나의 생각하고 같을 것이다.

여태껏 고생고생해서 살면서 자식 이외는 해놓은 것이 하나도 없다.

그래서 더 자식에게 애착이 가는 것이다.

멀지 않은 30년 세월이 지나면 너도 엄마, 삼촌 마음을 알 거야
그때 가면 네 엄마, 삼촌은 이 세상에 없겠지만 30년 세월이 그리 멀리 있지는 않다.

삼촌도 어쩌면 네 숙모 말처럼 이번에 돈만 낭비하는 쓸데없는 짓 하는 것 같고, 내가 죽고 난 뒤 다 필요 없는 일이라고 하지만 살아온 것이 너무 억울하고 서럽고, 한편으로는 내가 모든 것을 포기하고 나 자신 모든 것을 내려놓고 싶을 때 자식을 위해 잘 버티어 온 것이 기특하기도 해서 죽기 전 내가 나에게 종이 비석 하나 남긴다는 셈 치고 네 숙모 허락 없는 일을 먼저 저질러 본다.

줄이는 데까지 줄여 보았는데 그래도 이 세상에 남길 말이 많은지 양이 조금 되구나, 베스트셀러 작가가 될 것도 아니고 처음이자 마지막으로 죽기 전 나의 종이 비석을 직접 만들어 자식과 너에게는 어른으로서 남기는 유언이고 교훈이니 나의 유일한 후손 조카 둘과 내 아들 그리고 너희와 인연이 되어 나와도 혈연으로 연결되는 며느리, 사위도 이 책을 읽고 너희들이 살아가는 인생살이에서 힘들고 외로울 때 작은 부분에서라도 도움이 되면 나는 결코 헛된 짓은 하지 않았다고 위로 할 수 있다.

어른으로서 너희들에게 물려줄 것이 없어서 늘 미안했지만, 너희들이 남은 인생을 사는 데 나처럼 실패하고 후회하는 삶 살지 말고, 현명하고 행복하게 산다면 나는 이 책 한 권 낸 것에 만족하고 너의 숙모 말처럼 쓸데없는 짓이 아니었다고 자신한다.

항상 장자에게 짐만 지우는 것 같지만 친 혈족이라고는 유일하게 있는 동생 둘 잘 보살피는 것도 너의 몫이니 서로 우애롭게 지내라.
이 세상에서 나와 네 엄마가 떠나고 나면 유일하게 남는 친 혈족은 너희 세 명밖에 없으니 서로 아끼고 어려울 때 서로 도와주고 또 다른 인연으로 맺은 네 아내, 매제, 제수, 친 혈족이라 생각하고 우애롭게 잘 지내라.
행여 서로가 오해가 생기거나 섭섭한 일이 있어도 혈연이 맺어 준 숙명이라고 생각하고 양보하고 위로하며 잘 보듬어 주어라.

나도 너의 할머니 너의 아버지 용서와 화해는 되지 않지만 그래도 받아들이고 여태껏 버티며 왔다

혈연이 맺어준 숙명이라서….

장손 사랑해 아들만큼

미루었던 숙제, 사전연명의료의향서 등록

마음에 늘 해야지 하면서 쉽게 이행하지 못한 사전연명의료의향서 등록했다.

반드시 등록기관에서 등록해야 한다고 하여 인터넷으로 찾아보니 제일 편하게 할 수 있는 곳이 가까운 건강보험공단이었다.

아내 손잡고 같이 갔다.

병들면 고통받고 고액의 치료비 부담과 나를 병간호하기 힘들 아내, 자식 눈치를 보느니, 때가 되면 온몸에 바늘에 꽂힌 호스를 달고 코에는 호스로 강제호흡 시키고 대소변은 배 옆구리로 호스와 비닐봉지로 받아내고 심장이 멎으면 전기충격을 주어 생명을 연장하느니 이승과 깨끗이 곱게 이별하고 싶었다.

아내와 등록기관 같이 간 것도 내가 이승과 하직할 때 깨끗하고 곱게 보내달라는 부탁과 약속을 하는 의미도 있었다.

아내도 사전연명의료의향서 등록하겠다고 하여 같이 등록했다.

연명치료란 나의 의사와 관계없이 나의 죽음을 연장하는 것이다.

법적으로 복잡하지만 [호스피스 · 완화의료 및 임종 과정에 있는 환자의 연명의료 결정에 관한 법률]에"연명의료"란 임종 과정에 있는 환자에게 하는 심폐소생술, 혈액 투석, 항암제 투여, 인공호흡기 착용 및 그 밖에 대통령령으로 정하는 의학적 시술로서 치료 효과 없이 임종 과정의 기간만을 연장하는 것을 말한다.

"대통령령으로 정하는 의학적 시술"이란

1. 체외생명유지술(ECLS) 2. 수혈 3. 혈압상승제 투여 4. 그 밖에 담당의사가 환자의 최선의 이익을 보장하기 위해 시행하지 않거나 중단할 필요가 있다고 의학적으로 판단하는 시술.

한마디로 쉽게 설명하자면 살 가망성이 없는데 발달 된 의료행위로 숨만 쉬게 하고 심장만 뛰게 죽지 않도록 하는 의료행위를 하지 말라는 것이다.

대표적인 예로 이건희 삼성그룹 회장이 2014년 6월 9일 급성 심근경색으로 쓰러져 본인 의사와 무관하게 의식 없이 6년 5개월 투병 끝에 2020년 10월 25일 향년 78세로 결국 사망했다.

삼성 서울병원이 어떤 곳인가?

암 환자의 마지막 소원이 삼성 서울병원에서 진료받고 수술하고 죽으면 여한이 없다는 곳으로 유명한 최고권위 의료진과 최첨단 의료 장비를 보유한 최첨단 병원이다. 삼성 서울병원이 이건희 회장 소유이고 전용 엘리베이터가 있는 호화병실에서 간호사는 물론 최고권위 의사들이 24시간 대기하며 의식 없이 6년 5개월 생명 유지를 했다. 최고의술과 최신 의료 장비로 절대 못 죽게 했다.

사망 직전 보유 재산은 세계 부자 순위 66위 공식적으로 약 23조 7,100억 원(198억 달러)이다. 이건희 회장이 죽으면 10조 이상을 상속세로 내어야 한다. 부산광역시 1년 예산이 10조 정도이니 얼마나 많은 돈을 상속세로 내어야 하는가?

예컨대 상속세보다 다른 방법으로 상속세를 절감하기 전 죽고 싶어도 못 죽는다.

나는 이건희 회장같이 물려줄 상속도 없고 장난감 병원도 없어 그럴 리가 없지만, 며칠을 더 살면서 병원에 많은 돈을 갖다줄 필요가 없고 가족에게나 사회적으로 생명 연장을 위해 물리적으로 정신적으로 짐이 될 필요가 없다는 것이 평소 나의 죽음에 대한 지론이다.

다행히 나의 반쪽 아내도 나의 지론과 같이 해주어 고맙고 서로가 마지막 이별을 가볍게 했다는 것에 의미를 두고 싶다.

호스피스 · 완화의료 및 임종 과정에 있는 환자의 연명의료 결정에 관한 법률 제12조(사전연명의료의향서의 작성 · 등록 등) ① 사전연명의료의향서를 작성하고자 하는 사람(이하 "작성자"라 한다)은 이 조에 따라서 직접 작성하여야 한다.

② 등록기관은 작성자에게 그 작성 전에 다음 각호의 사항을 충분히 설명하고, 작성자로부터 내용을 이해하였음을 확인받아야 한다. 는 법에 따라 본인은 「호스피스 · 완화의

료 및 임종 과정에 있는 환자의 연명의료결정에 관한 법률」 제12조 및 같은 법 시행규칙 제8조에 따라 위와 같은 내용을 직접 작성했으며, 임종 과정에 있다는 의학적 판단을 받은 경우 연명의료를 시행하지 않거나 중단하는 것에 동의합니다.라는 글자 밑에 내가 먼저 씩씩하게 서명 날인하고 옆으로 보니 아내는 알고 하는지 모르고 따라 하는지 같이 서명 날인하는 모습을 보고 아직은 죽음과 멀리 있는 젊은 나이인데 괜한 것을 권했나 하는 후회도 밀려왔다.

등록기관 건강보험공단을 나오면서 슬쩍 아내에게 이야기해 주었다.

[호스피스 · 완화의료 및 임종 과정에 있는 환자의 연명 의료결정에 관한 법률] 10조 ⑤ 환자는 연명의료계획서의 변경 또는 철회를 언제든지 요청할 수 있다.

이 경우 담당 의사는 이를 반영한다는 법이 있으니 항상 철회할 수 있으니 걱정하지 말라고 하니 쓴웃음 지으며 나를 달래는지 위로하는지 "나도 살 만큼 살았다"라고 한다.

농담이지만 30여 년 전에 꽃다운 나이 나를 만나 이제 살 만큼 살았으니 헤어질 때가 되었다는 뜻인지 아니면 살 만큼 살아 미련이나 아쉬움이 없다는 뜻인지 아내의 진심이 궁금했지만 벌써 영원한 이별을 준비해야 하는 나이가 되어가는 것이 이승에 아직 미련과 아쉬움이 남아 있는지 왜 그런지 조금 씁쓸하였다.

어색한 분위기를 전환하려고 연명의료 중단 등 결정 이행시 통증 완화를 위한 의료행위와 영양분 공급, 물 공급, 산소의 단순 공급은 시행하지 아니하거나 중단되어서는 아니 된다는 법이 있어 연명의료 중단을 하여도 단번에 모든 것을 중단하지 않고 통증 완화, 산소. 물. 영양분 등은 공급하여 굶겨 죽이지는 않는다고 하니 "그래도 굶어 죽기 싫은 모양이지"라는 아내 말에 큰소리로 웃으며 사전연명의료의향서 등록 마무리를 잘했다.

의식 없이 살아가는 무의미한 삶 대신 존엄한 죽음을 항상 추구한 나에게 서울신문 2019년 3월 6일 자 신문 기사에서 한국인 2명 스위스서 안락사'존엄한 죽음'에 대해 화두를 던졌다.

공무원 출신인 40대 남성 말기 암 환자였던 박 씨는 한 달간의 준비 끝에 스위스로 향해 먼 길까지 가서 스스로 자기 삶을 마감하는 안락사를 선택했다.

스위스 국적을 보유한 사람과는 달리 외국인은 의외로 최소비용 이천만 원 이상 많이 든다고 한다.

경제적 여유가 없는 사람은 안락사를 택할 수도 없을뿐더러 돈이 있어도 비행기로 14 시간 이상 장거리 여행을 할 수 없다면 그마저도 어렵다.

전 세계적으로 안락사가 허용되는 합법적인 나라는 총 6개국이다.

대부분 유럽국에서 가능하며 아시아는 아직 안락사가 합법화된 곳이 전혀 없다.

최초 안락사 허용국가는 네덜란드이며 스위스, 벨기에, 룩셈부르크, 콜롬비아, 캐나다이다.

그동안 금기시되었던 안락사 '존엄한 죽음'에 대해 우리나라에서도 도입을 깊게 생각해 볼 때가 되었다.

본인의 의사와 관계없이 처참한 삶을 영위해가는 사람들에게 존엄성 죽음이라는 거창한 죽음보다는 치료되지 않고 회생할 수 없는 삶이라면 그 고통 속에서 자유로 울 수 있는 죽음의 선택권을 본인에게 달라는 것이다.

안락사 '존엄한 죽음' 우리나라에서 합법화가 되면 사전연명의료의향서 등록처럼 아내에게는 권하지 않겠지만 나는 무조건 선택한다.

살아온 날들이 더럽고, 치사하지만, 가족 생계유지를 위해 비겁하고 추하고 굴욕적으로 살아왔으나 이 세상을 하직할 때는 가족에게 짐이 되지 않고 추한 꼴 보이지 말고 미련 없이 깔끔하게 떠나고 싶기 때문이다.

준비 없는 영원한 이별 준비

젊은 날 10살 차이 나는 여자와 결혼한다고 주위 친구들이 나를 많이 부러워하고 도둑놈이라고 했다. 그때는 부러움에 대상이고 미녀와 야수가 만났다고 놀림도 많이 당했다.
그러나 세월이 지나 부부가 이별할 시간이 되어가니 걱정이 앞선다.

자식 농사는 지을 만큼 지었다. 판사, 의사, 박사로는 키우지 못했지만 풍족하게 해준 것은 없어도 부족함 없이 서른이 넘도록 반듯하게 잘 키워 결혼까지 시키지 못하고 얼마 전 독립시켰다. 이제는 내가 이 세상에 없어도 자식에게 원망 들을 일은 없을 것 같다.

평균수명으로 계략 적으로 계산을 해도 여자가 남자보다 평균수명이 10년 더 길고 나보다 10년 젊으니 내가 이승과 이별을 하면 20여 년은 아내 홀로 살아야 한다.
젊은 날 10년 연하하고 결혼한다고 부러움의 대상이 남편 없이 20여 년을 혼자 사는데 불편함은 없도록 해주는 것이 10년 젊은 아내에 대한 예의일 것 같다.

평생 건축 관련 일을 하면서 반듯한 집 하나 남겨주지 못해서 지금 사는 집을 리모델링 해주기로 했다. 사는 데 불편은 없지만 조금 여유가 있는 집으로 옮기고 싶었다. 그러나 어차피 혼자 살집이고 둘이 사는 데도 불편함이 없지만 나 없이 20년 살아도 불편함이 없도록 예쁘게 리모델링해주기로 했다.

아내는 며느리 손자가 오면 불편하니 집을 조금 넓히자고 했지만. 결혼도 하지 않은 아들을 보면 며느리, 손자는 내 마음에서 지워야 편할 것 같아서"아들 며느리 손자 오면 경주에 많고, 많은 호텔이나 콘도 잡아주면 된다." "일 년에 몇 번이나 올까? 기대도 하지 말고 행여 그런 날이 오면 제일 좋은 콘도나 오성급 특급호텔을 잡아준다."라며 큰소리 쳤다

일 년에 몇 번 오지도 않는 자식, 행여 오면 불편할까 비싼 관리비 내면서 40평, 50평 아파트에 늙은 부모가 넓은 아파트 쓸고 닦으며 자식 기다리며 힘들게 살아간다. 얼마나

낭비이고 소모적인가? 큰 아파트가 없어 시샘하는 것이 아니라 나이가 들수록 짐도 줄여야 하고 집도 줄여야 한다. 어차피 다 안고 죽을 일은 아니기 때문이다. 그래서 사는 집을 리모델링 하기로 하고 짐 정리를 했다.

제일 먼저 어머니 시집올 때 해본 80년 된 삼층 장롱과 쌀 뒤주다. 큰집에서 감포로 내려오면서 처가로도 들어가지 못해 빈 시골집에 세를 주고 보관하다가 경주까지 가져온 것이다. 몇 번이고 처분하자는걸 행여 큰집으로 이사 갈 수 있으리라 생각하고 집이 협소하지만 보관하고 있었다. 어머니 유품으로 마지막 남은 것이다.

부자(富者) 3대 내려가지 않는다.라는 말이 맞는 것 같다. 어머니가 시집올 당시 외가가 부잣집이어서 시집올 때 해온 혼수 장롱을 내가 물려받았지만 더 이상 자식에게 물려줄 수 없는 애물단지가 되어 돌아가신 어머니에게 미안하지만 정리했다.

대구 큰집에 살 때 거실과 방은 내가 찍은 사진으로 장식했다. 풍경 사진 액자는 버렸지만, 아들 사진 액자는 버리지 못했다. 보관할 곳이 없어 뒤주에 넣어 놓았는데 더 이상 보관할 수가 없어 액자에서 사진만 모두 빼내어 이다음 독립하면 가져가도록 아들 방에 구석진 곳에 보관했다.

처가에도 언제 가져다 놓았는지 아내 처녀 때 찍어준 사진, 결혼사진, 대학원 졸업 사진, 국회의원선거 출마 포스터에도 붙일만한 내 인물 사진, 아들 돌 되기도 전 아내와 아들 세 명이 찍은 사진, 그리고 아내와 결혼하고 단둘이 당시 유명한 사진관에서 찍은 사진 등 액자에 넣은 사진이 많이 있었다. 한때 큰집으로 이사 가면 다시 걸 것이라고 보관 중이었는데 큰 집으로 이사 가는 꿈은 접어야 하기에 아쉽지만, 액자에서 사진만 꺼내고 액자는 쓰레기로 분리 처리하였다.

대구에서 감포로 내려와서 처가 건물을 짓고 이사 중 장인어른이 깊은 곳에 소중하게 몇십 년을 보관해 두었던 아내의 초, 중, 고 학교 앨범과 졸업장 초등학교 때 받은 글짓기 대회상장, 미술대회상장, 걸스카우트 표창장 등 내가 가져와 보관했다.

함가는 날, 결혼식 비디오테이프는 비디오테이프 재생장치가 없는 시절이라 동영상 파일로 전환하여 USB에 담았다. 아내 초등학교 때 한국일보 미술대회 입상하여 받은 녹슨 금메달 낡은 목걸이에 USB를 걸어 두었다. 보관하던 학창 시절 상장과 함께 젊은 날 멋 부린다고 비싼 돈 주고 사서 들고 다니던 007가방에 다시 정리하여 넣어두었다.

그리고 잠금장치 비밀번호는 아내 생일 맞추어 놓았다

한국 남자 평균수명으로 치자면 몇 년은 더 남았지만, 이 나이까지 건강하게 잘 살았으니 더 이상 바라는 것은 욕심이라고 다시 한번 더 되씹는다. 80억 인구 전체로 따지면 평균수명 이상 살았다. 결론적으로 살 만큼 살았다는 것이다. 건강수명과 평균수명이 10여 년 차이가 난다. 즉 평균수명만큼 살려면 10여 년은 병원 신세나 남에게 의탁하고 살아야 한다.

이승에 삶에 하루하루 최선을 다하고 미련을 갖지 말자고 늘 혼자 다짐하고 다짐이 모자랄 때 하느님께 기도드린다.

"이제는 언제 어느 때 저를 거두어 드려도 하느님을 원망하지 않습니다. 다만 잠자리에 누워서 깨어나지 않듯이 거두어 주시기를 간절히 기도합니다. 아멘"

8. IMF 다리 난간 위에 올라서서

IMF 다리 난간에 올라서서

모든 것이 무너졌다.

극장집 아들로 태어나 부족함 하나 없이 자랐다.

80년도 들어서면서 컬러TV가 나오고 이어서 비디오가 나오면서 극장 사업이 쇠퇴하면서 극장 문을 닫게 되었다.

지금은 말도 안 되는 1998년 9월 관련 법률이 폐지되었지만 1989년 토지 공개념에 따라 토지 초과 이득세를 도입하여 200평 이상 유휴지 보유하면 엄청난 세금을 부과하였다. 그러므로 시내 중심에 있는 극장 자리에 도시계획으로 건물을 철거하게 되어 빌딩을 건축하였다. 건축비는 임대보증금으로 충당할 수가 있어 임대사업으로 전환하였다.

건물을 준공하고 얼마 되지 않아 IMF가 터졌고 입주한 회사가 하나둘 빠져나가기 시작하여 은행 대출로 임대보증금을 내어주어야 했다. 재입주는 없었고 은행 대출이자는 눈덩이처럼 불어났고 건물은 은행경매에 날아가고 부도가 났다.

부도가 났으니 당연히 민 형사적 책임 있어 외국으로 잠시 피해 있었다.

돈 앞에서는 가족도 없다는 것을 깨우쳤다. 귀국하여 모든 형사적 책임을 다하고 시골 처가로 이사를 해야 했다. 몸은 이사로 해결할 수 있었지만, 정신은 이미 폐인으로 변해 있었다.

가족에게 배신당하고 냉정한 사회에서 매장되었다.

몇 번인가 나쁜 생각도 했다.

하지만 그럴 수는 없었다.

나 혼자 편해지자고 초등학교 1학년 아들과 나만 바라보고, 시집온 지 10년 만에 알거지가 되어 친정으로 내려온 아내를 버릴 수가 없었다. 극단적인 행동을 하고 나면 남겨진 사람들에게 나처럼 또 평생을 한으로 남아 나를 원망할 것 같았다. 아들이 대학 졸업할 때까지만 죽었다고 생각하고 버티어 보자고 마음을 돌렸다.

남들에게 당하면 복수도 할 수 있고 소송도 할 수 있다. 하지만 가족에게 당하면 다 무너지고 아픔과 서러움의 한이 더욱 크기에 회복할 때도 많은 시간이 필요하다.

숨비소리

고통의 시간을 보내면서 고통을 참으려고 정신없이 적어본 짧은 글들이다.

외국으로 도피하여 모든 것을 포기하고 숨쉬기조차 힘들 때 글로 표현할 수 있는 내 마음을 유언처럼 적어 본 짧은 글들이다. 말이 통하지 않는 낯선 곳에서 하소연 대신 낙서처럼 쓴 글이다. 어렵고 힘든 시절을 다 보내고 다시 꺼내어 보니 지금은 무슨 말인지조차 알 수가 없다. 하지만 아직은 낱말마다 아픈 흔적이 남아 있는 것 같아 수정하지 않고 그냥 옮겨 적는다.

IMF 다리를 건너기 전에는 불행한 천국에서 살았다면 IMF 다리를 건너와서는 행복한 지옥에서 살았다고 감히 나 스스로 말할 수 있다.

IMF 다리 난간에 올라서서 비참한 삶에 모든 것을 포기한 나를 던졌다. 초등학교 1학년 아들을 내 손으로 대학을 꼭 졸업시키고 싶었다.

그 후 미련 없이 이 세상에서 떠난다는 약속을 지키기 위해 20여 년을 아버지와 가장이라는 가면을 쓰고 살았다. 가족 생계유지를 위해 하루하루 처절한 생계전쟁터에서 육탄전을 펼치며 살아남았고 가장으로 책임의 약속도 지켰다.

아들을 대학 졸업시키고 잘 버티어 내었다고 나 자신에게 칭찬하고 격려하면서 아픈 과거를 묻어 버릴 수 있었다. 하지만, 당시 아픈 상처의 흉터를 지울 수 없기에 남들은 관심도 없고 모르는 일일 것이다.

나 자신을 격려하고 위로하며 나만이 알 수 있는 암호 같은 글자를 활자체로 만들어 그냥 이 세상에 내보내 본다.

나 여기 있습니다

나는 존재하지 않습니다.
지쳐버린 나의 영혼이
나를 존재치 않게 합니다.

나는 이 세상에 없습니다.
힘겨운 나의 과거들이
나를 연기처럼 사라지게도 했습니다.

저녁 석양에 검붉은 태양이 사라지듯
나의 영혼 또한 사라졌습니다.

내일이면 또다시 떠오를 태양을 기다리듯
산산이 부서진 내 영혼을 추슬러 봅니다.

나는 존재합니다.
작은 골방에서도 곰팡이가 피어나듯이
나도 피어납니다.

아무리 외쳐도 들리지 않을 목소리로
목청 터지라 외쳐 봅니다.
나 여기 있습니다.

바퀴벌레

바퀴벌레 한 마리
깊고 깊은 수렁에 빠졌습니다.

향긋한 향기와 달콤한 맛에
깊고 깊은 수렁에 빠졌습니다.

향긋한 꿀 냄새가 수렁인 줄 몰랐습니다.
달콤한 꿀맛이 수렁인 줄 몰랐습니다.

바퀴벌레 한 마리
깊고 깊은 수렁에 빠졌습니다.

사(死)의 절규

더 이상 살고 싶지 않습니다.
아니 더 이상 삶의 이유를 모르겠습니다.

더 이상 살고 싶지 않습니다.
아니 더 이상 행복을 모르겠습니다.

삶의 고통보다는
현실의 냉혹함보다는

너무나, 너무나 힘든 것은
혼자라는 이유의 외로움 때문입니다.

통곡

지쳐버린 내 영혼을 원망하면서
나는 울었습니다.

한 많은 젊은 날의 환희를 원망하면서
나는 울었습니다.

뼛속 깊이 파고드는 이 외로움을 달래면서
나는 울었습니다.

눈물 섞인 쓰디쓴 술잔을 돌이키면서
나는 울었습니다.

빈 잔에 채워지는 나의 눈물을 보면서
나는 울었습니다.

한없이 한없이
목 놓아 울었습니다.

고래사냥

어제 멸치 샀다.
겁도 없이 멸치 샀다.

오늘은 갈치 샀다.
외상으로 갈치 샀다.

내일은 고래 살까?
술도 없이 고래 살까?

삭막한 부두로 배가 들어온
멸치 배 갈치 배 고래잡이배

내일은 똑딱선 타고 등대 없는 바다로
고래 잡으러 갈까?

낚싯바늘 없는 낚싯대 들고
고래 잡으러 갈까?

망각

몸서리치도록 고통스러운 과거
잊을 수가 없습니다.

창살 밖에 참새 한 마리
잊을 수 없습니다.

뿔 그릇에 담긴 보리 섞인 밥 덩어리
잊을 수가 없습니다.

구멍 뚫린 유리 너머 흐느끼는 당신의 모습
잊을 수가 없습니다.

가슴 차디찬 비수를 꽂아 놓고 돌아선 당신들의 뒷모습
잊을 수가 없습니다.

아무리 고개를 흔들고 통곡하여도
잊을 수가 없습니다.

악몽

사랑이 미움인지 미움이 사랑인지
사랑 속에 미움이 존재하는지
미움 속에 사랑이 싹트는 건지

사랑이면 영원하고
미움이면 이해하고

현실이 악몽인지 악몽이 현실인지
현실 속에 악몽을 꿈꾸는 것인지
악몽 속에 현실이 존재하는 것인지

악몽이라면 아침이 빨리 오고
현실이라면 존재치 말고

타향 구정

내가 있을 곳은 여기가 아닌데
쓸모없는 육신은 여기에 뒹굴고

마음은 고향 찾아 떠나가지만
쓸모없는 육신은 여기에서 뒹굴고

어차피 한 줌의 흙이 될 육신
마음 따라 고향이나 갔다 오지.

타고 남은 뼛가루 뿌릴 곳도 없는
쓸모없는 육신 여기서 뒹구는구나.

망향가 불러도 대답 없는 내 마음
언제나 돌아올지

지금쯤 어디선가
작은 꿈 찾아 작은 집 짓고 잘살고 있는지

고향 떠나 망향가 수없이 불러보지만
이제는 대답 없는 망향가 다시 부르지 않으리

타향 추석

내 고향 추석에는 파도 소리 나지 않는데
타향 추석에는 파도 소리 들린다.

내 고향 추석에 능금 꽃향기 나는데
타향 추석에는 능금 꽃향기를 맡을 수가 없구나.

내 고향 추석에는 차례 지내고 성묘 갈 텐데
타향 추석 꽁초 담배 연기로 조상님 얼굴 그려보고

내 고향 추석에는 온 가족 모여 햇과일 먹을 텐데
타향 추석 식은 밥알 뜨거운 눈물로 목구멍으로 쑤셔 넣고

갈 곳 없는 내 고향 그리워해 보고
반겨줄 사람 없는 온 가족 무사 안녕을 기원하고

저녁이면 떠오를 한가위 보름달에
이내 마음 새겨서 밤 구름 사이로 비쳐 볼까?

꼬락서니

한 많은 이 가슴 지지리도 미워집니다.
초라한 이 몰골 지지리도 미워집니다.

한 많은 이 가슴 세월 속에 식힐 때도 되었건만
초라한 이 몰골 세월 속에 묻을 때도 되었건만

한 많은 이 가슴 차디찬 숫돌에 갈아 보고
초라한 이 몰골, 엄동설한 얼음물에 씻어도 보고

한 많은 이 가슴 독한 술을 빚어 마셔도 보고
초라한 이 몰골 독한 담배 연기 속에 태워도 보지만

한 맺힌 술잔에 눈물만 흐르고
초라한 담배 연기 가슴만 답답할 뿐이다.

인(忍)

어제도 참고
오늘도 참고
내일도 참아야 하나?

멍든 가슴 짓밟아도 참아야 하고
초점 풀린 눈동자 찍어도 참아야 하고
썩어빠진 자존심마저 뭉개 저도 참아야 하나?

어제도 참았는데 오늘도 참지 못하리
오늘도 참았는데 내일은 참지 못하리
내일은 참으리 다짐해보지만

멍든 가슴 짓밟혀 고름이 터지고
초점 풀린 눈동자 찢어져 먹물 터지고
썩어빠진 자존심 걸레 되어 흐늘거리네.

녹슬은 전차

앞도 없고 뒤도 없는 전차
전기도 없고 레일도 없는 전차

앞은 절벽이요,
뒤는 불바다
떨어져야 하나 불에 타야 하나
떨어지면 아프고
불에 타면 뜨겁고

행여나 기적소리 울릴까?
기다려 보지만
갈 곳 없는 전차
망망대해 잠수함을 그리워하며

희망과 꿈을 싣고
행여나 기적소리 울릴까 기다려 봅니다.

아버지 이승에서 저승으로 떠나시던 날

아버지께서 숨 거두신 날
눈물 한 방울 흘리지 않았습니다.

삶의 충고, 재산, 꿈, 희망,
어떤 한 가지도 남겨주지 않았기에
눈물 한 방울 흘리지 않았습니다.

아버지 관속에 들어가시는 날
한없이, 한없이 울었습니다.

인생의 죽음이란 의미의
참모습을 남겨주셨기에
한없이, 한없이 울었습니다.

아버지 땅속에 들어가시는 날
눈물 한 방울 흘리지 않았습니다.

고통과 고난의 세월만 남겨 둔 채
혼자 떠난 아무런 의미 없는 아버지의 존재를 원망하며
눈물 한 방울 흘리지 않았습니다.

좋은 곳에 가시길 기원합니다.

불효자식 올림

아버지를 보내며

이제는 저도 아비 없는 자식입니다
자식밖에 없는
아비 없는 아비가 되었습니다.

언젠가는 이날이 올 줄 알았지만
허전한 마음은 어쩔 수가 없지만
아비 없는 삶이 달라질 것도 없을 것 같습니다.

이제는 저도 아비 없는 자식입니다.
어미도 언젠가 떠나겠지만
어미만 남은 아비 없는 자식이 되었습니다.

언젠가는 어미마저
내 곁을 떠나겠지만
지금처럼 똑같이 받아들이겠습니다.

세속에 지쳐버린 이 자식보다
세속에 던져버린 이 자식보다
더 슬플 것 같지 않기 때문입니다.

책임 없이 던져버린 이 세상 속에
살아남기 위해서 발버둥 치며,
지쳐가는 나에 힘겨운 삶을 지켜야 하기 때문입니다.

불효자를 용서하십시오.

지지리도 못난 놈

기차인지 비행기인지 구분도 못 하고,
기차인 줄 알고 비행기 타는
지지리도 못난 놈

하늘인지 땅인지 구분 못 하고
걷는 줄 알고 날아가는
지지리도 못난 놈

지폐인지 낙엽인지 구별도 못 하고
낙엽 타는 냄새 좋아 지폐 태우는
지지리도 못난 놈

해인지 달인지 구분 못 하고.
달이 좋아, 해를 버리는
지지리도 못난 놈

사랑인지 미움인지
구분 못 하고 사랑인 줄 알고 미움받는
지지리도 못난 놈

애새끼 아비 새끼

애새끼 똘망똘망 눈망울로 아비를 쳐다보지만
아비 새끼 술 취한 흐리멍덩한 눈으로 볼 수도 없고

애새끼 고사리손으로 아비 손잡아 보지만
아비 새끼 거친 아비 손 땀만 잡히고

애새끼 총총걸음으로 아비 새끼에게 달려 가보지만
아비 새끼 흐트러진 발걸음만 휘청거리고

애새끼 작은 입술로 아비 새끼 입맞춤하지만
아비 새끼 퀴퀴한 입 냄새에 고개 돌리고

애새끼 작은 약속 아비에게 기다려 보지만
아비 새끼 주색잡기에 희희낙락거리고

애새끼 이다음 커서 무엇이 될까요?
아비 새끼에게 물어보니

아비 새끼 긴 한숨 지으며
아비처럼 살지 말아라.

거울

거꾸로 보이면서 잘도 살지요.
거꾸로 보이면서 잘도 보이지요.

시작이 끝이면서 끝은 또 다른 시작이지요.
하나가 열이면 열이 하나이지요.

미워하면서 사랑하고
사랑하면서 미워하지요.

바르게 보면 거꾸로 보이고
거꾸로 보면 바르게 보이지요.

미워할 때 거울을 보십시오.
거울을 보면 사랑합니다.

외로울 때 거울을 보십시오.
거울을 보면 행복합니다.

먼 나라 우리 사람 우리나라 눈먼 사람

먼 나라 우리 사람 돈 벌러 왔어요.
우리나라 눈먼 사람 행복 찾아왔어요.

먼 나라 우리 사람 밥 먹고 살아요.
우리나라 눈먼 사람 사랑 먹고 살아요.

먼 나라 우리 사람 웃음 먹고 살아요.
우리나라 눈먼 사람 눈물 먹고 살아요.

먼 나라 우리 사람 돈 벌면 간대요.
우리나라 눈먼 사람 행복 찾으면 간대요.

먼 나라 우리 사람 웃으며 간대요.
우리나라 눈먼 사람 울면서 간대요.

먼 나라 우리 사람 행복한 사람
우리나라 눈먼 사람 외로운 사람

먼 나라 우리 사람 희망 찾으러 간대요.
우리나라 눈먼 사람, 그리움 찾으러 간대요.

먼 나라 우리 사람 누구인지 모르지만
우리나라 눈먼 사람 나일지도 몰라.

선풍기

오늘따라 선풍기 잘도 돕니다.
오늘따라 에어컨을 없는 날 잘도 돕니다.

오늘은 선풍기 돌지 않습니다.
오늘은 에어컨 돌아가는 날

선풍기 오늘 천덕꾸러기 신세
에어컨 등쌀에 눈물 흘리고

오늘은 선풍기 가출하는 날
빛바랜 부채 노인 만나러 가는 날

빛바랜 부채 노인
반갑게 선풍기 맞이하며

세월을 원망하지 말라 위로하며
기다림을 가르쳐 줍니다.

신랑 바퀴벌레 군과 신부 도마뱀 양 결혼식

바닥에는 바퀴벌레 한 마리
천장에는 도마뱀 한 마리

언제나 외로운 한 마리
언제나 쓸쓸한 한 마리

오늘은 바퀴벌레와 친구 되어 보고
내일은 도마뱀과 친구 되어 볼까?

언제나 외로운 바퀴벌레군
언제나 쓸쓸한 도마뱀 양

오늘은 바퀴벌레군. 만나
도마뱀 양과 친구 하라 권해 보고

내일은 도마뱀 양 만나
바퀴벌레 사랑하라 권해 볼까?

얼씨구 좋을시고
절씨구 좋을시고

오늘은 신랑 바퀴벌레 군과 신부 도마뱀 양의 결혼식
주례는 앞집 똥개 새끼 월 월

축하 하객 나 혼자서 북 치고 장구 치고
잘 살아라, 잘 살아라, 사는 것이 별거냐

똥개 새끼 주사 맞는 날

깨개갱 깨개갱
개새끼 주사 맞는 날

깨개갱 깨개갱
흰 개새끼 주사 맞네요.

미친 개새끼 되지 말라고 주사 놓는데
그것도 모르는 개새끼

지 좋아라 주사 놓는데
그것도 모르는 개새끼

목줄에 매달려 밥만 기다리는
똥개 새끼 개새끼

목줄이 풀려도 좋다며 뛰어다니는
똥개 새끼 개새끼

똥개 새끼 밥은 먹었는지
똥개 새끼 목줄은 묶였는지

내일은 똥개 새끼 밥이나 챙겨줄까?
내일은 주인 몰래 목줄이나 풀어줄까?

똥개 새끼 월 월

아침마다 똥개 새끼 월 월 지어댑니다.
밥 달라고 월 월, 일어나라고 월 월

볼 때마다 똥개 새끼 살랑살랑 꼬리를 흔듭니다.
밥 달라고 살랑살랑, 놀아달라고 살랑살랑

밤이면 똥개 새끼 잠만 잡니다.
밥줄을 사람 없으니 잠만 잡니다.

밤이면 똥개 새끼 잠도 잘 잡니다.
놀아줄 사람 없으니 잠만 잡니다.

아침에 똥개 새끼 월 월 짖어 댑니다.
큰 똥개에 잘 잤느냐 아침 인사 전하며 월 월

땡볕

찾는 사람 없는 전화 소리 기다려 보고
오지 않을 사람 문소리 기다려 보리라.

받을 사람 없는 전화기 수화기 들어보고
오지 않을 사람 기다리며 문 열어보리라.

기다림을 그리움으로 그려보고
그리움을 기다림으로 바꾸어 보리라.

눈물을 웃음으로 미소 지어 보고
웃음을 눈물로 삼켜 보리라.

기다림에 지친 나이에 육체를 술로 달래 보고
그리움에 흩어진 나의 마음, 담배 연기로 날려 보리라.

허공을 향한 나의 웃음 눈물로 지워 보고
눈물에 젖은 얼굴 땡볕에 말려 버리리.

달력

빨강 글 한 줄에 옆으로 까만 글 여섯 자리
까만 글 여섯 자리 아래로 네 자리

한 달이면 서른 글자
일 년이면 삼백육십 다섯 글자

나의 달력 빨간 줄은 보이지 않고
나의 달력 까만 글 셀 수도 없네.

하루도 셀 수 없는
숫자 없는 하얀 내 달력

양철 지붕

사르르 사르르 양철 지붕
이슬비 오는구나.

좌르륵 자르르 양철 지붕 소리
소낙비 오는구나.

철렁철렁 양철 지붕 소리
바람 부는구나.

조용한 양철 지붕
햇빛 났구나.

쿵덕쿵덕 나의 심장 소리
누구를 기다리나?

오솔길

굽이굽이 오솔길 따라 걸어 가보자.
작은 오두막집이 있으면 쉬어 가고,
작은 냇물 있으면 발 담그고 가고,
작은 새소리 들리면 함께 노래 부르고

굽이굽이 오솔길 따라 걸어 가보자.
비 내리면 비 맞으며 첨벙첨벙 걸어보고,
눈 내리면 눈 밟으며 뽀도독뽀도독 걸어보고,
어두운 밤이면 더듬어 거리며 걸어보고

굽이굽이 오솔길 따라 걸어 가보자.
비 내리면 내 사랑 우산 받쳐주고,
눈 내리면 내 사랑 감싸 안아 주고,
어두운 밤이면 내 사랑 불 밝혀 주리라.

이정표

어디로 가야만 하나
갈림길 여기까지 와서는

어디로 가야만 하나
막다른 길도 아닌데

어디로 가야만 하나
맨발로 여기까지 와서는

내 마음 이정표는 보이지 않고
어디로 가야만 하나

내 마음 저편 무지개 아지랑이 아른거리는데
어디로 갈까요?

내 마음 저편 아름다운 천사 손짓하는데
어디로 가야만 하나.

종이배

물길 따라 동동 떠가는
하얀 종이배 어디로 떠날까?
저 종이배 무슨 사연 싣고 갈까?

바람 따라 훨훨 날아가는
하얀 기러기 어디로 날아갈까?
저 기러기 누구를 찾아갈까?

하얀 종이배 작은 연못에 도착할까?
하얀 기러기 작은 숲에 쉬어 갈까?

작은 연못 항구에 하얀 종이배 닻을 내리고
작은 숲속 하얀 기러기 둥지 있을까?

하얀 종이배 작은 연못 항구에 닻 내리거든
작은 엽서에 소식이라도 전해주구려

하얀 기러기 작은 숲속에 둥지 만들면
예쁜 짝 만나 사랑 듬뿍 나누려무나.

절규

허무한 마음도 모릅니다.
허전한 마음도 모릅니다.

다만 외로울 뿐입니다.
찢을 듯이 마음이 외로울 따름이다.

장미꽃이 아름다운 것도 모릅니다.
목련꽃이 순결하다는 것도 모릅니다.

다만 외로울 뿐입니다.
꽉 다문 입술로 한없이 얘기하고 싶을 뿐입니다.

힘든 고통도 모릅니다.
힘든 고난도 모릅니다.

다만 지쳐있을 뿐입니다.
흐트러진 육신과 혼을 바로 잡고 싶은 마음뿐입니다.

알고 싶은 마음도 모릅니다.
부르고 싶은 노래도 모릅니다.

다만 그리울 뿐입니다.
목매어 절규하는 이 마음의 대답을 듣고 싶을 따름입니다.

오두막집

눈 뜨면 오두막집 내가 살 곳 아닌데
눈 감으면 오두막집 내가 살 것 같구나.

눈뜨면 초라한 나의 모습은
눈 감으면 내 모습 봉황새 되어 날아가고

눈뜨면 달빛 찾아 날아가는 슬픈 기러기
눈 감으면 해님 찾아 날아오는 아름다운 천사님

눈뜨면 다가오는 악몽에 나날이
눈 감으면 다가오는 작은 희망이어라.

눈뜨면 오두막집 내가 살던 곳은 아닌데
눈 감으면 오두막집 나의 포근한 잠자리이어라.

눈뜨고 나그넷길 떠나 볼까?
눈 감고 부귀영화 누려 볼까?

나의 아저씨들

장님 아저씨, 장님 아저씨
밝은 빛 그리워 울지 마세요.
밝은 곳보다 어두운 곳이 더 많아요.

귀머거리 아저씨, 귀머거리 아저씨
맑은소리 그리워 울지 마세요.
맑은소리보다 시끄러운 소리 더 많아요.

벙어리 아저씨, 벙어리 아저씨
말 못 하는 답답함에 울지 마세요.
할 말보다 침묵이 더 아름다워요.

앉은뱅이 아저씨, 앉은뱅이 아저씨
힘찬 걸음 걸으려고 울지 마세요.
험난한 인생길 걷는 것이 더 힘들어요.

장님 아저씨
어두운 밤에 나의 길잡이

귀머거리 아저씨
헛소리도 잘 들어주는 나의 말동무

벙어리 아저씨
침묵만으로 지켜주는 나의 대화자

앉은뱅이 아저씨
험난한 인생길 나의 휴식처

행여

행여 누가 나를 찾거든.
하얀 연기 되어 훨훨 날아갔다고 전해주오.

행여 누가 사랑했다고 말하거든.
붉은 장미 기다림에 흑장미로 변했다고 전해주오.

행여 누가 떠났느냐 묻거든.
흑장미 기다림에 꽃잎은 떨어지고 가시만 남았다고 전해주오.

행여 당신이 내 임이라면
이제는 기다림에 너무 지쳐 잊어버렸구려.

행여 당신 내 임이라면
흑장미 꽃잎 타고 남은 자리 가시만 돋아있구려.

행여 당시 내 임이라면
기다림에 지쳐버린 이 몸 알아나 보아주구려.

세상이 싫은 이유

고급 승용차가 없어서 이 세상이 싫은 것은 아닙니다.
몇 시간을 기다린 시외버스가
정류장을 그냥 지나쳐 가는 것을 바라보며
이 세상이 싫어집니다.

기름지고 맛있는 음식을 못 먹어서 이 세상이 싫은 것은 아닙니다.
라면 끓일 물 받으려고 수도꼭지 열어도
수돗물이 나오지 않는 수도꼭지를 바라보면
이 세상이 싫어집니다.

금 단추 달린 영국제 양복을 입지 못해 이 세상이 싫은 것은 아닙니다.
값싸다고 몇 벌 산 속내의에 난 구멍,
몇 번 입지 않고 그곳을 꿰맬 때
이 세상이 싫어집니다.

정원이 있는 저택에서 살지 못해 이 세상이 싫은 것은 아닙니다.
라디오 일기 예보를 듣고 고치지 않는 양철지붕 지붕 위로
때아닌 소낙비가 내릴 때
이 세상이 싫어집니다.

세월 속에 지친 내 육신을 움직이지 못해 이 세상이 싫은 것은 아닙니다.
찬바람에 콜록거리는 자식 놈 기침 소리 들으며
싸늘한 방바닥에 앉아서 일 나간 아내를 기다릴 때
이 세상이 싫어집니다.

오직 하나

잃을 것도 얻을 것도 없습니다.
줄 것도 받을 것도 없습니다.
남은 것은 아무것도 없기 때문입니다

사랑할 것도 미워할 것도 없습니다.
서러워할 것도 미쳐 할 것도 없습니다.
남은 것은 아무것도 없기 때문입니다.

목구멍을 타고 내려가는
뜨거운 눈물도 없습니다.

온몸을 감싸듯 솟구치는
분노의 절규도 없습니다.

남은 것은 오직 하나,
참고 살아야 할 세월뿐입니다

시외버스

시외버스를 타면서 기다림을 배운다.
언제 올 줄 모르는 시외버스를 기다리며
행복한 삶을 기다리는 방법을 배운다.

시외버스를 타면서 소중함을 배운다.
쓰러져가는 낡은 정류장 표시판을 바라보면서
이것마저 없으면 그냥 지나칠
시외버스를 생각하며 소중함을 배운다.

시외버스를 타면서 낭만을 배운다.
오일장이 서는 날이면 개도 타고 닭도 타고
개 짖는 소리 닭 짖는 소리
운전기사 잔소리 들으며 낭만을 배운다.

시외버스를 타면서 인생을 배운다.
꼬부랑 할머니도 타고 이빨 없는 할아버지도 타고
할머니 할아버지 세상살이
넋두리를 들으며 인생을 배운다.

비 오는 날

비 오는 날이면 한없이 걷고 싶다.
보이지도 않고 먼지도 없는 질퍽한 이 길을
이유 없이 끝도 없이 무작정 걷고 싶다.

비 오는 날이면 한없이 비를 맞고 싶다.
메말랐던 가슴을 흠뻑 적시며
삶의 지난 고통을 깨끗이 씻어 내고 싶다.

비 오는 날이면 한없이 울고 싶다.
서러움 참았던 눈물을
쏟아지는 빗속 물에 섞어 보내며 목 놓아 울고 싶다.

비 오는 날이면 대성통곡하고 싶다.
눌러왔던 울분을 빗소리와 함께
토해내며 울부짖고 싶다.

9. IMF 다리를 건너서면서

IMF 다리를 건너면서

새로운 밀레니엄 2000년을 맞이하면서 언제 우리나라에 IMF가 있었는지를 잊어버리고 나만 빼고 모두가 축제였다.

모든 걸 정리하고 대구를 떠나 감포 어촌으로 왔다.

나하고는 처가 인연 외에는 아무것도 없는 타향이다.

당장 생계유지조차 할 수가 없었다.

생계 수단으로 배를 탈 수도 없었고, 횟집에 나가 허드렛일부터 배울 수도 없었다. 또한 시골 어촌에서는 아무것도 할 수 없는 나의 무능함에 막막하다는 경험을 처음 해보았다.

무엇을 해야 처자식을 먹여 살릴지 아무런 대책이 떠오르지 않았다.

종잣돈이 없다 보니 하다못해 돼지국밥집도 할 수 없었다. 배운 기술이라고는 집 짓는 건축일 뿐인데 다시는 건축은 하고 싶지 않았기에 막막하다 못해 암담했다.

당장 굶어 죽을 수가 없다 보니 아내가 친정에서 운영하는 횟집에 일당을 받는 아르바이트를 시작했다.

다른 직원이 있었지만, 초등학교 2학년 아들을 돌보아야 했기에 장모님의 배려로 시간에 구애받지 않고 잔심부름을 하고 일당을 받았다. 돌이켜 보면 장모님이 우리 자존심 건드리지 않고 도와주신 것이었다.

초등학교 2학년에 시골 학교로 전학해 와서 적응하지 못하고 왕따라도 당해 상처받을까, 노심초사하며 아들을 신경 써야 했다. 주중에는 아들 뒷바라지를 하는데 시간에 대해 구애받지 않았다. 하지만 주말과 휴일에는 장모님이 하시는 횟집이라도 눈치 없이 자리를 비울 수는 없었다.

그렇다 보니 평일 학교 마친 이후와 주말 휴일에는 아들을 내가 돌보아야 했다. 물론 엄마가 아들 등교시키고 식당에서 일하면서 하교 후 각종 학원을 보냈다. 식당에서 저녁까지 먹여서 집으로 보냈지만 한 번도 아이를 돌보지 않았던 나에게는 몹시 어려운 일이었다. 엄마가 집에 귀가할 동안 기껏해야 숙제 봐주고 게임을 하는 것 통제하고 간식 챙겨주며 같이 놀아주면 되는 것이다. 그러데 그것마저도 9살짜리 아들과 매일 부딪치고 씨름해야 하니 아비 꼴이 말이 아니었다.

건축일하지 않으려고 맹세했었다. 하지만 '배운 것이 도둑질'이라고 내 가치를 높일 수 있는 길은 다시 건축하는 길뿐이었다. 그리하여 집에서 아이를 보는 것보다는 경주에서 잘나가는 건축사로 있는 친구의 권유로 다시 건축에 발을 디뎠다. 직접 현장을 관리하는 현장소장 일이 아니고 간접으로 현장 관리하는 감리사로 새로운 건축 업무를 하게 되었다.

건축직 공무원으로, 아파트신축공사 현장소장으로 아무 일 없이 잘 해왔었다. 하지만 내 집 짓고 부도나고 배신당하고 대궐 같은 내 집에서 쫓겨나 처가에 얹혀사는 꼴이 되었으니 건축을 하는 것은 죽기보다 싫었다. 남들은 좋은 기술이라고 하지만 내가 건축을 안 했다면 부모 형제에게 이런 배신을 당했을까 하는 생각에 늘 건축을 한 것에 대해 후회를 했다.

하지만 어쩔 수 없었다.

건축일 외에는 먹고 사는 방법이 없었다. 내 아들조차 돌보지도 못하고 내 수입으로는 담배조차 피울 여건이 안 되니 죽기보다 싫은 건축일을 다시 시작해야만 했다.

그리고 20여 년을 앞만 보고, 아니 25일 매월 봉급날만 보고 달려왔다.

결근, 지각 한번 안 하고 돈으로 환산해주는 휴가는 하루도 쉬지 않고 일했다.

아니꼽고 더러운 일도 많았다. 자존심 상하고 자괴감이 들 때도 많았다. 순간순간 때려치우고 싶을 때도 많았다. 스트레스로 공황장애가 와서 숨이 막혀 고생한 적도 있다.

삶이 피폐했다.

그럴 때마다 짧은 글로 내 가슴에 새겨 놓았던 글이다.

20여 년을 잘 버티며 왔다. 모든 것을 내려놓고 처자식의 생계를 위해 집 떠나 객지로 다니며 아무 불만이 없었다.

연봉협상도 하지 않았다.

아들 대학 졸업시킬 때까지는 아무 생각 없이 경마가 차안대를 차고 앞만 보고 달리듯 그렇게 달려왔다.

어려울 때 가장을 믿고 박봉을 쪼개어 쓰면서, 잘 버텨준 아내에게 진심으로 고마울 따름이다. 또한 아버지가 어려울 때 불평불만 하나 없이 대학 졸업하고 잘 커 준 아들에게도 고맙다.

그리고 나 자신도 직장생활 가운데 젊은이들과의 경쟁에서 잘 버티었다고 자신을 스스로 위로하고 싶다. 그동안 가슴에 새겨 놓았던 한 맺힌 글들을 끄집어내어 숨비소리처럼 소리치며 내보내 본다.

아카시아

엄동설한 기나긴 나날들을
거친 가슴에 숨겨 놓은
움켜쥔 손가락

가시지 않는 냉기를 참으며
얼어붙은 연두색 손바닥 내밀어
그대를 목 놓아 불러보아도

보이지 않는 그 임의 모습
들리지 않는 그 임의 노래
하얀 그림자 밟으며 다가올 것 같아

기다림이 하얀 그리움으로 다가와
하얀 그리움에 지쳐버린 내 육신이
하얀 눈물이 되어 아롱다롱 맺힌다.

따뜻한 봄바람에 하얀 눈물
한 방울 두 방울 떨어져 나가고
온 천지 하얀 내 눈물이 휘날릴 때면

초췌한 진녹색 손바닥으로
또 다음 봄 기약하며
한 맺힌 하얀 눈물을 마시며 이별을 고한다.

어려운 인생

떠오르는 태양을 바라보는 것이 어렵다.
찬란하게 떠오르는 아침 햇살은 아름답지만
내리쬐는 태양을 바라보는 것은 정말 힘들다.

쏟아지는 장대비를 바라보는 것이 어렵다.
긴 가뭄에 쏟아지는 금비가 그렇게 반갑지만
넘치는 강둑으로 쏟아지는 금비를 바라보는 것은 정말 힘들다.

눈부시도록 하얀 눈을 바라보기도 어렵다.
세상을 천사의 마음같이 덮어 주지만
진흙과 범워 된 검정 눈을 바라보는 것은 정말 힘들다.

살면 살수록 어려운 것이 인생이다.
힘들고 괴로운 것은 참고 견디면 되지만
인생은 풀리지 않는 수수께끼처럼 힘들다.

바보야 우지 마라

바보야 우지 마라
아침 굶었다고
바보야 우지 마라

바보야 웃지 마라
저녁 먹었다고
바보야 웃지 마라

아침 먹고 나서
무슨 할 일이 있다고
그렇게 슬피 우니

저녁밥 먹고 나면
잠만 잘 거면서 그렇게 좋아 웃니

울어도 바보고
웃어도 바보인데
바보야 우지 마라

인생의 마감 시간을 맞이하면서

하루에 마감은 잠자리에 눕는 시간
한주의 마감은 주말
한 달의 마감은 월말
한 해의 마감은 연말

잠자리에 누우면 새날이 오면 일어나면 되고
주말을 마감하면 월요일 올 거고
월말을 마감하면 새달 올 거고
한 해를 마감하면 새해가 오는데

인생을 마감하면
인생 마감은 누구에게나 딱 한 번만 오는데
어떻게 마감해야 할지 늘 걱정이 앞선다.

마감할 준비도 하지 않았고
마땅하게 해놓은 것도 없고
모아 놓은 것이 없어 물려줄 것도 없고

호랑이는 호피라도 남긴다는데
사람의 이름을 남길 만한 업적도 없어
씁쓸할 따름입니다.

인생에 마감을 준비하자니
마감 시간이 다가와 두려운 것도 아니고
돈이 있어서 살기 좋은 세상 미련이 남아서도 아닌데

핑계 같지만
새벽녘 피어난 물안개가 아침 햇살에 사라지는 것처럼
한(限) 많은 내 인생살이 흔적 없이 사라질까?
인생 마감을 잠시 미루어 봅니다.

핑계 같지만
나만 쳐다보고 있는 자식새끼 아내가
아직은 내 손길이 필요한 것 같아
인생 마감을 잠시 미루어 봅니다.

하루의 의미

하루가 모여 칠일이면 한주가 되고
한주가 사주가 되면 한 달이 되고
한 달이 열두 번이면 일 년이 되는데

하루하루에 의미를 두려고 한다.
어쩌면 똑같은 하루에
의미를 다른 하루를 부여한다.

하루의 시작에 의미를 두는 것이
하루하루 삶이 소중하게 느껴지는가 하는
의구심을 가지게 한다.

한 주를 시작하는 날
한 달을 시작하는 날
한 해를 시작하는 날

한 해를 시작하는 새해 1월 1일이
한 해를 마무리하는 12월 31일과
다른 것이 무엇이 있는가?

아무것도 아닌 날에도
의미를 부여하면 무슨 큰 날이 된다.
그냥 그날이 그날인데

봉급날

열심히 했던 농땡이를 쳤던
월급이 나오는 봉급날이다.

한 달, 한 달 봉급날만 챙긴다.
1년이 후딱 지나가고

1년, 또 1년이 지나가면
인생도 점점 끝나 가는데
지금 그걸 잊고 산다.

너무 많은 것을 생각하는 것 같기도 하지만
잊고 살아서 편안한 한 것도 있는 것 같다.

자식이 대학 입학하고 졸업하고 군에 갔다 오고
다 축하하고 기쁜 일인데

기쁨 뒤에는 아버지가 늙어가고
있다는 것을 잊고 산다.

사료를 먹는 작은 기쁨으로
도살장에 가야 하는 것을
잊고 사는 돼지처럼

헤이즐넛 커피

헤이즐넛 커피를 처음 만난 건
대학 입학 후 호텔 커피숍에 처음 갔을 때

지금도 그때를 잊지 못해
항상 헤이즐넛 커피만 마신다.

음악다방에서는 팔지 않는
헤이즐넛 커피 향이 잊을 수가 없다.

헤이즐넛 커피를 파는 곳에서는
늘 헤이즐넛 커피만 주문한다.

아내는 커피를 좋아하지 않아 과일주스를 주문해도
나는 헤이즐넛 커피만 마신다.

헤이즐넛 커피를 아내와 같이 마실 때는
아내에게 자꾸 미안해진다.

헤이즐넛 커피 향을 맡을 때마다
작은 키에 긴 생머리 커다란 눈망울 첫사랑 소녀가 자꾸 생각나서

숙명과 운명

운명은 바꿀 수가 있지만
숙명은 바꿀 수가 없다.

운명은 앞으로의 존망이나 생사에 관한 처지
숙명은 날 때부터 타고난 정해진 운명이기 때문이다.

운명이 앞에서 날아오는 화살이라면
숙명은 등 뒤에서 날아오는 화살이다.

운명은 바꿀 수가 있어도
숙명은 바꿀 수가 없다.

아내는 운명 자식은 숙명
가족은 운명이 아니고 숙명이다.

가족은 운명이라고 생각했는데
숙명이라는 것을 비로소 깨달았다.

가족은 운명이 아닌 숙명이기에
숙명은 바꿀 수가 없기에 받아들여야 한다.

고맙다.
내 가족
나의 운명을 숙명으로 바꾸어 주어서

삶은 다 똑같다

고아가 태어난 곳도
재벌 2세가 태어난 곳도
다 똑같이 태어난 곳은 어머니의 자궁이다.

부자가 아침에 보는 태양이나
거지가 아침에 보는 태양이나
다 똑같은 태양이다.

오성 호텔 스위트룸에서 룸서비스로 먹는 아침이나
유통기간 지난 음식을 얻어먹는 아침이나
하루가 지나면 다 똑같이 냄새나는 배설물이다.

시, 분으로 쪼개어 하루를 사는 대통령 시간이나
아무 할 일 없이 하루를 사는 백수건달 시간이나
하루에 주어진 24시간은 다 똑같다.

평생을 선한 일만 하고 죽음이 안타까운 성직자나
천벌을 받아도 모자라 능지처참을 해야 하는 사형수나
죽은 뒤 3일 후에는 육신의 썩는 물이 흘러내리는 것은 다 똑같다.

돌이켜 보면 후회되는 일이 많다.
후회해서 내 삶에 도움이 된다면 돌이켜 볼 수도 있겠지만
돌이켜 보면 도움 될 만한 일이 없어서 힘들 때는 앞만 보고 가는 것이다.

불행과 행복은 내 생각이다.
생각이 나를 불행하게 하고, 나를 행복하게 한다.
지나고 나면 행복이나 불행이나 다 똑같다.

당연한 줄 안다.

세상사 모든 것이 그냥 얻어지는 것이 없고
세상사 모든 사람이 그냥 살아가는 것은 없다.
금이야 옥이야 키워온 내 자식도
이제는 클 만큼 다 컸다고 제 혼자 컸다고
당연한 줄 안다.

어려운 시절, 아내 기죽이기 싫어서
썩어빠진 자존심 다 내려놓고 여기까지 왔는데
내 자식 다른 아이들 보다 덜 해준 것이 있을까 봐
마음 졸이며 숨소리 죽이며 여기까지 왔는데
남편은 맥가이버가 되어야 하고
아버지는 슈퍼맨이 되어야 하는 것이
당연한 줄 안다.

아버지 돌아가실 때 나는 아버지 같은 가장이 되지 않겠다고
입술을 꼭 깨물며 여기까지 왔는데

어머니 돌아가실 때 나는 어머니처럼 자식 키우지 않겠다고
눈물을 삼키며 여기까지 왔는데

아버지 제사상 앞에서는 가장이라는 것이 이렇게 힘든 것이라
미처 몰라 머리 조아리고

어머니 제사상 앞에서는 자식이라는 것이 끝이 없다는 걸
너무나 늦게 알아 또 눈물을 삼킨다.

일상 권태기

어제가 오늘 같고 내일이 오늘 같은 봉급쟁이
어쩌면 반복되는 일상에 권태기를 느끼지만
가족 생계를 책임져야 하는 가장의 의무감에
습관적이고 의무적으로 출근한다.

나이가 들어감에 따라
조금은 버티기가 힘들지만
한 번씩은 의무적이고 방어적인 직장생활에
반성도 해 본다.

올라갈 직위도 없고
고정된 연봉
일에 대한 의욕이 상실되는 것은
속일 수 없는 현실이다.

오늘도 무사하기만 마음속으로 바라는
나의 모습에 젊은이들에게 밀리는
이유가 아닌가 하는 생각도 해본다.

웃긴다 삶이

빈둥빈둥 놀면서 잠도 실컷 자고
먹고 싶으면 먹고, 아니면 그냥 또 자고
온종일 아무것도 하지 않고
그냥 빈둥거린다.

게을러서가 아니고
게으르게 살고 싶을 따름이다.
건강하게 살자고 운동이니 등산이니 해보았자
돈 들고 몸살 나고

사회 생활한답시고 사람들 만나보아도
돌아오는 건 상처만 남고
없이 사는 사람은 혼자 절약하고 아끼는 수밖에
그러니 가만히 있는 것이 잘 사는 길

"웃긴다 삶이"

늙어서 집 나오면 개고생

집 나오면 배곯지 않고 아프지 말아야 하는데
늙었나 보다.
면역력이 떨어지는지
별일 아닌 것 가지고 아프다.

아프다고 누구에게 이야기할 곳도 없고
이야기한들 병간호 받을 때도 없으니
미련스럽게 그냥 버티어 본다.

며칠째 이러고 살지만
내 곁에 누구의 도움을 받을 수 없다는 것은
슬픈 일이다.

객지라는 것이 이래서 힘들다.
아파서 입맛이 없어도 굶거나
아니면 라면으로 끼니를 때워야 한다.
만사가 귀찮아서

늙어서
집 나오면 개고생이다.

삶에는 분명 이유가 있다

어김없이 오는 아침입니다.
매일 아침이 반갑기만 한 것은 아니다.
그냥 하루의 시작으로 느껴 본다.

언젠가는 이 아침을 맞이할 수 없는 날도 있을 것이다.
사형수나 시한부 인생을 사는 환자들에게는
아침햇살이 너무나 반가울 것이다.

살아 있다는 증거이기도 한
이 아침을 잊고 산다.
반가워할 줄도 모른다.

살아있기에 오늘 아침을 만나게 되는
이 귀중한 시간을 그냥 무미건조하게
받아들이는 것은 아닌지
나 자신을 돌이켜 본다.

얼마 전 이지선이라는 전신 화상 환자의 말이 생각난다.
"삶에는 분명 이유가 있다"라는 말을 되새겨 본다.

평범한 하루의 시작과 성묘

비가 오면 비 온다고 투덜투덜
더우면 덥다고 투덜투덜
추우면 춥다고 투덜투덜

오늘은 날씨도 좋고 바람도 불지 않고
그냥 평범한 하루의 시작
어쩌면 너무나 편안한 하루의 시작인데
이 편안함을 잊고 사는 것 같다.

투덜거리던 것이 어제 같은데
이렇게 편안하고 시원하게 하루를 시작하는데
감사함을 느끼지 못한다.

모두가 그런 것 같다.
없으면 아쉬움을 아는데
있으면 모른다.

일 년에 한 번은 부모님 묘소에 간다.
성당공원 묘지라 벌초할 건 없지만
잔풀 제거하고 예쁘게 꾸미려 한다.

마지막 부모님께 남아 있는
내 양심에 효도라고 생각하고
한 해도 거르지 않고 꼭 간다.

자식 아내 동행해서

부모님 좋아하라고 가는 것이 아니고
내 마음 편하여지려고 간다.

갈 때마다 아내 눈치 보지만
표현은 한 번도 하지 않았다.
당연히 해야 할 일기에

가시 섞인 농담도 하지만
억지 농담으로 그냥 받아넘긴다.
농담이 아니면 서로가 힘들어지니까

떨어져 사는 것이 일상이 되면
가족은 손님처럼 나는 주인처럼
가족이 만나도 어색할 때가 있다.

내 집이 내 집 같지 않고
회사에서 제공하는
숙소가 내 집 같을 때도 있다.

집은 12층인데 E/V에서 7층을 누른다.
숙소 아파트가 7층이 습관이 되어서
그럴 때마다 나도 놀란다.

자물쇠 비밀번호도 헷갈려 당황한다.
집이 숙소 같기도 하고
숙소가 집 같아서

아내 자식도 오랜만에 한 번씩 보는
아버지가 가족이 주인 같은데
가족은 아버지가 손님같이 느껴지리라.

의미 없는 주말

주말이다.
한주가 또 지나간다.
무엇을 했는지 모르지만

하루하루에 의미를 부여하여
알차게 보내려고 하지만

또 어쩔 수 없이
무의미하게 하루하루를
보내는 일이 수두룩하다.

잠시, 또 잠시 돌아보면
무엇을 하는지 모를 때가 많다.

급한 것은 급한 데로
처리하다 보면
하루가 후딱 지나가고

그 하루가 모여
오늘처럼 주말을 만든다.

주말도 별 의미는 없는 것 같다.
삶에 의미를 두지 않으려고
노력한다.

인생무상

오는 것을 거절하지 말고
가는 것을 잡지 말고
자신에게 잘 대해 줄 것을 바라지 말고
지나간 일을 원망하지 마라
부처님 공자님 말씀 틀린 말이 어디 있을까?

알면서도 못하고 어리석어 못하고
세상일이 내 생각대로 되느냐?
핑계도 대보지만
삶 자체가 내 위주로
생각하고 행동하기 힘들다.

세월이 지나면 한 줌의 흙으로
돌아간다는 것을
누구나 다 알면서도
망각하고 산다.

나 먼저 떠난 사람들 문상하면
영정사진 앞에서 깨우치고
잠시 인생무상이라는 걸 알지만

장례식장 문을 나서면
또 다 잊어버린 망각의 동물이 된다.

7080세대

세상이 급격히 변하면서
세상에 변함에
따라갈 수가 없다.

7080세대가 태어나서
20여 년이 변한 것이 없는데
30년이 지나고부터 정신없이 변했다.

세월이 지나가는 속도는 같은데
변화의 속도 너무 빨라 따라갈 수도 없어
적응하기 힘들다.

어쩌면 7080세대가
아날로그와 디지털같이 맛보는
행복한 세대이지만

어쩌면 양쪽 다 적응을 못 하는
불행한 7080세대다.

아날로그 아버지 밑에서 자라서
디지털 자식을 키워야 하는 혼란 속에
고민해야 할 것이 많다.

아날로그? 디지털?
과학? 기계 산업화?
그리고 지나가는 세월

승자와 패자

들어보면 다 맞는 말이다.
자기 관점에서 보면 맞는 데 참고 들어주는 것도 힘들다.
어차피 안 되는 일인데 어찌해야 들어주기라도 해야지.
지 잘났고 나 못났으니

성공하려면 상대를 설득을 잘해야
성공할 수 있는 것 같다.
윽박지르거나 억지 부려서 자기 뜻대로 하는 것은
한두 번이면 상대를 잃는다.

설득과 토론은 다르다.
토론은 승자도 패자도 없다.
설득은 득 보는 자와 손해 보는 자는
분명히 나온다.

아끼고 사랑하는 사람과는 토론하지 않아야 한다.
토론하면 남는 것이 없이 상처만 남는다.
상대방으로서 대화해야 한다.
특히 가족과는….

멍 때리기

출근길 비가 오는 날이면
괜스레 출근을 뭉그적거린다.
어차피 출근할 거면서….

한 번쯤은 에라 모르겠다며
다시 드러눕고 싶지만
습관적으로 출근한다.

사는 것이 무언지 한 번씩 차창 너머
떨어지는 빗방울을
윈도 브러시로 쓸어내리는 모습을

멍하니 쳐다보고 있다가
뒤차 클랙슨 소리에
깜짝 놀라서 출발하곤 한다.

이 나이에 아직
감성이 남아 있는지
아니면 점점 멍청해지는지

오늘같이 비가 오는 출근길은
머리는 멍해지고
가슴은 하얀 연기로 차오른다.

이렇게 출근길에 비가 내리면…

오월의 마지막 날

가정의 달이라고 해서
이제 챙길 것도 없다.
한 사람이라도 챙기지 않으면
상대방이 섭섭할 것 같아 찜찜하다.

이제 아이들도 다 컸고
어른이라고는 장인 장모님만
계셔서 아내가 알아서 하니
가정의 달을 잊고 산다.

이제 서서히 혼자가 되어 간다.
벌써 주위 사람들이
하나, 둘 다시 못 올 곳으로 보내는
이별 인사가 습관처럼 되어갈 때

남아 있는 사람들의 소중함보다
이제 나도 이별 인사를 할 때가
점점 다가오는 것 같아
슬퍼진다.

남아 있는 소중한 시간보다
지나간 시간에 아쉬워하는 것이
인간의 어리석음의 한계인 것 같다.

쫀쫀한 아버지, 속 좁은 남편

주말 근무라 책상 앞에 앉았다.
매일 앉는 책상이지만 급한 일 없고 회의가 없으면
주말 근무는 나 자신을 돌아보게 하는
여유를 가질 수 있는 시간이기도 하다.

오늘 날씨가 많이 풀린다고 하니
나들이하기 좋은 날이다.
아들은 부산에 여자 친구 만나러 갔고
*여왕벌님 경주남산에
고등학교 동기들이랑 등산 가셨다.

주말에 정기모임 주중 가까운 친구끼리 모임
간섭할 일도 아니고
간섭할 나이도 아니고
애 다 키워 놨으니 좀 즐기고
사는 것이 좋다 싶어 내버려 두지만

휴일수당 몇 푼 벌려고
이렇게 날씨 좋은 날
휴일 근무하며 짜증이 슬슬 올라오는 기분은
왜 숨기지 못할까?
그러니 열심히 살고 욕먹지
쫀쫀한 아버지, 속 좁은 남편이라고

*여왕벌 : 아내 애칭

근무복

아침 출근길에 가을비도 내린다.
갑자기 긴팔 셔츠가 생각난다.

세월이 무섭다.
며칠 전까지만 해도
더워서 죽겠다고 난리를 쳤는데
옷장에 넣어둔 긴팔 셔츠를 찾아내야겠다.

회사에서 지정된 근무복을 입고 근무하기에
사계절 옷 걱정은 하지 않는다.
회사에서 지급해 주는 옷만 입으면 된다.
겨울 파카까지 내어주니 옷 걱정은 안 하지만
유행의 감각이 떨어지고 어쩌다 사복을 입으면
촌스럽기 짝이 없다.

나도 잘생긴 편이 아니어서 옷 입는 것을
늘 신경 써서 입는 편이지만
객지에서 근무하고 난 뒤에는
출퇴근 시간에도 아예 근무복을 입고 다닌다.
볼 사람도 없고 봐줄 사람도 없어서….

타 죽을래 얼어 죽을래

아침 공기가 상쾌하고
시간이 지나감에 따라
하늘은 점점 높아진다.

아침에 출근하여 에어컨 안 켜고
업무 시작하는 것이 얼마 만인지

일회용 종이컵에 타 먹는
따뜻한 봉지 커피도
맛이 다름을 느낀다.

워낙 더위를 많이 타는 체질이라
가을 날씨가 무지무지하게 좋다.

더위에 밤잠 설치다
요즘에는 밤잠을 푹 자고 나니
아침이 즐겁고 행복하다.

아무리 가난하게 사는 사람에게는
여름이 좋다고 하지만
난 그래도 겨울이 좋다.

타 죽을래 얼어 죽을래 하면
난 얼어 죽을 거다.
지독한 올해 더위 이제 끝났다.

비 오는 주말 근무

비가 온종일 내린다.
현장 일은 없지만 출근했다.
나이가 들어 이제는
서류 정리하기가 집중이 안 되어 힘들다.

평일은 회의하랴
시공사 직원 면담하랴
이래저래 집중이 안 되어서
서류를 처리하려면 애를 먹는다.

토요일 조용히 책상에 앉아
밀린 서류들을 다 처리한다.

오늘따라 온종일 비가 오니
집에 가고 싶다.
맛은 없지만, 아내가 챙겨주는 밥을 먹고 싶은데
기름값 절약한다고 이렇게 청승을 떨고 있다.

퇴근길 마트에 들러
삼겹살이나 사서
집에서 구워 먹어야겠다.

파리 한 마리가 날아들어 와
나의 성질을 건드린다.
저놈의 파리 잡아 죽이고 성질 풀고
퇴근하련다.

억지 연차 억지 춘향이

회사에서 샌드위치 데이 연차를
일률적으로 다 내라고 한다.
갈 곳도 없는데

연차 신청을 하고 집으로 가야겠다.
남들은 휴가 간다고 난리인데
집에 가서 가만히 있어야겠다.

아들놈 붙잡고 맥주 한 잔 시원하게 해야 하는데
제 여자 친구 만나러 가고 없으면
그나마 하나 있던 낙마저 없어질 것 같아 걱정이다.

바쁘다는 핑계로 자주 가족들과 어울리지 않고
나이 들어 같이 어울리니 어색한 것이 많다.
같이 놀자고 하면 억지 춘향을 만드는 것 같다.

그래도 집에 가면 아들놈하고
맥주 한잔하는 것이 제일 좋다.
아들놈은 귀찮겠지만 그것마저 안 해주면
내가 삐진다.

삐지면 주특기 나온다.
카드 회수!

잊고 산다 그리워지는걸

불볕더위
지가 더우면 얼마나 덥겠나 더워 보라지
조금 있으면 크리스마스가 오겠지.

더위가 물러가기 싫어서
발악한다.
그래도 시간 앞에서는 부질없는 짓이다.

동해는 8월 15일이 지나면
바닷물이 차가워서 들어가지도 못하고
추석이 지나면
여름옷은 장롱으로 들어가야 한다.

무덥지만 조금만 참고 있으면
여름은 가고 가을이 올 것이고
몇 달 뒤면 춥다고 또 난리 치겠지.

시간은 어김없이 흘러 가을이 오고 나뭇잎이 떨어지면
눈보라가 치는 겨울이 온다는 것을 알지만
그것을 우린 잊고 산다.

살면서 우리가 늙어가고
늙으면 죽는다는 것을 잊고 산다.
잊고 살기에 편한 마음도 있지만

크리스마스가 오면 흰 눈이 내리고

거리에 붕어빵 장수. 어묵 장수가
다시 나타난다.

우리는 잊고 산다.
이 불볕 같은 더위가 크리스마스가 지나면
또 그리워진다.

시간이 지나가면 가을이 오고 잎이 떨어지면
눈보라가 치는 겨울이 온다는 것을 알지만
우리는 그것을 잊고 산다.

살면서 우리가 늙어가고
늙으면 죽는다는 것을
잊고 산다.

잊고 살기에 편한 마음도 있지만
준비 없이 생을 마감하기에
항상 삶에 후회하고 아쉬워한다.
지나고 보면 아무것도 아닌 것을 그제야 깨우친다.

철새 직업

새로운 프로젝트에 투입되어
준비 중이다.
프로젝트가 바뀌면
모두가 다 새로 시작한다.

일반 직장인과 달리
길게는 몇 년 짧게는 일 년 만에
프로젝트가 끝내고
새로운 프로젝트를 하므로
일이 지겹거나 싫증 날 일은 없다.

좋은 점도 많지만
한 번씩은 이번처럼
새로운 사람들을 만나
또 새롭게 시작해야 한다.

평생 한자리에서 똑같은 일을 하는 사람들은
자리를 옮겨 다니는
건축 감리라는 직업을 부러워할 수 있겠지만
한두 해 만에 한 번씩은 이 난리를 친다.

이사도 가야하고
전혀 모르는 사람들과 밀당도 하며
새로운 장소에서 새로운 사람들과
적응하는 시간을 가져야 한다.

계절이 환장했나, 지구가 미쳤나

밤부터 비가 온다고 하더니
비는 오지 않고
아침 날씨가 선선하고 아주 좋다,

날씨가 환장해서 계절이 없다,
봄을 기다리면 겨울이 버티고 있다가
봄이 오나 싶으면 여름이 밀고 들어온다,

계절이 환장했는지
지구가 환장했는지
날씨가 사계절은 없어지고
겨울과 여름으로 딱 갈라진다.

여름이면 어떻고
겨울이면 어떻고
봄, 가을이 없으면 어떠리

한낱 인간이 계절에
맞추어 살아야지
자연을 거스를 수는 없지 않은가?

400만 년 그냥 잘 살았는데
100년도 못 살 인간이
그냥 살다 가면 되지
투정은 왜 하나?

오지 않는 장마

날씨에 민감한 직업이다.
비는 오지 않지만
비가 온다고만 하여도 긴장한다.

긴 장마가 아니라서
큰 걱정은 하지 않지만

장마철로 들어선다고 하니
긴장해야 할 것 같다.

오르막이 있으면
내리막이 있듯이

힘든 일이 있으면
쉬운 일이 있고

슬픈 일이 있으면
웃을 일이 있듯이

장마가 오면
맑은 날도 오겠지.

삶이 긴장한다고
다 되는 것도 아니고

장마가 긴장한다고
오지 않는 것도 아닌데….

추석 연휴

몇 년 만에 5일을 쉬었다.
참 바쁘게도 살았던 것 같다.
앞만 보고 달려왔다.

3~40대에 이렇게 바쁘게 살았으면
이렇게 말년에 안 바쁘고 조금 여유 있게 살 텐데
60세가 넘어 바쁘게 산다.

추석 연휴 푹 쉬었다.
갈 곳도 없고, 오라는 곳도 없기에
부모님 산소에 성묘 갔다.

올해 성묘는 내 가슴이 더 아려온다.
두 분의 묘지 앞에서 떠오르는 많은 생각이
한참 나의 머리를 흔들게 했다.

이제는 고인이 되어
한 줌 흙으로 변해 있을 당신들께
더 이상 내 생각들이

한낱 지나간 지난 과거에 남아 있는
찌꺼기뿐이라고
나름대로 정리하였지만

아직도 원망의 틀 속에서 벗어나지 못하는
또 어리석은 중생 된다.

사랑하는 아들아

너 처음 태어나 모습 보았을 때
이 세상 너의 얼굴만 보였다.

너 처음 품에 안았을 때
이 세상 다 가진 개선장군처럼 행복했었다.

너 처음 옹알이할 때
이 세상 어떤 옹알이라도 다 알아들을 수 있었다.

너 처음 걸었을 때
이 세상 어떤 곳이라도 같이 걸어가고 싶었다.

너 처음 아빠라고 부를 때
이 세상 아빠가 나 혼자인 줄 알았다.

너 처음 숟가락질을 할 때
이 세상 모든 것을 숟가락 위에 다 얹어 놓으려고 했었다.

너 처음 유치원 운동회에 같이 갔을 때
이 세상 어느 아빠보다 열심히 뛰었다.

너 처음 너 이름 쓸 때
이 세상 어느 글자도 내 가슴에 새겨 두지 않기로 했다.

너와 처음 비행기 탔을 때
이다음 내가 조종하는 비행기 꼭 탈 것이라고 꿈을 꾸었다.

눈물 나도록 기쁜 날

우리 아들 시골 학교 전학시키는 날
아들 눈치 보며 안절부절못하던 날

우리 아들 시골 학교 반장 뽑힌 날
눈물 나도록 기쁜 날

시골 조그마한 학교가 싫다.
아비 속을 그렇게도 애태우던 아들 녀석

반장 뽑혔다고 우쭐대던 환한 얼굴 보며
한시름 놓고 웃고 또 웃고

아비 잘못으로 시골 학교 전학 간다며
아비 속을 오려내고 도려내더니

반장 노릇 잘하겠다며 당찬 얼굴을 보며
고마움에 흐르는 눈물 삼키며 또 삼키고

축하 파티 돼지갈비 먹으며 좋아하는 아들놈 보며
한 많은 세월 잊고 또 잊고

나의 작은 소망

나의 작은 소망은
새끼 잃고 밤새 우는 저 뻐꾸기
새끼 만나 울지 않는 것이 나의 소망이요

나의 작은 소망은
임 그리워 밤새 우는 저 기러기
임 만나 울지 않는 것이 나의 소망이요

나의 작은 소망은
해바라기 해님 따라 도는데
저녁 서산에 해님 넘어가지 않는 게 나의 소망이요

나의 작은 소망은
달나라 토끼 부부 밤새워 절구질하도록
아침 해가 뜨지 않는 게 나의 작은 소망이요

나의 작은 소망은
사랑하는 임 뜻대로 행복하게 살도록
하느님이 도와주는 것이 나의 소망이요.

나의 작은 소망은
사랑하는 데 새끼 무럭무럭 자라서
커다란 비행기의 조종사 되는 것이 나의 작은 소망이요

나의 작은 소망은
이 소망이 이루어지는 것이 나의 소망입니다
술도 없이 겁도 없이

나의 아들아

내가 캄캄한 어둠 밤 폭풍 속
망망대해에 떠 있는 작은 배라면
너는 폭풍 속에 피어나는
나의 등불

내가 긴긴밤을 지새우는 엄동설한
동지섣달 차가운 구들장이라면
너는 눈 속에서 피어나는
나의 매화꽃

내가 모래바람 휘날리는 사막의 한가운데서
뜨거운 땡볕 아래 말라죽은 선인장이라면
너는 야자수 그늘 솟아나는
나의 작은 오아시스

내가 긴긴 세월 속에서 지쳐서
긴 한숨 내쉬며 세월이 한탄 가를 부르는 나그네라면
너는 나의 희망이자 꿈이요
나의 생명줄

나의 소중한 작은 행복

이른 아침 자식 놈 깨우는
아내 잔소리 들으며 잠에서 깨는 것도
나의 작은 행복입니다

바닷길을 달리는 시외버스 안에서
꾸벅꾸벅 졸면서 출근하는 것도
나의 작은 행복입니다

점심 한 끼 라면으로 때우며
달걀, 고춧가루 풀어서 먹을 수 있는 것도
나의 작은 행복입니다

퇴근길, 자식 놈 좋아하는 과자 사려고
동전 몇 닢 챙겨 구멍가게 이빨 빠진 할머니 만나는 것도
나의 작은 행복입니다

침침한 눈으로 돋보기안경 쓰고
자식 놈 달래 가며 숙제 돌봐주는 것도
나의 작은 행복입니다.

단출한 밥상에 둘러앉아
자신 놈 반찬 투정 소리 들어준 것도
나의 작은 행복입니다.

낡은 가계부 넘기며 잔소리 끝에 들려오는
아내 한숨 소리 자장가 삼아 잠잘 수 있는 것도
나의 작은 행복입니다

생일날

기다린 것도 아닌데 어김없이 찾아오고
잊고 싶어도 챙겨주는 미역국 한 사발에
밥상머리에 앉아 억지 축하받아보고

모질도록 이 긴 세월이 지나칠 만도 한데
쓸모없이 이 땅에 떨어져 긴 세월을 원망도 못 하고
다시금 다가올 세월 속에 또 묻혀 살아야 하건만

아침나절 아내 생일 위로 편지 한 통 읽어보고
점심나절 아침에 먹고 남은 식은 미역국 찬밥 말아 점심 때우고
저녁나절 아빠 생일날 피자 먹는다며 좋아하는 철부지 자식 보면서

생일 케이크 대신 피자 한 판 시켜놓고
몇 개인 줄 모르는 촛불 훅 불어 끄고
맛있게 먹는 자식 모습 보면서
자식 놈이 저렇게 좋아하니 생일은 좋은 날이다.

선물 대신 지폐 몇 장 달라는 말에
머리맡에 흰 봉투 놓아두고
돌아누워 잠자는 아내 모습 바라보면서
물어보고 물어본다.

왜 왔니?
왜 왔니?
이 세상에 왜 왔니?

아들 초등학교 2학년 때 아빠 생일을 날 쓴 편지.

사랑하는 아버지께

아빠 아들이에요.

오늘이 아빠 생신이니까 이렇게 편지를 씁니다.

저는 지금 공부하는 것을 게으름을 피워서 죄송해요.

앞으로는 공부할 때 열심히 하도록 노력할게요.

그리고 아빠 제가 너무 아빠 말을 잘 듣지 않아서 죄송해요.

앞으로 아빠께 효도하는 어린이가 되겠습니다.

그리고 아빠 제게 공부 가르치신다고 힘드시겠지요.

거기에다 회사 일까지 하시니 더 힘드실 거예요.

아빠 생일 때 드리는 선물로 간직하고 소중히 다루어 줬으면 좋겠고 저번 아빠 생일 때 제가 드린 선물 아직도 가지고 계시는 걸 보니 지난해처럼 지금도 그 선물 다음 해까지 가지고 계셨으면 좋겠어요.

아빠, 지금부터라도 게으르지 않고 부모님께 효도하는 아들이 될게요.

아빠 사랑합니다.

생신 축하드려요.

2000년 6월 25일. 아들 올림.

아들 초등학교 3학년 때 아빠 생일을 날 쓴 편지.

아빠, 안녕하세요,

저 아들이에요.

아빠 생신 축하드려요.

아빠께서 저에게 꾸중하시는데 저는 꾸중을 듣기가 싫어요.

아빠 저에게 꾸중을 좀 하지 말아 주세요.

저가 계속 꾸중 들으면 기분이 너무 나빠요.

아빠 생신 때는 선물을 많이 못 받겠지만 아빠께서 태어나신 날이니 기분 좋게 생각하고 또 쉬는 날이니 더욱더 신나게 생일파티 하겠네요?

아빠 힘드시게 일하여 주셔서 고맙습니다.

그리고 힘들지 않고 열심히 일하고 오래오래 사세요.

그리고 앞으로도 튼튼하고 건강하세요.

2001년 7월 13일 아들 올림

아들 편지에 동봉한 아내 편지

사랑하는 낭군님 생일 축하합니다.

벌써 십 년의 세월이 흘렀습니다.

앞으로 살아가야 할 날이 많기에 그동안의 모든 고통은 저 바닷속에 던져버리고 새로운 아침에 태양을 마사지하듯 현실에 맞게 만족 속에 하루하루 지내야겠지요.

어려운 일을 참 잘 참아내는 당신을 보면 삶의 새싹을 찾은 듯 안도의 한숨을 쉬어 보기도 합니다.

우리 가족 분발하면 그 어떤 누구보다도 행복한 가정이 될 수 있다고 생각됩니다.

항상 열심히 노력하는 아들을 보면 힘이 나기도 합니다.

당신도 아들의 사랑 속에 튼튼한 정신적 지주가 되어 아빠로서 힘을 얻기를 바랍니다.

행복은 우리 가정 안에 있다고 생각됩니다.

저도 지금보다 더 열심히 이 세상에 살아갈 것입니다.

항상 힘과 용기 잃지 마시길 바랍니다.

2000.6.25 당신을 믿는 아내의 올림.

서방님 생신을 진심으로 축하합니다.

먼 길 출퇴근하면서 회사 일 하시느라 고생이 많으십니다.

그나마 직장이라도 있으니 얼마나 다행인지 모릅니다.

저 자신이 욕심만 조금 버린다면 이 모든 것이 크나큰 행복이겠지요.

그저 우리 가족 몸 건강하시길 바랄 뿐입니다.

이 세상 그 무엇과도 건강하고 바꿀 수 없기 때문이지요.

앞으로 해야 할 일이 많기에 현실은 항상 부족할 뿐입니다.

매일매일 열심히 살다 보면 언젠가는 좋은 날이 올 줄 믿습니다.

2001.7.13. 아내 올림

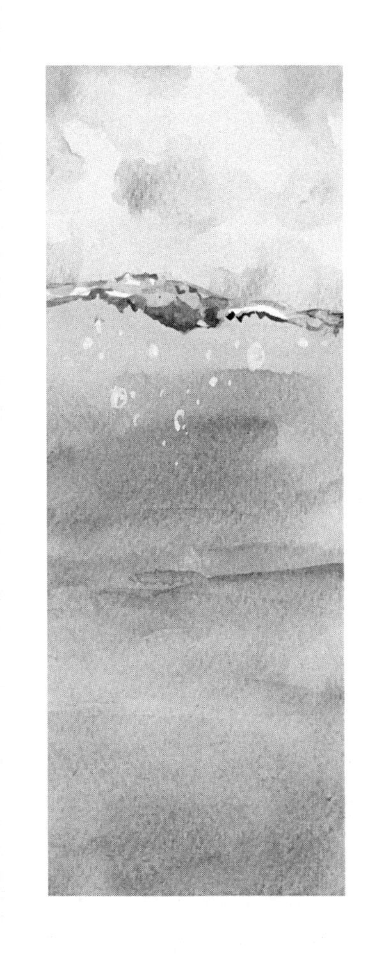

10. 맺는 글

맺는 글
불행한 천국과 행복한 지옥의 선택권

행복이 무엇일까?

"행복합니까?"하고 질문을 던진다면 "예"라고 자신 있게 대답할 사람이 있을까?

국어사전에서 찾아본 행복이란?

생활에서 충분한 만족과 기쁨을 느끼어 흐뭇함, 또는 그러한 상태이다.

평생을 살아오면서 생활에서 충분한 만족과 기쁨을 느끼어 흐뭇함을 느낀 적이 몇 번이나 있을까? 돌이켜보니 없다.

올림픽 시상대에서 금메달리스트와 동메달리스트는 행복해하고 은메달리스트는 별로 행복해하지 않는 모습을 종종 볼 수 있다.

금메달리스트는 금메달을 따서 만족하고 동메달리스트는 그나마 메달을 따서 만족하지만, 은메달리스트는 동메달보다 더 좋은 메달을 땄지만, 금메달을 따지 못한 아쉬움에 만족하지 못한 것이다.

대표적인 예로 2010년 밴쿠버 동계올림픽에서 20살 동갑 라이벌 한국의 김연아와 일본의 아사다 마오가 출전해서 김연아와 '금메달 경쟁'을 펼칠 것으로 기대를 모았던 아사다는 큰 점수 차로 은메달에 머물렀다. 어머니를 잃은 충격을 딛고 연기를 펼친 조애니 로셰트(캐나다)가 감격스러운 동메달을 목에 걸었다.

아사다 마오는 시상식에 오른 자리에서 시종일관 밝은 김연아와 조애니 로셰트의 모습과 달리 어두운 표정으로 대조를 보였다. 아사다 마오가 마음이 가난하지 못한 욕심, 욕망뿐인 사람을 대변해 준다. 대단한 일을 이루었음에도 최고가 되지 못한 아쉬움에 웃을 수가 없었고, 만족하지도 못했다.

캐나다 대표선수 조애니 로셰트는 어머니를 잃은 충격에도 동메달을 목에 걸어 많은

이들로 박수를 받았고 본인도 동메달에 만족한 모습이었다. 아사다 마오는 조애니 로셰트에게 이겼지만 만족하지 못했고 조애니 로셰트는 아사다 마오에게 졌지만 만족했다. 이것이 우리가 찾지 못하는 만족과 기쁨, 행복의 차이인 듯하다.

지금은 영화배우 조승우의 생부로 더 유명한 조경수 가수가 1979년에 발표한 '행복이란' 노래를 주일미사 강론 시간에 주임 신부님께서 직접 몇 소절을 부르면서 행복에 대하여 강론하셨다.

저작권 문제로 가사를 옮겨 적지 못하지만 당신 없는 행복이란 있을 수 없는 당신이란 무엇인가를 강론하셨다.

신부님의 당신은 당연히 하느님이라고 했다.
하느님만 있으면 행복하다고 했다.
당연히 신부님께서 처자식이 있는 것이 아니고, 성직자가 하느님 없는 행복이 있을 수 없다고 할 것이다. 하지만 나 같은 일반인이 처자식을 다 버리고 하느님께만 매달리고 행복을 느낀다면 그것은 이단의 광신도만 할 수 있는 것이다.

가난한 사람에게 당신은 돈이고 아픈 사람에게 당신은 건강이고 구직자에게 당신은 취업이고 수험생에게 당신은 원하는 대학이다. 사형수에게 당신은 무기징역이고 교도소에 갇혀 사는 죄수들의 당신은 형기를 마치고 교도소에서 석방되어 나오는 것이다. 사람마다 모두가 다른 당신이 존재한다.

나의 당신은 처자식이고 돌보아야 하는 책임과 의무가 있다.
힘들 때 벗지 못하고 내려놓지 못해 평생 강박감에 짓 눌려 살고 있다. 내 부모처럼 살기 싫어서 더더욱 자식에게 집착하는 것도 있다. 나의 마지막 소원은 내가 이 세상을 떠나고 난 후에 내 자식이 나처럼 부모를 원망하지 않고 사는 것이 나의 마지막 소원이다.

신부님 강론에 당신을 버릴 수가 없으면 마음을 가난하게 하라고 했다.
마음을 가난하게 하라는 것은 욕심을 버리라는 것이란다. 부귀영화에 대한 욕심은 다른 사람들보다 능력이 부족해서 버렸다. 부모 형제에 대한 욕심은 버림받고 배신당했을 때 울분을 삭이며 다 버렸다. 아내에 대한 욕심은 이제는 같이 늙어감에 따라 영원한 이별의 시간이 얼마 남지 않아 버렸다.

나에게 당신이란 오직 하나밖에 없는 나의 아들이다.

그래서 버릴 수도 없고 비울 수도 없다. 신부님이 하느님이 없는 행복이 있을 수 없듯이 나도 아들 없는 이 세상을 단 한 번도 상상하지 못했다. 행여 아들에게 집착하고 있는 것은 아닌지 아들에게 부담을 주는 것은 아닌지 많은 생각을 하면서 아들에게 냉정해지려고 많이 노력하며 살아간다. 기쁘고 행복할 때보다 기대했던 것보다 모자라서 한 번씩 실망할 때가 더 많았다. 올림픽에서 은메달을 목에 걸고 시상대에 섰던 아사다 마오 같은 기분일까?

붙임성도 없고 무뚝뚝한 아들 녀석이지만 이제까지 살아오면서 부모 속 한번 안 썩이고 잘 커 주었는데도 무언가 부족한 것 같다. 내가 만족하지 못한 것은, 내가 부족해서 많은 것을 해주지 못해서 미안하고 물려줄 것이 없는 미안함으로 인하여 남의 자식보다 부족한 것 같아 늘 미안하다.

자식에게는 기대하지도, 기대지도 말고 절대 짐이 되지 말자는 것을 마음속으로 다짐하지만, 마음이 자꾸 자식에게 쏠리는 것은 어쩔 수가 없다. 앞으로 자식을 먼발치에서라도 볼 날이 얼마 남지 않았기에 초조하고 마음만 급하다.

내가 없어도 세상은 아무 일 없이 잘 돌아간다.

마음을 비우고 모든 것을 내려놓고 얼마 남지 않은 시간을 잘 보내야 하는데 알면서도 그렇게 하지 못해 매우 아쉽다.

하지만 힘들고 죽고 싶을 때 분노의 피를 토한 혈서로 이국땅에서 나의 심정을 한 자 한 자씩 울분과 눈물을 대신했다. 가슴에 새겨 놓은 흔적을 정리하고, 자식을 시골 초등학교로 전학시키고 처가 더부살이 벗어나려고 발버둥 치며 아들놈 대학 졸업시킬 때까지 설움과 굴욕을 참으며 보이지 못할 눈물을 훔쳤다.

또한, 처자식 생계와 책임을 위해 20여 년을 집 떠나 타향 골방에서 외롭고 서러울 때마다, 한 글자 한 글자 써 모았던 글을 활자체로 정리하여 책이라는 것으로 내 삶을 이 세상에 내보낸다.

누군가에게 두서없는 내 책을 읽어달라는 것은 아니다. 내가 이 세상에 태어나 이제는 미련 없이 이 세상과 이별을 고할 시간이 다가왔다. 잘 살았다고 고맙다고 80억 명 중 1명으로 태어나 살아온 시간의 희로애락을 종이 비석으로 만들어 내가 태어난 이 세상에 존재했던 흔적으로 던져 놓고 세상을 떠날 준비를 한다.

누군가는 그랬다.

'너의 두서없는 책 한 권이 세상 사람들에게 무슨 의미가 있느냐?'고 그렇다!

나는 태어나 잘 살았던 것도 아니고, 유명하지도 않았다. 부모와 세상을 원망하고 태어난 것조차 원망할 때도 있었다. 내 아들이 그렇듯 태어난 것은 나의 선택이 아니었기 때문이다.

그래서 남 탓, 세상 탓으로 나의 모자람을 돌렸다. 그렇지만 살다 보니 80억 명 중 상위 10%에는 사는 것 같다. 80억 인구 남자 평균수명이 67세인데 67세도 넘겼고 우리나라 근로자 평균 은퇴 나이가 57세인데 67세에도 적은 봉급이지만 매월 봉급을 받고 있다. 연 소득에서 아쉬운 점은 있지만, 이래저래 돌아보니 자식에게 물려 줄 유산은 없지만, 아들 나이 서른 살이 넘도록 돌보아 주며 잘 버티며 살았다.

이 나이까지 병원에 입원한 적도 없고, 여름 더위는 타지만 겨울에는 방에 난방하지 않고 내복도 입지 않으며, 감기 한 번 걸리지 않고 건강하게 잘살고 있다.

인생에서 제일 힘든 오점은 부모·형제 덕분에 구치소에서 넉 달가량을 보냈지만, 아내가 옥바라지 잘해주었다. 냉철한 법 앞에서도 정상참작을 받아 열심히 살라고 최종 재판 선고에서 교도소에 가지 않았으며 몇 개월 후 사면복권을 받았다.

그렇게 원망 서럽던 어머니가 처음이자 마지막으로 미안한 마음으로 화장해서 산골하라고 마음에 없는 말씀 하셨지만, 비만 오면 울어대는 청개구리가 되기는 싫었다. 내 손으로 장례를 치러서 가톨릭 묘역의 아버지 옆에 매장하고 매년 성묘하며, 얼굴도 모르는 조부모님과 부모님의 제사를 잘 모시고 있다. 주위 사람들은 제사를 성당 위령미사로 대신하라고 하지만 내가 경제력이 상실될 때까지 지내려고 한다.

남들에게 가족의 허점을 보이고 손가락질받는 것을 싫어하는 성격의 까탈스러운 아내를 평생 모시고 살았다. 직설적이고 욱하는 성질이 지나쳐 사고 치고도 큰소리를 치는 성질 더러운 남편 비위 맞춰 주며, 박봉에 알뜰하게 살아 자식 놈 아르바이트 한번 안 시키고 대학 졸업시켰다. 이 정도면 자식 교육에는 신사임당 같은 아내이기에 남편에게 애교는 없어도 남편을 잘 구슬려서 남에게 신세를 지지 않고 살았으니 아내도 잘 만난 것 같다.

남자아이 키우면서 별 간섭을 안 했는데 잘 커 준 아들, 키우면서 아쉬움은 없는 것이 아니지만 착하고 바르게 성장해준 것에 고마워하지 않으면 내 욕심일 것이다.

모든 욕심 내려놓고 마음을 비웠는데 자식에게만은 아쉬움을 비우지 못하는 것 같다. '부모는 죽을 때까지 자식 걱정이다.'라는 말을 느낄 때마다, 내 부모님은 왜 그렇게 나를 나락으로 밀어 넣었는지 아직도 이해되지 않는다. 그래도 돌이켜 보면 잘 버티고 잘 살았다. 아쉬움은 있지만 내 삶의 후회는 없다.

지금이라도 하느님이 오라고 하면 미련 없이 갈 수 있는 준비도 했다.

나의 인생은 처자식을 지킨 전후로 나누어진다.

부잣집 아들로 태어나 인생을 철없이, 멋대로, 불행한 천국에 살았다면 부모와 형제에게 버림받고 나락으로 버려져 빈털터리로 맨땅에서 처자식을 지켜낸 행복한 지옥에서 살았다.

아직 가보지 못한 저승에는 지옥과 천국이 분명히 정해져 있는 줄 모르지만, 이승에는 분명하게 정해진 천국과 지옥은 없다. 살 만큼 살아보니 분명하게 알겠다.

천국 같았는데도 불행했고 지옥 같았는데도 행복했다.

참을성 없는 인간은 항상 불볕더위에는 더워죽겠다며 추운 겨울을 그리워하고, 겨울 한파에는 추워 죽겠다며 여름을 그리워한다.

어려움을 맞닥뜨릴 때 더우면 타죽을 것 같고, 추우면 얼어 죽을 것 같지만, 지나고 나면 따뜻하고, 시원해서 좋았을 일들이다.

6개월 전에 일은 잊어버리고 6개월 후에 다가올 것도 생각하지 못한다. 지금 당장 더워서 죽겠고, 추워서 죽겠다는 것은 미약하고 보잘것없는 인간의 삶의 모습이다.

살아보니 그렇다.

이승에는 천국도 지옥도 없다.

힘이 들어 삶의 의미가 없어 포기하고, 희망이 없으면 사는 곳이 지옥이다. 아무리 힘들어도 삶의 이유가 있고 찢어질 듯 가난해도 누군가에게 나의 존재 가치가 있다면 사는 것에 보람을 느끼고 그곳이 천국이다.

사형수의 꿈은 무기수이고, 무기수의 꿈은 감옥살이 기간이 정해진 유기수이고, 유기수의 꿈은 감형을 받아 형기를 마치고 교도소에서 석방되는 것이다. 교도소에 갇혀 있는 죄수들은 교도소 밖이 모두 천국이고, 병원에서 환자복을 입고 있는 사람들은 환자복을 벗은 병원 밖이 모두 천국이다. 식물인간은 잃었던 정신이 돌아오면 천국이고, 하반신 마비 환자는 걸을 수가 있으면 천국이고, 청각장애인은 들을 수 있으면 천국이고, 시각장애인은 볼 수 있으면 천국이다.

불행한 천국과 행복한 지옥의 선택권은 오직 나에게 있다.

내 마음이 지옥이면 지옥에 사는 것이고, 내 마음이 천국이면 그곳이 천국이다.

나는 오래 살기를 바라지 않는다. 이만큼 사는 것에 충분히 감사한다.

내 나이보다 오래 사는 사람이 수없이 많지만, 내 나이 되기 전에 세상을 떠나는 수없는 사람들보다는 천국에 살고 있다.

이승의 천국과 지옥은 멀리 있는 곳이 아니다.

교도소든 병원이든 쪽방이든 내일 아침 해를 볼 수 있는 그곳이 천국이다.

대통령이나 수천억 가진 부자나 천하를 가진 잘난 사람도 내일 떠오르는 아침 해를 볼 수 없다면 그곳이 바로 지옥이다.

스스로 내일을 포기 한 사람이 수없이 많다.

2021년 기준 한 해 31만7천여 명이 사망했으며 그중에서 1만3천여 명이 자살했다. 하루 870여 명이 죽기 싫어도 병이나 사고로 인하여 본인의 의사와 관계없이 죽는다. 이들 중 37명이 내일을 포기하고 본인이 직접 자신을 살해하고 이승과 등졌다. 특히, 10~40대 사망원인 1위가 자살이고 40~60대의 사망원인 중 2위가 자살이다.

자살하는 원인은 어떤 이유에서든 삶에 만족하지 못하고 사는 것이 고통스럽고 죽으면 고통이 사라질 것이라는 죽음의 유혹 때문이다. 나 역시 그런 유혹에서 벗어나는 데 가장으로서 처자식에 대한 최소한의 책임과 의무라는 핑계로 버티었다.

자존심이 상하고 자괴감도 들었고 초라한 내 몰골이 삶을 더 힘들게 했다. 지나고 나면 나에게 관심을 가지고 보는 사람은 하나도 없는데 스스로 그런 생각을 하고 살았다. 지나고 나면 별것 아닌데 지날 때까지 힘들었다.

내 몸을 마음대로 움직일 수 있고, 밥 먹는 데 지장 없고 먹은 밥이 소화가 잘되어 대변으로 잘 나오고, 내 의사를 전하는 데 지장 없는 정신이 있으면 누구나 모두 행복하다.

숨 쉴 수 있는 이 행복을 아무도 모른다.

몇 초 몇 분 동안 숨을 참고 숨비소리 한 번으로 살 수 있다. 하지만, 교도소에 있는 사람도, 암에 걸린 사람도, 돈이 없는 사람도, 세상 어떤 어려움이 있는 사람도 단 10분이라는 짧은 시간 동안 숨을 쉬지 못하면 지옥행이라는 걸 잊고 산다.

불행한 이유는 단 한 가지뿐이다.

그것은 지금 자신이 행복하다는 사실을 모르고 살아가기 때문이다.

죽을 만큼 참다가 생사의 갈림길에서 숨비소리를 낼 수 있는 그것도 행복이다. 숨비소리를 내지 않으면 물 숨이 되고 물 숨은 곧 죽음이다.

죽음이 바로 지옥이고 행복의 반대편을 쳐다보며 유혹하는 불행이다.

글이라 할 것도 없는 두서없는 글을 맺는 글까지 읽어 준 사람이 있다는 것이 행복하고 감사드립니다.

맺는 글까지 읽어 주신 분께 나의 글로 인하여 행복이 무엇인지 전해졌으면 좋겠다.

다시 한번 더 잊지 않기를 바라며 책 표지 뒷면까지, 비석의 비문처럼 큰 글자로 새겨 두며 글을 맺는다.

불행한 이유는 단 한 가지뿐 입니다.
그것은 지금 자신이 얼마나 행복하다는
사실을 모르고 살아가기 때문입니다.